# DYNPOBUN

# DYNPOBUN

EURON GRIFFITH

y Lolfa

*Diolch i:*

*Jacci, Tali, Myra, Selwyn, Dominique, Lillian, Shannon, John, Paul, George a Ringo.*

Argraffiad cyntaf: 2011



Dymuna'r cyhoeddwyr gydnabod cymorth ariannol Cyngor Llyfrau Cymru

Cynllun y clawr: Sion Ilar

Rhif Llyfr Rhyngwladol: 978 1 84771 366 7

Cyhoeddwyd ac argraffwyd yng Nghymru
ar bapur o goedwigoedd cynaladwy
gan Y Lolfa Cyf., Talybont, Ceredigion SY24 5HE
*gwefan* www.ylolfa.com
*e-bost* ylolfa@ylolfa.com
*ffôn* 01970 832 304
*ffacs* 832 782

Mae hon yn stori wir…

… ish.

# Trympedwr ar y lleuad

Hanner awr i fynd cyn y cyfarfod a sgin i ddim Syniad.

A dwi angen Syniad.

Syniadau ydi'r olew sy'n cadw'r injan nosweithiol 'ma i symud. Heb Syniadau fasa Duvka Llewelyn-Sion druan ar goll yn llwyr ar y soffa enwog. Fasa'r ôto-ciw yn dudalen wag. Fasa'i gwên hi'n rhewi. Fel cwningen o flaen lori ludw.

A pwy fasa'n cael y bai am hyn i gyd? Wel ni wrth gwrs. Yr ymchwilwyr.

Y Pŵr Blydi Inffantri.

Ma hanner gwyneb ofnus Siân, yr ymchwilydd arall, yn ymddangos o'r tu ôl i'r cyfrifiadur.

"Ti 'di bod trw'r *Cymro*, Irfon?"

"Naw gwaith."

"Unrhywbeth 'na?"

Dwi'n checio fy nodiadau.

"Ym... dwy afr wedi marw yn Rhaeadr... dynas 'di mynd yn styc mewn ciosc yn y Bermo... ac englyn newydd gan Twm Morys."

"O dier." Ma hi'n brathu ei gwefus ac edrych ar ei wats.

"Sgen *ti* rwbath?"

"Wel," medda hi gan fynd drwy'r llyfr A4 o'i blaen, "wi 'di ffindo bwji dwyieithog yn Ffos-las."

"Licio fo. Like it."

"A ma stori yn un o'r papure bro am hen ferch o Ystrad-wen sy 'di neud cerflun o Daniel yn ffau'r llewod mas o blaster o' Paris a Weetabix."

"Haleliwia."

Un dda ydi Siân yn ôl pob sôn. Does 'na'm byd dydi hi ddim yn gwybod am y gornel fach orllewinol yma o Gymru. Yn ddiweddar ma hi wedi ffendio hanes hen gloc cwcw yn Nhregaron, dyn o Lantridwr oedd wedi llyncu llyffant wrth blannu tatws... a phlentyn deg oed o Ddyffryn Pwll oedd wedi derbyn llythyr gan y Frenhines yn ei longyfarch am baentio llun o'r Tywysog William yn glanio ar ben Cader Idris mewn llong ofod. Ia, hwn ydi fy niwrnod llawn cyntaf ond ma pawb wedi dweud wrtha i yn barod mai Siân ydi meistres y Syniadau. Ma'i llyfr bach nodiadau hi wastad yn llawn yn y cyfarfod bnawn Mawrth tra bod fy un i, ar hyn o bryd, mor wag â phen Gavin Henson.

Ugain munud i fynd.

"Siân, os 'na rwbath yn *Ffermwyr Cymru*?"

"Ma wastod rhwbeth yn *Ffermwyr Cymru*. Co ti."

Dwi'n fflicio'n frysiog trwy'r rhifyn diweddara. Dwi'n dallt dim am ffermio a sgin i ddim diddordeb mewn tractors, moch, mwd na ieir. Bron iawn nad ydw i'n medru ogleuo'r tail ar y tudalennau. Ar y dudalen gefn dwi'n sylwi ar rwbath am ryw ffarmwr yn nhwll tin y gorllewin sydd wedi penderfynu rhoi enw ar bob un o'i wartheg achos, yn ôl arolwg academaidd, bydd hynny'n annog yr anifeiliaid i greu mwy o lefrith. Ma 'na Syniad yn goleuo ystafell sbâr fy ymennydd fel bwlb sicsti wat.

Wel, fforti falla.

Syniad twp a desbryt a gwael. Ond o leiaf mae o'n Syniad.

Ma hanner gwyneb Siân yn ymddangos rownd y cyfrifiadur eto.

"Irfon?"

"Ia?"

"Ti'n gwbod y lleuad?"

"I-ia...?"

"Ma fe'n gweud ar Gwgl mai heddi yw pen-blwydd y bachan cynta i gerdded arno fe. Ti'n gwbod... y trympedwr 'na."

"Y... trympedwr?"

"Louis Armstrong."

"Louis Armstrong? Ond –"

"Jôc, Irfon."

"O. Reit. Jôc. Da iawn."

"O'dd dy wyneb di'n bictiwr!"

"Grêt. Tisho panad o'r cantîn, Siân?"

"Ie. Te. Gwan. Dou siwgir."

# Hei, Irfon, pam wnes di gymryd y job goc 'ma yn y lle cynta?

Dau air. Y wraig. Wel, tri gair i ddweud y gwir.

"'Dan ni'n ffycd."

"Be?"

Ma'r post newydd gyrraedd ac ma Michelle wedi agor llythyr cas o'r banc.

"'Dan ni tw grand overdrawn. Tw grand! Shit!"

"Dwy fil? Ond sut?"

Mae'n stwffio'r llythyr i fy nwylo a mynd drwodd i'r gegin.

"Fel hyn."

Dwi'n sbio'n sydyn ar y rhifau sydd wedi eu rhestru mor oeraidd a thaclus i lawr canol y llythyr er nad oes gin i ddim syniad be ma nhw'n feddwl. Fel arfar fydda i'n taflu llythyra banc yn syth i'r pedal bin heb sbio arnyn nhw achos, ar y cyfan, dwi'n meddwl mai'r ostrich sy'n dallt ora sut i ddelio hefo sefyllfaoedd cas a pheryg. Wrth gwrs, dwi'n ddislecsic hefo rhifau hefyd. Dwi ddim yn 'u dallt nhw – a dwi ddim yn licio'r ffycyrs chwaith achos hefo rhifau does 'na mond iawn ac anghywir, does 'na fyth dir canol, ac ar y tir canol dwi wastad wedi byw. Y tir lle ma'n bosib i ddyn falu cachu. Y tir lle does 'na fyth gywir ac anghywir, jyst 'ma'n dibynnu'. Does 'na fyth 'ma'n dibynnu' hefo rhifau. 'Dach chi unai'n iawn neu 'dach chi'n rong. Ac, ar hyn o bryd, 'dan ni yn ffwcedig o rong.

"Ma raid i ti ffendio job, Irfon."

"Dwi'n gwbod."

"Rhaid i ti anghofio'r nofel am dipyn."

"Dwi'n gwbod."

"Sawl gwaith ti 'di ca'l dy wrthod rŵan?"

"Tri deg chwech."

"Ti'n meddwl fod nhw'n trio deud rwbath 'tha chdi?"

"Ma ca'l dy wrthod yn rhan o fywyd i awdur."

"Ia, ond… tri deg chwech!"

"Gafodd J K Rowling dros gant."

"Ma raid i chdi ffendio job, Irfon. Ma'i mor syml â hynny. Ti'n dallt?"

Wrth glywad hyn dwi'n nodio fel plentyn drwg sydd wrthi'n cael ffrae gan y prifathro. Wedyn, ar ôl cwpwl o eiliadau anghyfforddus, ma Michelle yn ochneidio.

"Gwranda, fedri di ffonio'r boi teli 'na peth cynta bora Llun?"

"Pwy?"

"Y boi *Trwy Lygaid Duvka*! Hefin Llan."

"Wel," medda fi gan redeg fy llaw trwy fy ngwallt, "nath o ddeud 'sai'n cymyd tua pythefnos iddyn nhw benderfynu. A dwi'm isho'i haslo fo ormod."

"Ia, a dwi ddim isho gorfod talu'r bilia 'ma ar ben fy hun chwaith, Irfon!"

Mae'n troi ar ei sodla ac yn estyn yr Hoover.

Touché.

Y wraig. Dyna sut ges i'r job.

## Felly pwy ydi'r boi Hefin Llan 'ma ta?

Reit. Fflashbac sydyn. (A 'na i drio cadw petha mor ddiddorol ag y medra i.)

Flynyddoedd yn ôl, pan o'n i'n edrach yn 'gymharol dderbyniol' o flaen y camerâu, mi o'n i'n arfar cyflwyno dipyn ar S4/C (Neu 'S4C' fel oedd o bryd hynny, cyn i'r bobl PR gael brên-wef arall.) Falla'ch bod chi'n cofio rhei o'r rhaglenni. *Teithio* er enghraifft. Canu cloch? Fi a'r tîm yn galifantio o gwmpas y byd yn anfon adroddiada o lefydd braf a moethus. A ia, fel ddudodd Mary Hopkin, yr athronyddes benfelen 'na o Bontardawe, un tro – 'Ddôs Wyr Ddy Deis'. (Cofiwch, naeth hi hefyd ofyn 'Knock Knock, Who's There?'. Ond wnawn ni anghofio am hynny am y tro.)

Un o'r gigs ges i achos mod i'n edrach yn 'gymharol dderbyniol' o flaen camera oedd y job o fod yn adolygydd teledu ar raglen nosweithiol *Pa Hwyl*. Mi oedd Hefin Llan yn gweithio ar honno fel rhyw fath o 'Mr Fixit' ac mi oedd o bob tro yn dweud helo wrtha i yn y swyddfa fel tasa fo'n fy nabod i'n iawn (doedd gen i ddim syniad pwy oedd o nag i ba 'Llan' oedd o'n perthyn). Mi oedd o hyd yn oed yn siarad efo fi ar ôl i mi gael fy nal yn ffidlo'r treulia.

Wel, dyddia yma, ma Hefin Llan yn gweithio i raglen fwyaf poblogaidd S4C – sori, S4/C – sef *Trwy Lygaid Duvka*. Sut dwi'n gwybod hyn? Wel, yn ddiweddar, mi wnaeth y rhaglen hysbysebu am gyd-gyflwynydd.

Mam welodd o yn *Y Cymro*.

Oedd hi ar y blowyr yn syth.

"Haia cariad. Fi sy 'ma. Gwranda, ti 'di gweld *Y Cymro*?"

"Wrth gwrs mod i heb weld *Y Cymro*!"

"Ma nhw'n chwilio am ohebydd ar y rhaglen Duvka 'na. Ti'n 'i nabod hi dwyt?"

"Duvka Llew? Yndw. Wel. Dim yn dda."

"Oedda chdi yn y BBC efo hi."

"Ma hynna flynyddodd yn ôl, Mam!"

"Wel, ma'i bownd o dy gofio di, siawns. A 'sa'm byd i dy stopio di drio nago's?"

"Na. Mi 'na i."

A dyna be wnes i.

Ar ôl cyflawni mil o eiria o'r nofel un pnawn (a bwydo'r gath am yr eildro achos 'i bod hi'n swnian) mi es ati i adnewyddu'r CV ac i ychwanegu un neu ddwy o swyddi chwedlonol er mwyn llenwi'r bylchau pan o'n i'n seinio mlaen... neu yn chwara mewn band... neu jyst wedi gwastraffu blwyddyn gyfan yn diogi o gwmpas fy hen fflat yn gwylio *Murder, She Wrote* drwy'r pnawn. Ddudish i mod i wedi bod yn gweithio'n wirfoddol yn Nigeria, er enghraifft, cyn symud mlaen i achub yr aye-aye ym Madagascar. Yn y diwedd, rois i'r cyfan mewn jiffi bag, sticio stamp dosbarth cyntaf arno, rhoi cusan am lwc... ac i ffwrdd â fo.

Wedyn, ar ôl pythefnos (ac erbyn i mi bron iawn anghofio bob dim am y peth), ges i alwad ffôn.

"Haia Irfon. Hefin Llan sy 'ma."

Mae'n rhyfadd ond, hyd yn oed ar ôl yr holl flynyddoedd, y peth cyntaf a'th drwy fy meddwl i oedd y treulia. Pum punt ar hugain 'nes i bocedu ar ôl dweud mod i wedi gwario'r pres ar gylchgronau ymchwil. Ond ges i gop. A llond clust.

A fy ngollwng o'r rhaglen.

"Hefin," medda fi, fy llais yn fach ac ymostyngol. "Ti'n iawn?"

"Yndw tad."

Ma 'na seibiant bach anghyfforddus a dwi bron iawn yn teimlo'n hun yn paratoi i ymddiheuro am y pum punt ar hugain. Ond – diolch byth – cyn i mi agor fy ngheg, ma Hefin yn dweud rwbath.

"Gwranda, Irfon, 'dan ni 'di ca'l cyfla rŵan i ga'l golwg ar dy gais di."

"Cais?"

"Am y swydd gohebydd. Hefo Duvka."

"O ia. Y cais. Wrth gwrs."

"Gin ti ddiddordeb o hyd, does?"

"O oes. Dwi'n gwylio bob nos. Diddorol iawn neithiwr o'n i'n feddwl… yr eitem 'na… ti'n gwbod… am… y –"

"'Dan ni'n awyddus iawn i neud rhyw fath o brawf sgrîn hefo chdi. Be 'di dy symudiadau di ar hyn o bryd? Ti'n brysur?"

"Nadw. Dim o gwbl." Damia. Ma hynna'n gwneud i fi swnio'n desbryt. Dwi'n clirio fy ngwddw. "Wel, ma gin i gwpwl o betha mlaen, ti'n gwbod. Pryd oedda chdi'n meddwl gneud y prawf 'ma?"

"Yng Nghaerdydd ti'n byw yn de?"

"Ia. Yn Nhreganna."

"Ti'n nabod yr hen dafarn 'na ma nhw'n bygwth 'i dymchwel? Y dafarn hyna yn y ddinas – y Vulture."

"O ia. Yndw."

Yn naturiol, sgin i'm syniad am be mae o'n sôn – fydda i byth yn darllen y papura lleol.

"Beth 'sa ni'n dy gyfarfod di yna dydd Gwener am unarddeg… ti ar gael?"

"Ym, dal mlaen, Hefin, 'na i jyst checio'r dyddiadur."

Dwi'n rhoi'r ffôn i lawr a chyfri i bump yn fy mhen.

Wedyn dwi'n codi'r ffôn eto. "Na… ddyla hynna fod yn iawn."

"Gwych. Welwn ni chdi yna. O, ac Irfon?"
"Ia?"
Seibiant.
"Anghofia am y pum punt ar hugain 'na, iawn?"

## Ydi cyflwyno ar y teli yn anodd?

Gwenu a siarad. Dyna ydi o.

Weithia gwenu, siarad a cherddded ar yr un pryd (ond, blydi hel, oedd hyd yn oed George W Bush yn gallu gwneud hynny felly fedar o'm bod yn rhy trici!). Ar ddiwedd y dydd ma'i fel hyn – os ydi'r camera yn 'ych licio chi, 'dach chi'n saff.

Ond nid y dechneg ydi'r broblem. Dyddia yma, cael y blydi job yn y lle cyntaf sy'n anodd!

Meddyliwch am y peth am eiliad.

Bob blwyddyn ma 'na Niagara o wanabîs brwdfrydig yn byrlymu o'r colegau (ac o grwpiau crap efo enwa fel Tatŵs o Chicago neu Ddy Cynan Experience) yn benderfynol o fod yn enwog. Ers talwm, doedd 'na'm cymaint o gystadleuaeth ac os oeddach chi'n berchen ar ddau lygad, trwyn a cheg (ceg oedd yn gallu adrodd yr ôto-ciw yn Gymraeg) oeddach chi'n cael 'ych gwthio allan o flaen camerâu *Bilidowcar* cyn i'r inc sychu ar eich tystysgrif gradd. Dyddia yma, ma 'na dros hanner cant o ymgeiswyr am bob job cyflwyno ac ma gan bob un o'r wanabîs bach 'ma wynebau plastig sy'n edrych yn berffaith ar eich teledu HD.

Dwi, ar y llaw arall, yn edrych yn uffernol.

Dyna pam, awr cyn i fi fynd allan i gwrdd â Hefin Llan ar gyfer fy mhrawf sgrîn yn y Vulture, o'n i'n teimlo'n ddiawledig o isel. Achos wrth i mi sbio arna fy hun yn y drych yn yr ystafell molchi 'nes i benderfynu'n syth nad oedd gin i'm gobaith.

Ocê, gadewch i mi gyfaddef yn syth – fues i 'rioed yn be 'sach chi'n 'i alw'n ddeniadol. Dwi'n afrij. Ond dim byd sbesial. O'n i ddim yn *hyll* ond, wel, be am roi o fel hyn, 'swn i byth wedi gwneud hi i glawr *Vogue*. (I ddweud y gwir fasa'i wedi bod yn ddigon calad arna i gyrraedd tudalen flaen *Y Dinesydd*.) Oedd gin i'r math o wyneb 'sa pobol yn y diwydiant yn ei ddisgrifio fel un... 'diddorol'. Hynny yw,

Ddim.

Yn.

Ddeniadol.

Ond hei. Os 'dach chi'n ddyn tydi peidio bod yn ddeniadol ddim yn ddiwedd y byd yn y byd cyflwyno. Cyn belled â'ch bod chi'n berchen ar sgiliau eraill fedrwch chi ddibynnu arnynt fel – yn fy achos i, er enghraifft – dawn hefo geiria.

Dyma sut oedd hi'n gweithio:

Bob tro oedd y cyfarwyddwr neu'r cynhyrchydd yn gofyn i mi ddweud rwbath i gamera ers talwm, mi o'n i'n newid y geiria i siwtio fy arddull i'n hun ac, achos hynny, mi oedd bob dim o'n i'n ei ddweud yn fwy personol rywsut ac, o ganlyniad, yn fwy 'cwyrci'. A gadewch i mi ddweud rwbath arall wrthach chi – ma pobol teledu yn licio 'cwyrci'.

Yn enwedig os 'dach chi

Ddim.

Yn.

Ddeniadol.

* * * *

Dyn cant a naw oedd yn sbio yn ôl arna i o'r drych ar fore'r prawf sgrîn.

"Craist!"

Y peth cyntaf 'nes i oedd gafael ym mag colur Michelle ac estyn y plyciwr bach oedd hi'n ei ddefnyddio weithia i dacluso ei haeliau. Yn ofalus, mi es i ati i drio tynnu bob blewyn gwyn o ochor fy mhen. Yn anffodus, mi oedd 'na gymaint ohonyn nhw mi oedd raid i mi roi stop arni ar ôl tua phum munud neu mi faswn i wedi cyrraedd y Vulture mor foel â Garry Owen.

Es i'n syth i'r ystafell wely, agor y wardrob a thrio dod o hyd i rwbath oedd yn fwy addas i *Trwy Lygaid Duvka* na Jobcentre Plus. Ond oedd bob crys cyfweliad/cnebrwn/priodas dri seis rhy fach erbyn hyn ac mi oedd trio cau'r botyma dros fy mol cwrw fatha trio lapio pêl rygbi mewn hances boced. Trwy lwc, mi oedd gin i hen siaced ledar eithaf smart oedd dal yn ffitio a chrys-t gwyn fasa'n gwneud y tro oddi tani.

Hefo chwarter awr i fynd y peth olaf oedd siafio felly, yn bwrpasol ac yn awdurdodol, estynnais rasel y wraig (lot yn fwy miniog ac effeithiol na'n un i) ac, mewn un ergyd, torrais ran o fy ngwefus i ffwrdd.

## Pam ddylai neb byth, BYTH ganslo prawf sgrîn. Byth, byth – *BYTH*!

"Rargian, Irfon, be ddigwyddodd i dy geg di?"

Ma Hefin Llan yn dod ata i ac yn ysgwyd fy llaw. Ma golwg eithaf poenus ar ei wyneb.

"Mae'n iawn," medda fi, "'nes i glipio'n hun hefo rasel."

Ma'r dyn camera yn sbio hefyd. Mae o'n sugno gwynt ac yn ysgwyd ei ben.

"Dwi 'di clywed am close shave ond…"

"Dwi'n siŵr fod o'n edrach yn waeth na mae o go iawn," medda fi gan wneud uffar o gamgymeriad a gwenu. (Peidiwch byth â gwenu ar ôl torri hanner modfedd o gnawd o'ch gwefus.)

"Irfon," medda Hefin Llan, gan syllu'n amheus ar y plastar oedd wedi ei sticio'n flêr ac yn frysiog ar draws fy ngwefus, "ti'n siŵr fod hyn yn iawn? Ti'n gwbod, fedrwn ni aildrefnu hyn ar gyfer dwrnod arall ysti."

"Na, na, go iawn. Fydda i'n ffein. Jyst rho ryw hanner munud iddo fo setlo i lawr." Seibiant ansicr. "Ac iddo fo stopio pistyllio gwaed."

* * * *

Y rheswm o'n i mor benderfynol o beidio â rhoi cyfle i Hefin Llan 'aildrefnu' y prawf sgrîn oedd hyn:

Does neb byth yn 'aildrefnu' prawf sgrîn.

'Dach chi'n dallt?

Byth.

Os faswn i wedi dweud "Ia, iawn, dim problem, ro i ganiad i ti fory a 'na ni drio sortio dyddiad", y gwir amdani ydi faswn i ddim wedi gweld gwyneb poenus Hefin Llan am o leiaf pymtheg mlynedd arall.

Be 'sa 'di digwydd fasa hyn:

Fasa Hefin Llan wedi mynd yn ôl a dweud wrth Duvka Llew be ddigwyddodd. Fasa hi wedi troi ei thrwyn gan ddweud rwbath fel "O, sai'n credu ni angen efe sydd â gwefus frwnt, ie?" ac wedyn fasa hi wedi cynnig prawf sgrîn i'r boi oedd yn chwara bas hefo Tatŵs o Chicago.

Carpe diem.

Hwnna 'dio.

Sîs ddy dei.

* * * *

O'n i wedi rhoi potal Chanel No. 5 Michelle yn fy mhocad, a pan oedd Hefin Llan a'r boi camera 'di troi 'u cefnau, mi rois i ddab eithaf swmpus ar gefn fy llaw ac – ar ôl cau fy llygaid yn dynn a chyfri i dri – mi dynnis i'r plastar a gwthio cefn fy llaw i mewn i'r dolur.

Iessssuuuuu!

Oedd y boen yn aruthrol ac mi gymerodd fy holl nerth i stopio fy hun rhag disgyn ar fy ngliniau i'r pafin a chrio fatha babi.

Ond mi naeth o weithio! Does ryfadd fod Chanel No. 5 mor ddrud. Ma jyst un dropyn bach ar gefn eich llaw yn ddigon i dynhau'r croen ac i atal afon styfnig o waed rhag rhedeg ar hyd strydoedd y brifddinas!

Ar ben hynny, mae o'n ogleuo'n reit neis hefyd.

"Ocê, Hefin," medda fi, "lle tisho fi sefyll?"

## Newyddion drwg. Da. Naci... *drwg.*

"Bore da, *Trwy Lygaid Duvka.*"

"O, helo, gai siarad hefo Hefin Llan plis?"

"Daliwch mlan."

"Diolch."

Brrrr brrrrr. Brrrr. Brrrrr. Clic. "Helo, dyma ffôn Hefin Llan. Does 'na neb yma ar hyn o bryd ond os carech adael neges ar ôl y tôn mi wna i –"

Clic.

"Damia."

Dwi'n rhoi'r ffôn i lawr a throi yn ôl at sgwennu'r nofel. Mi wna i drio eto yn hwyrach ymlaen.

"Bore da, *Trwy Lygaid Duvka.*"

"O, helo, gai siarad hefo Hefin Llan plis?"

"Daliwch mlan."

"Diolch."

Brrrr brrrrr. Brrrr. Brrrrr. Clic. "Helo, dyma ffôn Hefin Llan. Does 'na neb yma ar hyn o bryd ond os carech adael neges ar ôl y tôn mi wna i –"

Clic.

"Damia."

Dwi'n rhoi'r ffôn i lawr a throi yn ôl at sgwennu'r nofel. Mi wna i drio eto yn hwyrach ymlaen.

"Bore da, *Trwy Lygaid Duvka.*"

"O, helo, gai siarad hefo Hefin plis?"

(Dwi'n taeru fod y ddynas yn nabod fy llais erbyn hyn.)

"Ma fe wedi gadel am y dydd. Fydd e nôl fory."

"O. Reit. Diolch. 'Na i drio fory ta. Hwyl."

"Bore da, *Trwy Lygaid Duvka.*"

"O, helo, gai siarad hefo Hefin plis?"

"Daliwch mlan."

"Diolch."

Brrrr brrrrr. Brrrr. Brrrrr. Clic. "Helo, dyma ffôn Hefin Llan. Does 'na neb yma ar hyn o bryd ond os carech adael neges ar ôl y tôn mi wna i –"

Clic.

"Iesu Grist – 'dio'n acshiyli gweithio yna ta be?!"

Dwi'n rhoi'r ffôn i lawr a throi yn ôl at sgwennu'r nofel. Mi wna i drio eto yn hwyrach ymlaen.

*Groundhog Day*. Yr un peth drosodd a drosodd a drosodd. Drosodd a drosodd a drosodd. Yr un peth drosodd a drosodd. *Groundhog Day*. Yr un peth drosodd a –

Wedyn ma'r ffôn yn canu ac ma 'nghalon i'n neidio.

Dwi'n cymryd eiliad i ddal fy ngwynt. Pwyso 'save' ar y nofel. Cyfri i dri. Pedwar hyd yn oed. (Mae'n holl bwysig peidio swnio'n desbryt. Byth.) Llais gora.

"Helo?"

"Fi sy 'ma."

"O. Helo Mam."

"Wel, sy'm isho swnio mor siomedig yn nago's!"

"Na, dwi'm yn siomedig, siŵr. Bob dim yn iawn?"

"Yndi. Ges di air hefo fo?"

"Hefo pwy?"

"Y dyn 'na ar raglen yr hogan Duvka 'na de."

"Na. 'Dio'm i fewn. Dwi 'di bod yn ffonio trw'r dydd. Dwi am drio fory."

Seibiant.

Ma lori yn pasio yn y stryd.

Babi yn crio drws nesaf.

Wedyn ochenaid gan Mam.

"Ti'm 'di meddwl mynd yn athro?"

"Mam, 'dan ni 'di ca'l y sgwrs yma o'r blaen gannoedd o weithia. Dwi ddim isho bod yn athro. Ocê?"

"O'dd 'na hysbyseb am athrawon yn *Y Cymro* ddoe. Tisho fi bostio fo i chdi?"

"Nag oes!"

Dwi'n tynnu'r ffôn oddi wrth fy nghlust am eiliad ac yn gwneud stumia arno.

"Be ti am neud os na gei di'r job 'ma?"

"Sgwennu."

"Ia, ond ma raid i chi ga'l pres rywsut yn does? Ti'n bedwar deg rŵan."

"Ma pobol yn gneud pres o sgwennu 'chi."

"Ti 'di meddwl am *Bobol y Cwm*?"

"Dim os fedra i beidio."

"O, Irfon bach, dwi'n poeni."

"Wel peidiwch, Mam. Fydd bob dim yn iawn 'chi. Dwi bron iawn 'di gorffan ail ddrafft y nofel."

"Sawl cyhoeddwr sy wedi dy wrthod di erbyn rŵan?"

"Tri deg chwech."

"O, Irfon!"

"Na, daliwch y lein am eiliad... ma'r post newydd gyrradd... tri deg saith."

Seibiant arall.

Ma'r babi yn dal i grio.

Ac ma 'na gi yn cyfarth yn rwla hefyd. Doberman 'swn i'n dweud. Neu Alsatian falla.

"Fues ti'n wirion yn gadal dy job yn y BBC yn do? A honno'n job saff."

"Mam, 'dan ni 'di trafod hyn gant o weithia hefyd. O'dd o'n gyfla ac o'dd raid i mi gymyd o. Dyna ydi bywyd – cyfres o gyfleon… a ma raid i ni gymyd nhw. A dim fy mai i o'dd be ddigwyddodd hefo'r awyren 'na yn Borneo yn naci?"

"Naci, dwi'n gwbod hynny 'ngwas i, ond…"

"Gwrandwch, dwi am drio ffonio Hefin Llan unwaith eto, ocê?"

"Iawn. A chofia fy ffonio i'n syth i ddeud be ddudodd o."

"Fydd o'm yno, Mam. 'Dio byth yno."

"Wel, tria fo."

"Mi 'nai. Ta ra."

"Hwyl cariad."

Dwi'n rhoi'r ffôn i lawr. Be ydi'r ddawn 'na sgin rieni o wneud i chi deimlo fel methiant llwyr? Neu blentyn pump oed?

Ma'r ffôn yn canu eto. Mam wedi anghofio rwbath reit siŵr.

"Helo Mam…"

Seibiant.

"Irfon?"

Ma 'nghalon i'n neidio.

"O… Hefin…"

"Sut wyt ti?"

"Iawn. Grêt. Sori, Hefin, o'n i jyst yn… wel… yn disgwyl galwad gin Mam."

"Tisho i fi ffonio yn ôl?"

"Na!" Rhy desbryt. Lot rhy desbryt. Felly dwi'n trio eto.

"Na," medda fi gan ychwanegu chwerthiniad nerfus. "Wir i chdi, Hefin… dim problem."

"Wel gwranda, erbyn hyn ma Duvka wedi ca'l cyfla i sbio ar y tâp."

"O ia?"

Ehedydd Gobaith yn gwibio tuag at y cymylau…

"Yn anffodus, tydi hi ddim yn rhy siŵr os fydda ti'n siwtio steil y rhaglen i fod yn onest."

Ehedydd Gobaith yn cwympo i'r pafin fel cadach llestri.

"O. Reit."

"Ond y newyddion da ydi… sut 'sa ti'n ffansïo bod yn ymchwilydd i ni?"

"Ymchwilydd?"

"Ia, mi oeddet ti'n arfer bod yn ymchwilydd yn doeddet? Hefo Duvka ers talwm. Yn y BBC?"

Dwi'n trio'n galad i guddio fy siom a fy mhryder.

"O'n. Ymchwilydd. Ia, grêt. Diolch, Hefin."

"Ti'n siŵr? Ti'm yn swnio'n rhy siŵr."

"Na. Wir i chdi, Hefin. Grêt. Gwych. Ymchwilydd."

"Wel, tyrd fewn bora fory. Hanner awr wedi naw yn iawn i chdi?"

"Yndi. Hei, diolch, Hefin."

Dwi'n rhoi'r ffôn i lawr. Ymchwilydd ar *Trwy Lygaid Duvka*.

Ffyc.

# Ond, Irfon, be sy'n rong hefo bod yn ymchwilydd?

Dim byd. Dim byd o gwbl.

Hei, os 'di rhywun yn syth allan o goleg neu yn meddu ar feddwl trefnus, digon o frwdfrydedd ac y math o berson sy'n licio sortio pethau allan a gwneud yn siŵr fod bob dim yn rhedeg fel cloc, ma bod yn ymchwilydd yn grêt. Ac ma bod yn ymchwilydd yn grêt os 'di rhywun isho symud ymlaen i fod yn gyfarwyddwr neu'n gynhyrchydd rhyw ddiwrnod (lle ma raid i rywun fod yn fwy trefnus byth a hyd yn oed yn fwy penderfynol o gael pethau i redeg fel cloc!). Ond i rywun fel fi (sydd â meddwl mor drefnus â bocs o deganau sy newydd gael ei daflu lawr grisiau gan blentyn tair oed ac wedyn ei falu gan haid o hyenas) ma'r syniad o fod yn ymchwilydd unwaith eto yn gwneud i mi feddwl am un gair ac un gair yn unig.

"Ffyc!"

Ma Pushkin y gath yn sbio'n hurt arna i. Dwi'n codi'r ffôn a deialu rhif Michelle yn y BBC.

"Hei, Michelle, ma nhw 'di cynnig job i mi."

"Grêt! Fel gohebydd?"

"Na."

"Na?"

"Na… ymchwilydd."

"Ffyc."

"Dyna ddudis i hefyd."

"Dim wrthyn nhw gobeithio?"

"Na, jyst wrth y gath."

Ma Pushkin yn maddau i mi ac yn rhwbio yn fy erbyn gan godi ei gynffon a chanu grwndi fel peiriant bach.

"Wel, fydd raid iddo fo neud tro. Am rŵan o leia."

"Wel bydd. Os 'dan ni am barhau hefo'r hen arfar ma sgynno ni o fyta petha."

"Felly pryd ti'n dechra?"

"Fory."

"*Fory*?"

Dwi'n taflu Pushkin i lawr yn ddiamynedd ac mae o'n mewian ei brotest cyn mynd draw at ei bowlen i weld os oes 'na rywfaint o Whiskas ar ôl. (Does 'na ddim.)

"Ia. Dwi'n gorfod dreifio'r holl ffordd i Benbryn."

"Ti am wisgo'n smart gobeithio? Crys a ballu?"

"Wel, ddim yn rhy smart. Ti'm isho rhoi camargraff yn nago's? Fel ddudodd y bardd… tw iôr o'n selff bî trŵ."

"Crys, Irfon!"

"Ocê, ocê."

"Dwi'n nabod chdi. A phaid â gwisgo'r pymps 'na."

"'Na i ddim. Wela i chdi wedyn. Tisho fi neud bolognese?"

"Perffaith. Ac Irfon?"

"Ia?"

"Llongyfarchiada."

Seibiant.

Ochenaid.

"Diolch."

## Gwaith ymchwil

Fydda i byth yn gwylio teledu.

Dyna fo. Dwi 'di ddweud o.

Wel, i fod yn fanwl gywir, mi fydd Michelle a fi weithia yn sbio ar *Newsnight* a *Dispatches* a rhaglenni dogfen ar Channel 4 neu BBC4, ond dwi ddim yn cyfri hynna fel teledu rywsut. I fi, 'teledu' ydi rwtsh fel *The One Show*, *Strictly Come Dancing*, *This Morning* a… wel… Dwi'n siŵr fod 'na fwy ohonyn nhw ond, fel dwi'n dweud, dwi ddim yn gwylio teledu felly dwi'm yn gwybod. A chyn belled â ma S4/C yn y cwestiwn, dwi heb weld fawr ers i *Teithio* orffen, felly os o'n i am greu argraff dda hefo'r bobol yn *Trwy Lygaid Duvka*, mi oedd hi'n amlwg fod gin i dipyn o waith ymchwil go iawn i'w wneud.

* * * *

"Mam?"

"Irfon? Be sy'n bod? 'Sa broblem?"

"Na, dim problem."

Dwi'n rhoi mwythau i Pushkin ac mae o'n rowlio ar ei gefn gan gyflwyno ei fol anferth a blewog.

"Wel, ti byth yn ffonio gyda'r nos fel hyn. Ti'n siŵr fod 'na'm problem? 'Di Michelle heb golli'i thymer hefo chdi eto, nadi?"

"Na, ma Michelle yn iawn. O'n i jyst isho gofyn rwbath."

"'Di Michelle am ga'l babi?"

"Nadi, Mam. Sawl gwaith rhaid i mi ddeud – dyda ni

ddim isho plant. Dim rŵan beth bynnag. Dim hefo gwaith Michelle a ballu."

"Ia, wel, 'sa 'run ohona chi'n spring chickens yn nago's? A 'sai'n neis bod yn nain."

Dwi'n smalio mod i heb glywad. (Fel dwi'n gwneud bob tro ma Mam yn sôn am fod yn nain.)

"Isho gofyn rwbath o'n i."

"Gofyn be, cariad?"

"*Trwy Lygaid Duvka.*"

"Y rhaglen ti'n feddwl?"

"Ia."

Ma Pushkin (fel mae o bob tro dwi ar y ffôn ac mae o'n teimlo fod o ddim yn cael digon o sylw) yn claddu ei winedd miniog yn fy mysedd.

"Awwww!!!"

Dwi'n ei daflu i'r llawr ac mae o'n gwibio drwy'r catfflap fel bwled.

"Be ddigwyddodd?"

"Dim byd, Mam. Jyst y gath. Beth bynnag. *Trwy Lygaid Duvka.* Be ydi hi'n union?"

"Ti 'rioed wedi'i gweld hi?"

"Wel, naddo."

"O, Irfon!"

"Sori, Mam, ond mae o'n clashio hefo rwbath."

"Hefo be?"

"Bywyd."

"A rŵan tisho gwbod pa fath o betha sy arni hi?"

"Yn union."

Ar ochor arall y ffôn dwi'n clywed Mam yn rhoi ei llaw dros y darn siarad ac yn dweud yn siomedig wrth fy nhad mod i erioed wedi gwylio *Trwy Lygaid Duvka.* Am ryw reswm dwi'n dychmygu 'nhad yn darllen tudalennau cefn y *Daily Post* heb fawr o ddiddordeb. Wedyn ma Mam yn ôl.

"Ocê. Wel gwranda. Y Duvka Llew 'na sy'n cyflwyno, hefo'i gwallt cyrls du a'i haeliau masgara fatha dau lygad panda. Wedyn ma 'na westeion yn dŵad i'r stiwdio, a weithia ma Duvka yn cyflwyno eitemau bach o ryw leoliad arbennig."

"Fedrwch chi fod yn fwy penodol, Mam? Rhag ofn iddyn nhw holi fory."

"Gad mi weld. Wel, nos Wener dwytha o'dd Duvka yn fyw o ryw arddangosfa o hen emynau yn Llanuwchllyn. Wedyn doth John ac Alun i mewn i ganu. A be arall o'dd 'na da? O ia, ryw eitem am rygbi."

"Gwych, Mam. Diolch."

"Ffonia fi nos fory i ddeud sut a'th petha. A hefo'r job newydd 'ma sy'm raid i chdi a Michelle boeni am arian a ballu rŵan yn nago's?"

"Nago's, Mam."

"Falla gewch chi amser i ailfeddwl am ga'l plant?"

"Hwyl, Mam."

"Hwyl, cariad."

*Trwy Lygaid Duvka.*

Emynau. John ac Alun. A rygbi.

Croeso i uffern.

# Y wyrcws

"Fedri di'm methu'r lle."

Dyna oedd Hefin Llan wedi dweud ar y ffôn.

"Ty'd i ffwrdd o'r M4, i mewn i ganol Penbryn... ac mi fydd adeilad yr hen wyrcws yna o dy flaen."

Cynyrchiadau Duvka.

O'n i wedi sticio fo yn Gwgl i weld be 'sa'n ymddangos:

> Cynyrchiadau Duvka. Cwmni cynhyrchu bach ym Mhenbryn, gorllewin Cymru. Yn gyfrifol am y rhaglen nosweithiol boblogaidd *Trwy Lygaid Duvka* gyda Duvka Llewelyn-Sion.

Mi drois i Dafydd a Caryl i ffwrdd a jyst byw hefo system air-con y car yn rhuo a sugno fatha bol tarw. Wrth gwrs, doeddwn i ddim wedi dewis rhoi'r system ymlaen. Na, mi oedd system air-con yr hen Ford Granada fatha ryw gymeriad milain mewn nofel gan Stephen King – oedd o'n gwbl ddi-hid o unrhyw nobyn ac yn benderfynol o chwythu monsŵn tanbaid yn yr haf a storm iasoer yng nghanol y gaeaf. O'n i wedi mynd at yr AA sawl tro ac mi oedda nhw wedi dweud yn gwbl ddi-flewyn ar dafod mai'r unig ffordd i droi'r system i ffwrdd oedd parcio'r car mewn lay-by, tynnu gordd o'r bŵt a malu'r dashbord yn griau mân. Rŵan felly, a hithau'n ganol mis Chwefror, roedd fy nwylo'n las ar yr olwyn. O'n i'n gwisgo'r crys anghyfforddus roedd Michelle wedi'i smwddio yn arbennig, côt armi... a fest thyrmal. Ond hyd yn oed wedyn o'n i'n rhynnu fatha Shackleton ac mi oedd fy nannedd wedi bod yn clecian fel sgerbwd ers Pontypridd.

Bob pum munud o'n i'n checio'r drych jyst rhag ofn fod 'na rew wedi ffurfio ar fy nhrwyn.

Wedi cyrraedd cyrion Penbryn a gyrru heibio rhes ar ôl rhes o dai teras, mi wnes i sylweddoli ar ôl tua phum munud, hefo elfen o ryddhad a gorfoledd, bod Hefin Llan yn llygad ei le.

Roedd hi wirioneddol yn amhosib i fethu adeilad Cynyrchiadau Duvka.

* * * *

Roedd y cwmni wedi ymgartrefu mewn hen gapel yng nghanol y dref ond, erbyn hyn, dim ond cragen o'r hen grefydd oedd ar ôl. Oedd, mi oedd y pensaer wedi bod yn brysur ac mi oedd y cyfaill creadigol yma wedi taro beiro goch ar draws pob ffenest a philar gwreiddiol ac wedi creu gwyrth ddieflig gan droi hen frics yn wydr a phren blêr yn blastig du a gwyrdd. Uwchben y brif fynedfa – drysau gwydr a haearn oedd yn agor yn awtomatig – mi oedd 'na ddau air:

Cynyrchiadau Duvka.

Ychydig i'r chwith roedd 'na boster mawr o wyneb yr eicon newydd sbon oedd wedi disodli'r Hollalluog – gwyneb yr oedd y cwmni yn amlwg yn awyddus i'r Gymru fodern ei addoli a'i foliannu hefo'r un angerdd. Oedd, mi oedd 'na lun anferth o wyneb Duvka Llewelyn-Sion yn sbio i lawr arnom ni oll gan wenu'n sanctaidd a'n bendithio.

## Cwestiwn: Sut ma newid 'Malinowska' i 'Llewelyn-Sion'?
## Ateb: Drwy syrthio mewn cariad â Phrifardd.
## Gadewch i mi egluro...

"Irfon, hei, ti'n edrych mor grêt!"

"Haia Duvka, sut wyt ti ers sbel?"

Ma hi'n plannu cusan ar bob boch.

"Dwi mor hapus dy fod wedi penderfynu bod yn rhan o'r tîm, Irfon. 'Dan ni am gael cymaint o hwyl, ie? Fatha'r dyddia 'na ers y stalwm, ie? Tyrd," medda hi yn ei hacen Bwylaidd unigryw gan gydio yn dynn yn fy mraich a fy nhywys ar hyd y coridor, "ma'n rhaid i mi dy gyflwyno chdi i bawb ac i bob dim."

Ond er bod y coridor yn un eithaf byr, ma'r siwrna yn cymryd oes achos ma pawb isho gair hefo Duvka. Dyn hefo hedffôns a sgript camera yn crafu ei ben ac yn gofyn, "Hei, Duvka, lle tisho camra tri ar ôl y gân heno?"

Ma Duvka yn edrych ar y sgript camera am eiliad ac yn meddwl. Ma hi'n gwthio ei chyrls du trwchus tu ôl i'w chlust ac yn brathu pen beiro.

"Yn ardal TX2," medda hi, "wedyn fedrwn ni cael two-shot ohonof i a'r gwestai tra 'dda ni'n clapio, ie?"

"Cŵl, diolch, Duvka."

Bachgen ifanc mewn jîns bratiog a locsyn wedyn yn brasgamu o un o'r swyddfeydd golygu.

"Hei, Duvka, pa hyd 'dda ti isho ar gyfer yr eitem PSC 'nes di yn Aber?"

"Tri a hanner."

"Diolch."

"Ma'i fel ffair yma, Duvka!"

"Wir i ti, Irfon, ma'r lle yn wyllt, ie? Bob dydd a bob nos ma pobol yn gofyn 'Duvka hyn' a 'Duvka rhywbeth arall', ie?"

"Pris llwyddiant mae'n debyg."

"Wel, dwi'n deud i chdi, Irfon – a dwi'n deud i chdi yn strêt, ie? – weithia dwi'n teimlo fel tasa ambell i ddiwrnod o fethiant yn groeso, ie? Wyt ti'n dallt fi, reit? Er mwyn i mi gael aros yn y gwely! Taka jest prawda o tym!"

Ma hi'n chwerthin ac yn fy mhwnio. Dwi'n gwenu. 'Dan ni'n parhau ar hyd y coridor. Coridor sy'n llawn o lunia o Duvka hefo'r holl enwogion sydd wedi bod ar *Trwy Lygaid Duvka* dros y blynyddoedd. Dafydd Elis-Thomas. Dafydd Iwan. Rhodri Morgan. Barry John. Y Super Furry Animals. Dai Jones.

Llwyddiant. Mae o yn yr awyr fel rwbath gweladwy, bron iawn. Rwbath mawr. Rwbath trawiadol.

Fel anghenfil.

Llwyddiant ysgubol Duvka Llew.

Neu Duvka Malinowska fel oedd hi'n wreiddiol, wrth gwrs.

* * * *

Ma pawb yng Nghymru erbyn hyn, reit siŵr, yn gyfarwydd â thrawsnewidiad gwyrthiol Duvka Malinowska o fod yn fyfyrwraig gyffredin o dref Wloclawek yng ngogledd Gwlad Pwyl i fod yn un o ffigyrau mwyaf dylanwadol y cyfryngau yng Nghymru ond – jyst rhag ofn fod un neu ddau ohonoch chi wedi bod yn byw ar ryw ynys anghysbell yng nghanol y Môr Tawel yn ystod y pum mlynedd dwytha (neu yng Nghapel Curig, falla) – dyma i chi'r stori unwaith eto. (Cewch arbed troi at Wicipedia.)

Mi ddoth yr ieithydd talentog draw i astudio Ffrangeg a Saesneg yng Nghaerdydd ond yn ystod y ddwy awr gyntaf wedi iddi gyrraedd y brifddinas mi naeth hi syrthio mewn cariad ddwywaith. Y tro cyntaf ar ôl iddi glywed sŵn hudolus ac anghyfarwydd yr iaith Gymraeg.

A'r eildro pan naeth hi gyfarfod Siencyn Llewelyn-Sion.

Roedd Siencyn (mab y Prifardd Iestyn Fawr, wrth gwrs) wedi dod i Gaerdydd i gwblhau PhD ar waith Taliesin ac Aneirin ond, ar ôl taro ar y ferch fyrlymus a hardd yma o Wlad Pwyl yn Starbucks ar Stryd y Frenhines un pnawn (wrth iddi straffaglu yn ei bag am arian i dalu am ei chappuccino), mi laniodd saeth didrugaredd Ciwpid yng nghanol ei dalcen ac, yn yr eiliad honno, anghofiodd o am Gatraeth ac am bob un gŵr aeth yno. O'r diwrnod hwnnw ymlaen roedd Duvka a Siencyn fatha Trystan ac Esyllt.

John a Yoko.

Tony ac Aloma.

Wrth gwrs, doedd yr un o'r ddau yn medru ynganu enw'r llall yn gywir ond, dyna fo, be 'di enw pan ma Ciwpid yn y cwestiwn ynde?

Beth bynnag, ar ôl i Siencyn ennill y Goron yn yr Eisteddfod Genedlaethol (dau ddeg tri, y fenga erioed), ddoth o'n dipyn bach o seren…

… ond nid cymaint o seren â Duvka.

Ar ôl gadael y coleg mi gafodd hi swydd fel ymchwilydd yn Adran Blant y BBC yng Nghaerdydd. Dyna lle 'nes i gyfarfod hi, achos mi oeddwn i yno hefyd ar y pryd – yn syth allan o'r coleg ac yn desbryt i roi'r argraff mod i 'yp tw spîd' hefo digwyddiadau Cymreig ar ôl tair blynedd yn Sussex, ac yn fwy desbryt byth i glirio fy ofyrdrafft efo Lloyds. Wrth gwrs, mi oedd hi'n gwbl amlwg fod Duvka Malinowska yn seren o'r cychwyn. 'Dach chi'n gwybod sut ma rhai pobol yn medru goleuo ystafell jyst wrth gerdded i mewn iddi? Wel, mi oedd Duvka fach (hefo'i chyrls du a'i masgara trwchus) mor ddisglair nes fod 'na beryg go iawn iddi ddallu rhywun. Mi oedd Duvka mor llachar â Syrcas Piccadilly ar ffwl bîm. Cyn bo hir mi oedd pawb yn y BBC wedi syrthio dros eu clustiau mewn cariad â hi – gan gynnwys y Pennaeth Rhaglenni – felly pan aeth un o gyflwynwyr yr adran i ffwrdd i gael babi mi gafodd Duvka ei swydd yn syth ac, wrth gwrs, mi oedd hi'n llwyddiant ysgubol o'r diwrnod cyntaf.

Be oedd y gyfrinach? Y cyrls a'r masgara? Falla. Y llais unigryw? Yr acen? Mmmm... ia. Hyn i gyd.

Ond roedd 'na rwbath arall yn perthyn i'r ferch fyrlymus yma o Wloclawek hefyd – rhyw gnesrwydd a direidi a ffordd unigryw o edrych ar bethau. Rygbi er enghraifft. Cyn dod i Gymru doedd hi erioed wedi gweld y gêm. Ond, ar ei rhaglen (wrth gyfweld neb llai na Gareth Edwards yn fyw yn y stiwdio) mi naeth pawb wenu wrth ei chlywed hi'n disgrifio'r gamp (yn gwbl ddiniwed) fel "pêl-droed i'r dwylo – gyda lot o ymladd, dim rhwyd a llawer iawn o fwd". Wedyn, wrth siarad â gwestai anrhydeddus arall (Alan Llwyd yn yr achos yma), ac eto yn gwbl ddiniwed, mi wnaeth hi gyfeirio at y gynghanedd fel "ffordd o wneud barddoniaeth mor anodd i'r sawl sy'n ei sgwennu ag i'r un sy'n ei darllen. Tipyn bach fel algebra... ond heb ateb yn y diwedd." Wrth gwrs, mi oedd plant ac oedolion Cymru wrth eu bodd! Roedd Duvka Malinowska mor ffres ac mi oedd hi mor braf cael cyfle i edrych ar Gymru a'i diwylliant drwy lygaid hollol newydd – llygaid merch oedd wedi syrthio mewn cariad â'r lle ac oedd wedi llwyddo i feistroli'r iaith mewn llai na dim!

Beth bynnag, ddoth yr hen gyflwynydd ddim yn ôl wedi cael ei babi ac, o fewn blwyddyn, mi oedd plant Cymru yn rhuthro adra i wylio *Hanner Awr Duvka* ar y teledu ac yn heidio i lefydd fel Eisteddfod yr Urdd pan oedd hi yno'n cyflwyno'n fyw o stiwdios y BBC. 'Duvka-mênia' – dyna wnaeth *Y Cymro* alw'r ffenomenon. Cyn bo hir cafodd hi gynnig rhaglen nosweithiol ei hun gan S4/C – rhaglen oedd yn rhoi cyfle i Duvka swyno'r gynulleidfa hŷn hefo'i harddull hoffus, ei hacen, ei chyrls a'i safbwynt unigryw ar Gymru a'r byd.

Yn naturiol, fel bob dim ym mywyd Duvka fach, mi oedd y rhaglen yn llwyddiant. *Trwy Lygaid Duvka* oedd ar frig y siartiau gwylio yng Nghymru – 80,000 o wylwyr ar gyfartaledd bob noson. Pan wnaeth Duvka a Siencyn briodi – gan droi Duvka Malinowska yn Duvka Llewelyn-Sion (neu 'Duvka Llew' fel oedd pawb yn ei galw) – mi oedd yna dorfeydd anferth tu allan i'r Eglwys Gadeiriol yn Llandaf ac mi gafodd y gwasanaeth ei ddarlledu'n fyw ar S4/C. Oedd, mi oedd bywyd Duvka fach yn freuddwyd.

Ond wedyn... trasiedi.

O fewn pythefnos iddyn nhw ddod yn ôl o'r mis mêl yn Waikiki, cafodd Siencyn ei daro gan ddybl decyr yn Abertawe a'i ladd yn syth.

Mi gafodd y cnebrwng ei gynnal yn Eglwys Gadeiriol Llandaf a'r seremoni ei darlledu'n fyw yn ei chyfanrwydd ar Radio Cymru hefo Hywel Gwynfryn yn colli dagrau.

"Wyddoch chi be, gyfeillion," medda fo mewn darllediad sydd bellach yn cael ei ystyried yn glasur (ac a enwebwyd ar gyfer Gwobr Sony), "y teimlad yma heddiw, a theimlad sydd yn cael ei adleisio drwy Gymru gyfan reit siŵr, ydi fod Duvka a Siencyn wedi cynrychioli rhywbeth arbennig – rhyw obaith a goleuni, efallai, ar ôl blynyddoedd o ansicrwydd am ein hiaith a'n diwylliant. Roedd Cymru gyfan – o Gaergybi i lawr i'r Barri – wedi buddsoddi yn y goleuni yma ac wedi uniaethu â hapusrwydd a dawn y cwpl disglair. Rŵan, mewn un ergyd greulon a diystyr, ma'r goleuni hwnnw wedi tywyllu dipyn, a wyddoch chi be? Rywsut neu'i gilydd, gyfeillion, tydi'r haul 'na sy'n tywynnu dros Landaf heddiw ddim cweit mor llachar ag oedd o wythnos yn ôl."

Ymhen tridiau, er i S4/C gynnig amser iddi alaru, mi oedd *Trwy Lygaid Duvka* yn ôl ac mi oedd Duvka yno yn ei chadair – ei chyrls dipyn bach yn llai bywiog, falla, a'r masgara dipyn bach yn fwy du – yn sgwrsio â'i gwestai (Rosalind a Myrddin) ac yn benderfynol o gario ymlaen. Dyna be fasa dymuniad Siencyn.

Ac, wedi'r cwbl, be arall fedra golau llachar ei wneud...

... heblaw disgleirio?

⋆ ⋆ ⋆ ⋆

"Tyrd i mi dy gyflwyno i'r tîm, Irfon," medda Duvka gan gydio yn dynnach byth yn fy mraich. Wir i chi, dwi'n siŵr tasa hi'n gwasgu mymryn yn gletach faswn i'n colli bob teimlad yn fy mysedd! (Falla fod o'n draddodiad Pwylaidd... pwy a ŵyr?) "Dyma Siân, ein hymchwilydd arall, gyferbyn â lle ti'n eistedd."

"Haia Siân."

"Mae Siân yn gwbod bob dim, ie? Jyst gofyn iddi hi os ti angen, Irfon."

"Grêt. Mi wna i. Diolch."

O feddwl mai *Trwy Lygaid Duvka* yw rhaglen fwyaf

poblogaidd S4/C, ma raid i mi gyfaddef i mi gael dipyn o sioc i weld pa mor fach ydi'r swyddfa – tua'r un maint ag ystafell ffrynt mewn mans hen ffasiwn, neu *boutique* bach annibynnol mewn tref debyg i Gonwy falla. O'n i wedi disgwyl rhesi o ddesgiau a chyfrifiaduron a ffôns yn canu a phawb yn gweiddi dros ei gilydd, ond na. Yr unig beth dwi'n glywed dros dapio tawel bysedd Siân ar ei chyfrifiadur ydi cymanfa'r colomennod sydd wedi ymgynnull tu allan i'r ffenest agored ben arall y swyddfa, a sŵn y strips hir plastig sy'n fflapian ac yn cnocio yn erbyn y wal. O 'nghwmpas dwi'n gweld bwrdd yn y gornel yn simsanu dan bwysa tŵr Pisa o hen rifynnau o *Golwg* a *Barn* (a phob papur bro dan haul) a pheiriant dŵr sydd wedi rhedeg allan o gwpanau.

"'Dan ni'n lico cadw pethe'n fach ac yn hapus, ie, Irfon? Bach yw hyfrydwch, ie? Małe jest piękne? Small is beautiful?"

"Wrth gwrs."

"Dyma Mair, ein BA. Hi fydd yn sorto'r pethe pwysig. Fel cyflog, ie, Irfon?"

Dwi'n chwerthin yn nerfus rhag ofn iddi feddwl am eiliad mai dyna'r unig reswm dwi yma.

Ma 'na un ddesg wag. Ma Duvka'n troi at Mair.

"Ble mae Ceri?"

"Deintydd," medda Mair, "mae'n gobeithio bod yn ôl erbyn y cyfarfod syniadau."

"O ie. Ie. Da iawn."

Ma Duvka'n fy arwain at y ddesg fawr yn y gornel.

"Ac wedyn, Irfon, yn fan hyn – ein cyfarwyddwr a chynhyrchydd."

I ddweud y gwir, wrth glywed y geiria yna, o'n i wedi disgwyl cael fy nghyfarch gan ryw sboncyn tena mewn crys Ted Baker, sbectols Ray-Ban, hefo tri ffôn symudol yn crynu yn ei bocad.

Ond na.

Be dwi'n weld ydi dyn cymharol hen – pum deg pump falla. Chwe deg. Canol oed yn y byd go iawn, ond dinosor yn y byd teledu!

Wedyn mae o'n troi rownd a dwi'n ei nabod o'n syth.

"Dyma Robat Cadnant," medda Duvka.

"Wrth gwrs," medda fi.

Ma Robat Cadnant yn syllu arna i hefo un llygad. Ma'r llall wedi ei guddio – fel yn yr hen ddyddia – tu ôl i batshyn du sydd wedi ei lapio rownd ei ben hefo elastig. Wedyn, yn araf bach, dwi'n ymlacio dipyn. Ma 'na siawns na fydd yn fy nghofio o gwbl.

Os *fasa* fo'n fy nghofio fasa fo heb edrych mor ddi-hid.

Dim ar ôl be ddigwyddodd y prynhawn hwnnw.

Amser maith yn ôl.

# Capten Cadnant (ac Ifan y parot)

Ma'r ffôn symudol yn crynu yn fy mhocad. Michelle.

"Haia Michelle."

"Fedri di siarad?"

"Medra, pam? 'Sa rwbath yn bod?"

"Lle w't ti? Dwi'n clywed lleisiau."

"Yn y parc hefo brechdan."

"Parc? O, dyna braf."

"Wel, falla fod 'i alw fo'n 'barc' dipyn bach yn grand. Fasa'i ddisgrifio fo fel 'patsh o wair jyst tu allan i'r Jobcentre Plus' yn fwy cywir. A'r lleisiau 'na ti'n glywed, gyda llaw – ma 'na grŵp o hwdis yn taflu cania gwag o Carlsberg Special Brew at y colomennod."

"Neis."

Tydi byta brechdan hefo un llaw ddim yn hawdd. Mi ddylai fod o'n rhan o brawf Mensa.

"Rwbath yn y post i mi heddiw?"

"Aros," medda Michelle – a dwi'n clywed ei sodlau'n clicio dros y llawr pren wrth iddi jecio. "Oes, rwbath o Lundan. Tisho fi agor o?"

"Stamp?"

"Dosbarth cynta."

"Agora fo."

"Iawn. Dyma ni. 'Thank you very much for letting us read a sample from your novel *The Sands of Rillentajara*. I have to advise you that we are finding this type of work very difficult to place at the moment and wish you the best of luck pursuing other agents.' O diar. 'Na' arall, Irfon. Faint ti 'di ga'l rŵan?"

"Tri deg wyth."

"Tisho fi ffeilio fo hefo'r lleill?"

"Plis. Ma'r bag ailgylchu yn y sied."

Dwi'n ei chlywed yn rowlio'r llythyr yn belen yn ei llaw. Breuddwyd fach arall yn cael ei lladd gan y dyn post.

"Sut ma petha'n mynd yn y job newydd ta?"

"Yn ocê," medda fi gan wylio hwdi'n llwyddo i hitio un o'r colomennod ar ei ben hefo tun o seidr gwag. "Dwi'm 'di gneud lot i ddeud y gwir. Ma nhw 'di treulio'r rhan fwya o'r bora'n rhoi trefn ar fy nghyfrifiadur i."

"Felly be ti am neud pnawn 'ma?"

"Ma 'na rhyw gyfarfod syniadau neu rwbath. Mae o'n digwydd bob wsnos yn ôl pob sôn. Ma pawb yn cyfarfod yn y cantîn ac yn cynnig eitemau ar gyfer y rhaglen."

Ma'r hwdis yn rhuthro at y golomen anffodus a dwi'n troi i ffwrdd yn anniddig.

"Sgin ti syniadau?"

"Rho gyfla i mi! Dwi mond wedi bod yma pum munud! Beth bynnag, fydd o'n iawn. Dwi 'di bod mewn cannoedd ohonyn nhw yn y BBC. Dwi'n dallt sut ma'r cyfarfodydd 'ma'n gweithio."

"Ia, ond ma petha'n wahanol dyddia yma, Irfon – yn enwedig yn y cwmnïa bach annibynnol. Ma raid ti fod yn frwdfrydig does? Neu smalio o leia."

"O'dd Siân, yr hogan 'ma sy'n ista wrth f'ymyl i, yn deud fod Robat Cadnant yn cynnig llwyth o syniadau bob wsnos."

"Pwy 'di Robat Cadnant?"

"Pwy ydi Robat Cadnant? Ti'n jocian! Ti'n deud 'tha i fod chdi 'rioed wedi clywad am Gapten Cadnant, y môr-leidr?"

"Naddo. Sori."

"Be?! O'dd Capten Cadnant yn lejynd!"

* * * *

Wel, iawn, falla fod 'lejynd' yn gwthio pethau braidd, ond pan o'n i'n blentyn mi oedd Capten Cadnant ar y teledu bob wythnos yn gwneud triciau ar ei raglen *Y Llong Hudolus* ac, unwaith, ddoth o draw i'r ysgol gynradd i berfformio ei sioe hud yn fyw! Hon oedd y sioe lle'r oedd o'n gwneud triciau ac yn darllen meddyliau'r plant. Oedd o ddim yn mynd rownd ysgolion yn amal ond oedd hyn yn ffafr arbennig achos 'i fod o'n nabod Miss Wynne – fy hoff athrawes.

Falla fod o'n swnio'n hollol wirion rŵan ond pan 'dach chi'n naw oed yng nghefn gwlad Cymru ma unrhyw berson sydd wedi bod ar y teli yn hollol anhygoel. Felly, dwi'n cofio'n iawn, pan naeth Robat Cadnant gyrraedd yr ysgol yn ei Rover mawr brown, mi naetho ni'r plant – a'r athrawon – ruthro allan i'r iard fel ffyliaid gan sgrechian a chwifio ein llyfrau llofnodion. Capten Cadnant oedd y dyn enwog cyntaf i mi weld yn y cnawd ac mi oedd hi'n anochel, mae'n siŵr, fod y profiad braidd yn siomedig. Wrth iddo estyn ei gês mawr trwm o gefn y Rover a'i ollwng efo ochenaid o ryddhad (a rhech drawiadol), rhaid oedd cyfaddef fod y dyn go iawn yn llawer iawn llai cyffrous na'r fersiwn o'n i wedi ei weld ar y teledu. Doedd 'na ddim patshyn dros ei lygad i ddechrau. Dim coes glec – a doedd dim golwg o Ifan y parot ar ei ysgwydd chwaith! Ond, serch hynny, pan ddoth o draw i ysgwyd llaw ac i arwyddo ein llyfrau llofnodion naeth neb gwyno fod o ddim yn ei wisg môr-leidr fel yr oedd o ar y teledu, a bod o ddim yn chwifio ei gleddyf o gwmpas gan greu ffrwydradau porffor a gwyrdd. Oedd pawb yn meddwl am y storïau cyffrous oedda nhw am ysgrifennu'r diwrnod wedyn yn y Llyfr Mawr Glas.

Ar ôl iddo fo orffen arwyddo ein llyfrau a'th Capten Cadnant i mewn i'r ysgol hefo Miss Wynne.

Wrth gwrs, erbyn i ni gyd ddod i mewn i neuadd yr ysgol ac eistedd i lawr ar gyfer y sioe, mi oedd y Capten Cadnant oedd o'n blaena ni ar y llwyfan yn llawer iawn tebycach i'r fersiwn deledu. Oedd 'na fwg porffor a gwyrdd ym mhob man, yn union fel oedd 'na ar *Y Llong Hudolus*, ac mi oedd Capten Cadnant yno efo'i batshyn, ei goes glec, ei gleddyf – ac Ifan y parot ar ei ysgwydd.

Be dwi'n cofio fwyaf am y sioe ydi fod Capten Cadnant wedi gofyn am helpwr bach o'r gynulleidfa tua hanner ffordd drwodd a, rywsut neu'i gilydd – ar ôl i ni gyd godi'n breichiau a gweiddi "Fi, fi, fi!" – mi wnaeth y Capten syllu trwy ei delesgop ar y môr o wynebau bach awyddus o'i flaen a phwyntio ata i. Dyma Miss Wynne yn cymryd fy llaw a fy arwain i'r llwyfan o flaen pawb. Wrth afael yn fy ysgwydda yn dynn, mi wnaeth Capten Cadnant ddweud 'i fod o am ddarllen fy meddwl.

"Caea dy lygaid yn dynn, 'y ngwas i... a meddylia am rwbath. Rwbath o gwbl!"

Wel, dyma fi'n gwneud. Ac yn rhyfedd iawn (a pheidiwch â gofyn pam) mi 'nes i feddwl am Dougal, fy hoff gymeriad o'r *Magic Roundabout*. Ond pan wnaeth Capten Cadnant berfformio tric lle disgynnodd llwyth o Smarties dros fy mhen o'i gôt mi 'nes i ddweud celwydd.

"Am rhein oedda ti'n meddwl ynde, 'ngwas i? Am dda-das!"

"Ia," medda fi yn dila. Wel, o'n i ddim isho gwneud ffŵl ohono fo o flaen pawb, yn nago'n?

"Da iawn chdi, boi," medda fo gan estyn tiwb o Smarties o'i Gist Fawr a'i roi i mi.

Dwi'n cofio meddwl fod 'na ogla cyfarwydd ar wynt Capten Cadnant wrth iddo fo siarad â fi. Oedd o'r un fath o ogla oedd ar wynt Dad pan oedd o'n baglu i fyny'r grisiau ar nos Sadwrn, yn dilyn sesiwn hir yn y Gors, i blannu sws nos da wlyb ar fy nhalcen.

Ogla alcohol.

A'r peth arall naeth aros yn y cof, wrth gwrs, oedd be ddigwyddodd wedyn.

Ar ôl yr ysgol mi o'n i hanner ffordd adra pan 'nes i sylweddoli yn sydyn fy mod i wedi gadael fy llyfr llofnodion ar ôl yn y dosbarth. Wrth gwrs, yn dilyn diwrnod mor gyffrous, mi o'n i'n awyddus i ddangos llofnod Capten Cadnant i Mam a Dad felly dyma fi'n troi nôl. Oedd y drws i'r adeilad dal yn gorad. Wnes i sleifio i mewn yn ddistaw rhag ofn i mi gael fy nal. Ges i hyd i'r llyfr llofnodion yn yr union le o'n i wedi ei anghofio fo, yn fy nesg yn y dosbarth. Ar ôl ei stwffio i mewn i 'mhoced wnes i droi at y drws i fynd allan pan, yn sydyn, dyma fi'n clywed rwbath od yn dod o ystafell y prifathro. Rŵan, oedd pawb yn gwybod fod y prifathro – Mr Jones – yn yr ysbyty, felly o'n i'n meddwl ei bod hi braidd yn rhyfedd clywed sŵn yn dŵad o'i swyddfa fo.

Dim ond Miss Wynne oedd â'r goriad.

Yn araf bach, dyma fi'n cerdded tuag at ddrws Mr Jones gan sbio yn ôl yn achlysurol jyst i wneud yn siŵr fod y ffordd allan yn glir, rhag ofn i mi orfod rhedeg. Erbyn hyn, oedd y sŵn tu fewn i ystafell Mr Jones yn uwch – sŵn fel rhywun yn cnocio darn o bren yn erbyn y wal. Ac mi oedd 'na leisiau hefyd. Llais dyn yn tuchan ac yn gwichian fel tasa fo allan o wynt ac wedyn llais merch – llais oedd yn swnio yn union fel llais Miss Wynne – yn ymbil ar y person oedd allan o wynt i stopio.

"Na," oedd hi'n gweiddi, "plis... na...!"

Wrth wthio'r drws a sbecian i mewn, mi welis i Miss Wynne a'i choesau yn cicio yn wyllt a Chapten Cadnant ar ei thraws hefo'i drowsus i lawr a'i goes glec smal ar y carped.

"Pwy sy'n hogyn drwg ta?" crawciodd Ifan y parot o'i gaetsh yn y gornel.

"Robat... paid!" medda Miss Wynne gan sylweddoli mod i yn y drws yn syllu arnynt hefo 'ngheg yn gorad.

"Damia!" medda'r Capten wrth iddo droi rownd a 'ngweld i. Mewn chwinciad dyma Miss Wynne yn neidio i ffwrdd o'r ddesg gan dacluso ei gwallt a thrio ei gorau i roi'r argraff fod dim byd o'i le.

"Irfon," medda hi gan wenu'n wanllyd a 'nhywys i allan o'r swyddfa i'r coridor. "Be ti'n da yma... a hitha... mor hwyr?"

Mi oedd ei llais hi'n crynu a'i llygaid yn las a chwyddedig fel tasa rhywun wedi ei tharo.

"O'n i wedi anghofio hwn, Miss Wynne," medda fi gan dynnu'r llyfr llofnodion allan o 'mhoced. "Miss Wynne, 'dach chi'n... iawn?"

"Yndw."

Mi wnaeth Miss Wynne drio gwenu eto. Wedyn dyma hi'n plygu ar ei gliniau nes ei bod hi ar yr un lefel â fi.

"Gwranda, Irfon," medda hi'n dawel, "does 'na'm rhaid i ti ddeud dim byd am be ti newydd weld yn swyddfa Mr Jones, yn nagoes?"

"Nag oes," medda fi yn dawel.

"Mi fedar fod yn gyfrinach fach, medar?"

"Medar, Miss Wynne."

"Rhwngtho ni'n dau ynde?"

"Ia, Miss Wynne."

"Fedrwn ni eistedd i lawr yn y gornel fory ac wedyn gei di ysgrifennu hanes y sioe heddiw yn y Llyfr Mawr Glas, yn cei? Hanes y tric hefo'r Smarties a bob dim ynde?"

Wrth glywed hyn ma Capten Cadnant yn dod allan o swyddfa Mr Jones gan chwerthin yn sinicaidd.

"Llyfr Mawr Glas?"

"Ia," medda Miss Wynne gan godi ar ei thraed a gwenu'n boenus a gwthio'i gwallt chwyslyd tu ôl i'w chlust, "ma gennyn ni lyfr arbennig yn y dosbarth yn does, Irfon? Y Llyfr Mawr Glas." Ma hi'n trio swnio'n ddidaro ac yn hwyliog ond ma 'na ddagrau yn ei llygaid. "Llyfr lle ma'r plant i gyd yn medru ysgrifennu storïau am y pethau cyffrous sydd wedi digwydd iddyn nhw."

Wrth glywed hyn ma Capten Cadnant yn cydio yn fy mraich yn dynn. Rhy dynn. Llawer iawn rhy dynn.

"Aw!"

"Robat!" medda Miss Wynne mewn braw. "Plis... bydda'n ofalus!"

"Gwranda'r basdad bach," medda fo gan fy ysgwyd, a'r alcohol ar ei wynt mor gryf nes iddo bron iawn wneud i mi chwydu, "chdi fydd mewn trwbwl os ddaw pobl i wbod am hyn, ti'n dallt? Fydd pawb yn gofyn be oedd yr hogyn bach drwg 'na'n neud yn swyddfa Mr Jones pan oedd Mr Jones yn yr ysbyty, yn bydd? Fydd pawb yn meddwl dy fod ti wedi torri fewn i ddwyn rwbath."

"Ond –"

Mae o'n dal ei gleddyf dan fy ngên nes mod i'n teimlo oerni creulon y plastig.

"Ti heb weld dim byd. Ti'n dallt, 'ngwas i?"

Dwi'n trio peidio llyncu rhag ofn i'r llafn miniog rwygo trwy fy ngwddw.

"Y-yndw... ond –"

Erbyn hyn ma'r dagrau'n llifo'n gynnes ar hyd fy mochau.

"Un gair," medda'r Capten gan syllu i fy llygaid. "Duda jyst un gair ac mi fyddi di mewn trwbwl."

Yn araf mi ollyngodd Capten Cadnant ei afael arna i a sleidio'r cleddyf yn ôl i'w wain fel neidr wenwynig.

Wedyn, fel tasa dim byd wedi digwydd, dyma fo'n gwenu a chwalu fy ngwallt fel ewythr diniwed.

"I chdi yli," medda'r Capten a thynnu tiwb arall o Smarties o'i boced. "Er mwyn i ni gofio ein bod ni'n ffrindiau'n de? Paid byth ag anghofio hynny, 'ngwas i. Byth!"

# Dirgelwch y gadair wag

Dwi ddim wedi anghofio. Ond mae o. Wel, un ai hynny neu ma Robat Cadnant yn well actor na John Ogwen.

Wrth i bawb o'r tîm cynhyrchu setlo i lawr o gwmpas y byrddau crwn yn y cantîn i ddisgwyl Duvka ar gyfer y cyfarfod syniadau, dwi'n sbecian ar Robat Cadnant yn achlysurol, jyst i jecio oes 'na ryw fflach o adnabyddiaeth ers i ni gwrdd yn y swyddfa. Ond dwi'm 'di sylwi ar ddim byd.

Wedyn, dwi'n cael copsan.

"Be sy, 'ngwas i?" medda fo gan bwyso'n agosach. "Ti'n edrych yn... nerfus."

Dwi'n llyncu fy mhoer a, heb i mi feddwl, ma'n llaw i'n mynd at fy ngwddw yn amddiffynnol.

"Ydw i?"

Yn araf, mae o'n gwenu, plygu'n agosach byth ac yn gostwng ei lais.

"Does dim rhaid i chdi boeni am ddim byd yn y lle yma. Sticia 'fo fi. Fyddi di'n iawn hefo fi."

Erbyn hyn ma 'nghalon i'n taranu yn fwy dirdynnol na'r Ministry of Sound – i ddweud y gwir, dwi'n hanner disgwyl i bawb yn y cantîn ddechrau dawnsio.

Gwrandwch, Robat, dwi'n teimlo fel dweud wrtho fo, 'nes i'm sôn wrth neb am be welis i yn swyddfa Mr Jones y diwrnod hwnnw. Ddim hyd yn oed wrth Mam a Dad.

Ond, wrth gwrs, celwydd noeth fasa hynny. Achos mi wnes i sôn. Dyna sut ymddangosodd y stori ar dudalen flaen y *Daily Post*.

A dyna sut ddoth gyrfa Capten Cadnant fel seren deledu i ben.

"Dwi'n gwbod yn union be ti'n feddwl," medda fo.

"Ydach chi?"

Ma 'nghalon i'n crynu eto fel aderyn ofnus yng nghaetsh fy mron. Ydi Robat Cadnant, fel oedd yr hen Gapten Cadnant ers talwm, yn wirioneddol yn medru darllen meddylia pobol jyst fel oedd o'n honni ar ei raglen deledu? Os felly, rydw i mewn trwbl go iawn achos, y funud hon, fasa Robat Cadnant yn medru gweld fy mod i'n meddwl am ddirgelwch diflaniad sydyn Miss Wynne yn dilyn y digwyddiad erchyll yn swyddfa Mr Jones.

⋆ ⋆ ⋆ ⋆

Be oedd wedi digwydd iddi?

Ymhen mis roedd hi wedi gadael yr ysgol ac wedi cael job ym Manceinion, medda Mr Jones un bore yn ystod y gwasanaeth (ar ôl iddo fo ddŵad o'r ysbyty), ond – yn ôl hunllef ges i un noson – mi o'n i'n siŵr fod Robat Cadnant wedi mynd ati a'i lladd yng nghanol y nos efo'i gleddyf hir a milain! Oedd o wedi llusgo corff Miss Wynne i mewn i fŵt y Rover – sodla ei sgidiau hi'n creu dwy res anwastad yng ngherrig y dreif ac Ifan y parot yn crawcian "Coda dy draed, coda dy draed!" Ar ôl slamio'r bŵt, mi edrychodd y llofrudd dros ei ysgwydd i wneud yn saff nad oedd neb o gwmpas. Wedyn, ar ôl patio'i ddwylo, mi yrrodd y Rover brown i ryw fan anghysbell. Yno mi gafodd Miss Wynne druan ei chladdu. "Ta ta, cariad," crawciodd Ifan y parot. "Ta ta am byth."

Wrth gwrs, jyst plentyn o'n i – plentyn oedd yn gwylio gormod o deledu ac yn darllen gormod o gomics – ond weithia, yng nghanol gwers ddiflas gan yr athrawes newydd ddoth yn lle Miss Wynne, mi oeddwn i'n dal i edrych draw o bryd i'w gilydd at y gadair wag.

Y gadair wag yn y gornel storïau lle'r oedd Miss Wynne yn ista a'n gwahodd i sgwennu ein hanesion yn y Llyfr Mawr Glas.

★ ★ ★ ★

"Ti'n meddwl am y gadair wag yn dwyt, Irfon?"

Am eiliad neu ddwy sgin i ddim syniad be i ddweud. Ma 'ngheg i mor llydan â twnnal y Mersi. Mae o'n gwybod! Tydi hyn ddim yn bosib!

"Ty'd rŵan, Irfon bach," medda Robat Cadnant gan wenu. "Dwi'n un da am ddarllen meddylia pobol sti. O'n i'n arfer neud o'n broffesiynol. A falla mai dim ond un llygad sgin i erbyn hyn ond, ew, ti'n gwbod be? Mae o'n llygad da."

Dwi'n llyncu fy mhoer.

"Jyst hunlla o'dd hi," medda fi.

Ma'i wyneb o'n troi'n gwestiwn.

"Hunllef?"

"I... F-Fanceinion a'th hi'n de?"

"Manceinion? Dwi'm yn dy ddilyn di, boi."

"Swydd newydd neu rwbath gafodd hi."

"Sori, 'ngwas i, dwi 'di dy golli di'n llwyr!"

Dwi'n cael fy achub gan Duvka. Mae'n eistedd i lawr, agor ei dyddiadur a tharo pâr o sbectols Armani ar ei thrwyn.

"Prynhawn da bawb, ie? Mae'n hen bryd i ni ddechrau'r cyfarfod syniade, ie? O, gyda fy llaw, fydd Ceri dipyn bach yn hwyr. O'dd damwain tu fas i Ffosrhyd."

Ma pawb yn edrych draw at y gadair wag. Dwi'n dal llygad Robat Cadnant ac yn troi'n goch. Mae o'n wincio arna i.

"O'n i'n iawn yn doeddwn?" medda fo gan chwifio ei

fys. "'Dda chdi'n meddwl am y gadair wag. Cadair Ceri, yli. Dyna lle ma hi'n ista bob tro. Reit wrth ymyl Duvka de? Fatha blydi ci bach."

Dwi'n gwenu. A dwi'n gwenu go iawn y tro yma. Achos doedd Robat Cadnant ddim yn medru darllen meddylia wedi'r cyfan.

Diolch byth.

## Pethau bach defnyddiol 'nes i ddysgu yn y BBC ar sut i fyhafio mewn cyfarfodydd gwaith

1. Peidiwch byth, byth, byth â bod y cyntaf i gyrraedd. Fedrai'm pwysleisio hynna ddigon cryf. *Byth, byth, byth.*

Gwrandwch, ma bod y person cyntaf i gyrraedd unrhyw gyfarfod gwaith yn mynd i bisio'ch cyd-weithwyr chi i gyd i ffwrdd achos ma nhw'n bownd o feddwl 'ych bod chi'n trio'u dangos nhw i fyny o flaen y bos am fod yn ddiog. Hefyd, wrth gwrs, os mai chi ydi'r cyntaf i gyrraedd ma 'na siawns reit dda fydd 'na gyfnod pan fyddwch chi ar eich pen eich hun hefo'r bos ac, wrth reswm, ma hyn yn golygu y bydd raid i chi gynnal won-tw-won anffurfiol jyst i ladd amser cyn i'r lleill ddŵad i mewn.

Meddyliwch am y peth am eiliad.

Won-tw-won.

Hefo'r *bos.*

Be ffwc fedrwch chi gael won-tw-won hefo'r bos amdano sydd ddim yn mynd i'ch landio chi mewn rhyw fath o gach?

Na, ma cyrraedd yn rhy gynnar yn syniad trychinebus. Ond, wrth gwrs, ma cyrraedd yn gynnar yn well na chyrraedd yn rhy hwyr. Sy'n dŵad â ni at…

2. Peidiwch byth, byth, byth â chyrraedd yn rhy hwyr. Fedrai'm pwysleisio hynna ddigon cryf. *Byth, byth, byth.*

Gwrandwch, ma'n well peidio mynd o gwbl na chyrraedd ar ôl i'r cyfarfod ddechrau. Os na sgynno chi esgus hollol gredadwy, wrth gwrs. Dyma rai esiamplau o'r math o esgusodion falla, jyst *falla*, fasa'n debygol o'ch helpu chi ac sydd, o bosib, werth eu cofio jyst rhag ofn:

"Sori, nath rywun ddisgyn yn y coridor a fi o'dd yr unig berson hefo hyfforddiant Cymorth Cyntaf."

"Sori, 'nes i faglu dros y troli."

"Sori, ond o'dd 'na ddynas yn ca'l babi yn y stryd a fi o'dd yr unig berson hefo hyfforddiant Cymorth Cyntaf."

(Fedra i ddim pwysleisio yn ddigon cryf bwysigrwydd dilyn cwrs Cymorth Cyntaf os 'dach chi'n meddwl eich bod yn debygol o fod yn hwyr i gyfarfodydd gwaith yn amal.)

3. Peidiwch byth â chyrraedd ar eich pen eich hun. Fedrai'm pwysleisio hynna ddigon cryf. *Byth, byth, byth.*

Triwch o, os 'dach chi isho, ond dwi'n 'ych rhybuddio chi – mi fydd y bos yn meddwl un peth ac un peth yn unig. Mae o, neu hi, yn mynd i feddwl "Ma'r person yma yn amhoblogaidd" a does 'na 'run bos dan haul isho person amhoblogaidd o gwmpas y lle. Dydi lônyrs ddim yn tîm-pleiars. Hefyd, wrth gwrs, mae'n ystadegol wir fod y rhan fwyaf o'r siriyl culyrs enwoca wedi bod yn lônyrs ac – am ryw reswm – dydi bosus, fel y cyfryw, ddim yn rhy hoff o'r syniad o gael siriyl culyrs o gwmpas y lle.

4. Gynta ma'r cyfarfod wedi dechrau peidiwch byth â chodi'ch llaw a dweud rwbath. Fedrai'm pwysleisio hynna ddigon cryf. *Byth, byth, byth.*

Does 'na neb yn licio smart-ass na crîp felly, o fy mhrofiad i, pan ma'r bos yn dweud rwbath fatha "Sgin unrhywun rwbath i'w ychwanegu?" yr ateb cywir bob tro ydi "Nag oes". Cofiwch y gair holl bwysig yna. Nag oes. (Dau air i ddweud y gwir.) Practeisiwch nhw rŵan os liciwch chi.

"Oes gan rywun syniadau?"
"Nag oes."
Da iawn.

★ ★ ★ ★

"Oes gan rywun syniadau?"

"Llwyth, Duvka bach," medda Robat Cadnant.

Mae o'n bodio trwy ddigon o bapura A4 i gynnal testun cyflawn *Y Mabinogi*. Wrth gwrs, fel hen law ar y busnas cyfarfodydd yma, dwi'n gwenu ac yn ysgwyd fy mhen. Y ffŵl gwirion! Wir i chi, o'n i'n meddwl fod gan Robat Cadnant fwy o sens! Pwy uffar sy'n cynnig syniadau mewn cyfarfod?

Ym... wel... yn fan hyn... pawb mae'n amlwg!

Yndi, ar ôl llai na phum munud ma'r gwirionedd dychrynllyd yn fy nharo mor galad â dwrn Mike Tyson – yma yng Nghynyrchiadau Duvka ma pethau'n hollol wahanol! Yma ma *pawb* yn cynnig syniadau mewn cyfarfodydd! Mi oedd Michelle yn iawn a ddyla mod i wedi gwrando arni. Ma pethau'n wahanol yn y cwmnïa bach. Yn enwedig ar ôl y toriada.

Dwi'n sbio o 'nghwmpas a sylweddoli fod gan bawb yn y cyfarfod fwndel tew o bapur A4 ar eu gliniau – tudalennau taclus hefo syniadau clir a phendant ar bob un a'r cwbl yn barod i'w darllen o flaen Duvka Llew i weld os ydyn nhw'n plesio ac yn haeddu cael eu troi'n eitemau ar *Trwy Lygaid Duvka*.

Ffyc!

Ma Duvka yn mynd drwy bawb o gwmpas y byrddau yn y cantîn fesul un gan nodi pob syniad sy'n plesio (a throi ei thrwyn bach botwm ar bob un sydd ddim). Dwi'n sbio i lawr ar fy nglin. Ma'r llyfr nodiadau yn gorad ond does 'na ddim byd ar y dudalen. Mae mor wyn a gwag ag Antarctica.

Neu Polo mint.

Ffyc!

"Irfon," medda hi o'r diwedd, "beth am dy syniadau di? Dwi'n cofio i ti gael lot o syniadau gwych yn yr hen dyddie, ie? Ti wedi cael cyfle i baratoi rwbath bora yma?"

"Wel... ym... do," medda fi, yn blyffio fel Hugh Grant, "dwi wedi bod yn meddwl. Yn galad iawn i ddeud y gwir. Dwi 'di bod yn meddwl... lot."

Wrth glywed hyn ma gwyneb Duvka Llew yn tywynnu arna i'n ddisgwylgar a, rhywsut neu'i gilydd, dwi'n clywed fy llais yn dweud y peth cyntaf sy'n dŵad i 'mhen.

"Meddwl o'n i fasa hi'n syniad diddorol gofyn i ffermwyr e-bostio neu sgwennu at y rhaglen hefo enwa rhyfedd ma nhw'n rhoi ar eu gwartheg."

Ma 'na seibiant.

Seibiant hir.

Seibiant sy'n hirach na'r Golden Gate.

(Neu Bont Borth o leiaf.)

Wedyn ma ceg Duvka Llew yn agor nes ei bod fel un o gegau'r dolia yna ma nhw'n gwerthu mewn siopau rhyw (yn ôl pob sôn).

Mae'n gwenu. Ac yn nodio.

"O da iawn, Irfon," medda hi gan sgriblo yn sydyn ac yn llawn brwdfrydedd yn ei dyddiadur. "Syniad gwych... świetny pomysł! Gawn ni e fel cystadleuaeth, ontife? Enwa Ryfedd ar Wartheg! Grêt, Irfon! Da iawn. Ti moyn trefnu 'na, ie?"

Dwi'n clywed fy llais yn dweud, "Wrth gwrs, Duvka. Wrth gwrs. Dim problem."

# Jonathan Ross, Mick Jagger a fi

"Be? Dweda hynna eto, Irfon."

"Enwa rhyfedd ar wartheg."

"O ddifri?"

Ma Michelle yn dechrau chwerthin ben arall y ffôn ac yn sydyn dwi'n teimlo'n amddiffynnol.

"Pam? Be sy'n rong 'fo hynna? Fedrwn ni gyd ddim ennill BAFTAs sti!"

"Sori, Irfon. Caria mlaen."

"Mi o'dd Duvka yn meddwl fod o'n syniad grêt. Ddudodd hi hynny o flaen pawb."

"Ia, wel, mae o'r union fath o beth fasa *Trwy Lygaid Duvka* yn feddwl fasa'n syniad da, reit siŵr. Esgob, ma nhw wedi corddi dy frên di'n barod, Irfon, a ti ond wedi bod yna am ddwrnod! Enwa rhyfedd ar wartheg! Be wnath i ti feddwl am hynna?"

"Dwn i ddim. O'dd 'na ryw stori yn y papur yn honni fod gwartheg hefo enwa yn creu mwy o lefrith neu rwbath. Beth bynnag, ma Duvka yn mynd i lansio'r gystadleuaeth ar y rhaglen heno. Mae'n mynd i ofyn i ffermwyr Cymru yrru enwa eu gwartheg aton ni ac wedyn 'dan ni am ddewis y gora a ma'r enillydd yn cael teledu, llun o Duvka, tocynnau i'r theatr a phythefnos i ddau ym Mhontrhydfendigaid."

"Dwi'm yn credu hyn!"

"Wel, ella mod i'n deud celwydd am Bontrhydfendigaid."

"Ond... ti'n swnio mor... falch o'r peth!"

"Enilla di'r BAFTAs, Michelle, ac mi geith Cynyrchiadau Duvka dalu'r bil trydan, iawn?"

"Chdi a thoman o enwa gwartheg! Ai hwn 'di'r boi 'nes i briodi?"

Mae'n chwerthin eto.

Lot.

Gormod.

I ddweud y gwir, mae'n chwerthin cymaint dwi'n dechrau teimlo'n rili pisd off. Ar y sedd yn y parc ma 'mysedd i'n tynhau rownd y Sony Ericsson bach.

"Michelle, gwranda, chdi nath ddeud bod rhaid i fi ga'l job! A dyna be dwi'n neud, reit? Gneud fy ffycin job!"

Mae'n stopio chwerthin.

"Ia, ia. Dwi'n gwbod. Sori."

Seibiant.

Tu allan i'r Jobcentre Plus ma 'na dri hwdi hefo caniau o Stella yn taflu teiar at hen dramp.

Dwi'n troi nôl at y ffôn.

"Ddoth 'na fwy o bost?"

"Tri bil. A llythyr i chdi."

"Marc post?"

"Llundan."

"Stamp?"

"Cynta."

"Agor o."

"Ti'n siŵr?"

Dwi'n clywed Michelle yn rhwygo'r amlen. Wedyn, ei llais.

"Mae o'n deud... 'Thank you very much for sending us the opening chapters of your novel *The Sands of Rillentajara*. Although I enjoyed them I don't feel compelled to offer you representation at this point but wish you the best of luck elsewhere.'"

"O, reit," medda fi. Dwi'n ochneidio'n ddwfn. "Gwartheg amdani ta."

* * * *

Ma raid i chi ddallt hyn.

Ma Michelle Davis, fy ngwraig annwyl ers pum mlynedd bellach, yn un o gynhyrchwyr ffilmiau dogfen gora'r BBC. Ma hi'n gweithio yn Adran Ffeithiol y BBC yng Nghaerdydd ond ma'i ffilmiau hi yn cael eu dangos ar BBC1 a BBC2. Falla'ch bod chi wedi gweld y ffilm 'na am grwpia o blant ym Mryste oedd yn dwyn ceir er mwyn codi arian i brynu heroin? *The Children of Montpelier*? Wel, Michelle naeth honno. Hon oedd y ffilm wnaeth ennill BAFTA am 'Best Documentary' flwyddyn dwytha. Es i i'r seremoni yn Llundain hefo Michelle ac mi roedden ni'n ista rownd bwrdd yn bwyta foie gras hefo Alan Yentob, Joan Bakewell a Jeremy Paxman. Pan wnaeth Jonathan Ross gyhoeddi fod ffilm Michelle wedi ennill wnaeth hi roi clamp o sws ar fy moch a rhuthro at y llwyfan. Oedd hi'n noson berffaith achos nid yn unig ges i fy enwi o'r llwyfan ("... and of course, most of all, I'd like to thank my long-suffering husband, Irfon, for putting up with me during this difficult period") ond, yn y parti mawr wedyn, ges i lun ohona i'n pwyso yn erbyn y bar yng nghwmni Jonathan Ross a Mick Jagger!

Felly pam 'dan ni mor dlawd?

Pam 'dan ni ofn y dyn post?

Pam 'dan ni'n cuddio tu ôl i'r soffa pan ma'r dyn llnau ffenestri yn galw am ei arian (am y chweched tro rŵan – £20.16)?

A pam uffar dwi rŵan yn gorfod dreifio i Benbryn bob dydd a meddwl am syniadau twp fatha enwau rhyfedd ar wartheg?

Wel, cwestiynau da. Ac fel mae'n digwydd, yr ateb iddyn nhw i gyd ydi Capten Tom Rourke.

Tom blydi Rourke.

Ia. Arno fo ma'r bai.

# *The Sands of Rillentajara*

Ma pawb yn meddwl fod yna nofel ddirdynnol yn byrlymu fel llosgfynydd yn eu perfeddion – campwaith fel *Middlemarch* neu *Anna Karenina* jyst yn ista yna yn eu penna yn barod i ffrwydro fel St Helens a thollti ei lafa athronyddol ar draws sgrîn wag y laptop. Wrth gwrs, tydi'r rhan fwyaf ohonom ddim yn llwyddo i greu'r llyfr gwych yma achos pwysa gwaith.

Neu ddiffyg amser.

Neu wersi piano'r plant.

Neu gyfarth y ci drws nesaf.

Neu beth bynnag.

Ond y peth ydi, ma rhai ohonom – y lleiafrif falla – yn *gwneud* yr amser. Rywsut neu'i gilydd 'dan ni'n casglu pob briwsionyn o'r dydd lle 'dan ni ddim yn gwneud lot a'u rhoi at ei gilydd nes bod yna hanner awr ar gael fan hyn neu chwarter awr fan draw.

A dyna sut 'nes i fynd ati i ddechrau sgwennu fy nghampwaith, *The Sands of Rillentajara.* Hefo 'nyddia cyflwyno i ar ben ers oes o'n i'n gweithio yn y BBC fel cynhyrchydd, ond mi 'nes i ddarganfod ar ôl dipyn fod 'na adegau yn ystod y dydd – yn enwedig y pnawniau – lle oedd 'na fawr ddim i'w wneud. Felly, dyma fi'n rhoi hedffôns ar fy mhen a smalio mod i'n gwrando ar rwbath pwysig...

... a jyst sgwennu.

Wrth weithio fel hyn, mi 'nes i gyflawni dros ugain mil o eiria mewn llai na phythefnos. Wedyn, un noson, dyma Michelle yn dŵad adra ac yn dweud, "Ma Sally yn gwaith yn nabod rhywun sy'n gweithio yn Random House. Kelly Wannamaker ydi'i henw hi. Pam na 'nei di yrru rhan gynta'r nofel iddi hi?"

Felly dyna be 'nes i.

Y diwrnod wedyn dyma fi'n tacluso a thynhau pedair pennod gyntaf y nofel, eu pacio'n ofalus mewn jiffi bag, picio lawr i Landaf a'u postio.

Wrth gwrs, o'n i'n gwybod yn iawn ei bod hi'n debygol fod Kelly Wannamaker yn derbyn cannoedd o jiffi bags yn llawn nofelau bob dydd ac mi oeddwn i'n medru eu dychmygu nhw yn ei swyddfa – pentwr mawr brown yn cynrychioli breuddwydion a gobeithion cymeriadau trist. Cymeriadau trist fel fi oedd wedi gadael pethau'n rhy hwyr ac oedd rŵan yn dechra panicio wrth weld amser yn mynd ymlaen ac yn sylweddoli eu bod yn gaeth i jobs diflas er mwyn talu'r morgais a biliau cardiau credyd.

Ond dyna fo. Doedd gen i fawr ddim i'w golli, ac er bod y cysylltiad rhwng Kelly Wannamaker ac un o gyd-weithwyr Michelle yn yr Adran Ffeithiol yn fregus, o leiaf mi oedd o'n gyswllt o ryw fath.

Yn ystod y dyddia nesaf yn y gwaith mi o'n i'n rhyddhau fy nychymyg ac yn rhoi'r hawl iddo garlamu'n wyllt fel Red Rum dros gaeau fy mreuddwydion. O'n i'n dychmygu fod Kelly Wannamaker wedi ei swyno gan *The Sands of Rillentajara* a'i bod hi ar fin fy ffonio unrhyw funud i gynnig cytundeb.

Ond, wrth gwrs, wnaeth hi ddim ffonio.

Sgwennu naeth hi.

Dwi'n cofio dŵad i lawr y grisiau tua mis yn ddiweddarach hefo fy ngwallt fel clwt a fy ngwynt yn drewi fel tu fewn bag bin. Oedd y post newydd lithro trwy'r blwch ac mi oedd yna un llythyr i mi. Llythyr mewn amlen felen. Llythyr o Lundain.

Dosbarth cyntaf.

"Mae o'n deud Random House ar yr amlen," medda Michelle.

"Yndi," medda fi, fy nghalon yn curo'n galed, "dwi'n gweld."

"Wel? Wyt ti am ei hagor hi ta wyt ti am sbio arni trw'r dydd?"

Dwi'n agor yr amlen.

"Be mae o'n ddeud, Irfon?"

"Mae o'n deud – 'Dear Mr Thomas, thanks for sending me the sample chapters of your novel *The Sands of Rillentajara*. I enjoyed reading them tremendously and would be most interested in seeing the remainder if possible. I very rarely respond so positively to unsolicited submissions which arrive without an agent's support but, in this instance, I am happy to say that I was sufficiently intrigued and excited to take this course. I shall be travelling to a conference in New Zealand at the end of the week and will be away for a month but if you could possibly send me the remainder of the novel I shall make it a priority to read it upon my return. I should stress that this is one of the most promising manuscripts I have had the pleasure of reading in a long time. Yours sincerely, Kelly Wannamaker, Senior Fiction Editor, Random House.'"

"Irfon! Ma hynna'n ffantastig!"

"Shit."

"Shit be?"

"Rŵan ma raid i mi orffan y blydi peth!"

* * * *

Mi rydan ni gyd yn medru edrych yn ôl ar ambell i benderfyniad dwl rydan ni wedi ei wneud yn ystod ein bywydau a dweud, "Wel, 'nes i gamgymeriad mawr yn fanna. Dyna pryd wnaeth petha ddechra mynd yn rong." Yn fy achos i, y penderfyniad mwyaf dwl 'nes i oedd mynd at Bennaeth yr Adran y diwrnod wedyn a dweud mod i am adael fy swydd hefo'r BBC am eu bod nhw'n chwilio am ffyrdd o wneud toriadau ac yn cynnig arian ridyndynsi. O rŵan ymlaen mi oeddwn i am ganolbwyntio ar fy sgwennu achos mi oedd geiria Kelly Wannamaker yn canu yn fy mhen fel adar swynol:

'I should stress that this is one of the most promising manuscripts I have had the pleasure of reading in a long time.'

Yn naturiol, o'n i wedi trafod hyn hefo Michelle ac mi oedd hi wedi cytuno achos, fel oedd hi'n ddweud, mi oeddwn i wedi ei chefnogi hi wrth iddi ffilmio *The Children of Montpelier*, felly doedd hyn ddim byd mond chwara teg. Ac, wedi'r cyfan, mi fasa'r arian ridyndynsi yn ein cadw ni i fynd am rai misoedd cyn i'r adfans gyrraedd.

'I should stress that this is one of the most promising manuscripts I have had the pleasure of reading in a long time.'

Hwn oedd y cyfle euraidd o'n i wedi bod yn disgwyl yn amyneddgar amdano am flynyddoedd. Rŵan oedd o wedi cyrraedd. Rhaid oedd cydio ynddo.

'I should stress that this is one of the most promising manuscripts I have had the pleasure of reading in a long time.'

Y noson honno 'nes i ffonio Mam.

"Dwi 'di penderfynu gadal."

"Gadal be, cariad?"

"Y BBC."

"Y BBC?"

"Ia."

"Ond... pam, Irfon?"

"Dwi'n mynd i sgwennu."

"Sgwennu be?"

"Nofelau."

Ma Pushkin yn neidio ata i ac yn rowlio drosodd ar ei gefn.

"Paid â bod mor wirion!"

"Na, wir i chi, Mam! Gwrandwch am funud. Ma'r ddynas 'ma o Random House yn Llundan – Kelly Wannamaker – ma hi wedi deud 'i bod hi'n licio'r llyfr dwi'n sgwennu a'i bod hi isho gweld mwy. 'This is one of the most promising manuscripts I have had the pleasure of reading in a long time.' Dyna be ddudodd hi."

Ma Pushkin yn gosod ei hun o flaen fy ngwyneb a chwifio'i gynffon dew dan fy nhrwyn.

"Ond, Irfon bach, tydi hynny ddim yn golygu fod rhaid i chdi adal y BBC yn nac ydi? Fedri di'm sgwennu'r llyfr yma yn dy amsar sbâr?"

"Mam, ma Random House yn un o'r cwmnïa cyhoeddi mwya enwog yn y byd! 'Dach chi'n meddwl am eiliad fod gynno nhw ddiddordeb mewn rhywun sy'n sgwennu yn ei amsar sbâr?"

"Ond sut ti'n mynd i dalu'r morgais ar yr hen dŷ mawr 'na sgynno chi?"

"Ga i arian ridyndynsi. Ac wedyn ga i adfans, Mam!"

"Be?"

"Arian gin y cwmni cyhoeddi. Dyna sut ma nhw'n trefnu'r petha 'ma."

Dwi'n cydio yn Pushkin a'i daflu i'r llawr. Mae o'n miawian ei brotest ac yn rhuthro draw at ei bowlen i weld os oes yna rywfaint o Whiskas ar ôl (wrth gwrs, does 'na ddim. Does 'na byth.).

"'Di'r ddynas 'ma yn Llundan wedi sôn rwbath am arian efo chdi?"

"Wel na, dim eto. Ond dyna ydi'r ffordd ma cyhoeddwyr yn delio hefo'r petha 'ma. 'Dach chi'n arwyddo cytundeb ac wedyn ma nhw'n rhoi pres i chi fynd i orffan y llyfr yn iawn."

"Faint o bres?"

"Gafodd Sebastian Faulks chwarter miliwn yn ddiweddar."

"Pwy?"

"Sebastian Fau… o, dim ots."

"Wel, dwi jyst yn dy weld ti'n wirion yn gadal y BBC, 'na'i gyd – a chditha yn bedwar deg rŵan."

Ma cath drws nesaf – Chekhov – yn herio Pushkin druan gan eistedd yn bowld ar ei hoff gadair yn yr ardd, y gadair sydd gyferbyn â'r pwll llawn dop o bysgod aur.

"Ond dyna 'di'r pwynt, Mam! Os na wna i gydio yn y cyfla yma rŵan wna i byth! Dwi'm isho ista'n fan hyn pan dwi'n chwe deg oed yn pendroni be fasa wedi digwydd os fyswn i wedi bod dipyn bach yn fwy dewr ac wedi dilyn fy mreuddwydion. Sbiwch be ddigwyddodd i Dad."

Seibiant.

"Ia, wel, o'dd petha'n wahanol dyddia yna sti."

"Na, doedda nhw ddim, Mam. Esgus 'di hynna. Gafodd Dad y cyfla a wnath o ddim byd. O'dd o ofn mentro. Ddewisodd o chwarae'n saff ac mae o'n dal i ddifaru hyd heddiw. Dwi'm isho bod felna, Mam."

Ochenaid o ben draw'r ffôn.

Ma Pushkin wedi cael digon ar weld Chekhov yn llyfu ei ben-ôl yn braf ar ei hoff gadair ac mae o'n saethu allan drwy'r catfflap.

"Mam, dwi 'di hen flino yn y BBC – dwi 'di bod yna ers dwy flynadd a'r cwbl dwi isho neud ydi sgwennu."

Seibiant.

"Be ma *hi'n* ddeud?"

"Pwy?"

"Y Frenhines Michelle."

"Mae'n gefnogol. Mam, gwrandwch – ma'r ffaith bod rhywun fel Kelly Wannamaker 'di deud rwbath mor bositif am lyfr gin sgwennwr hollol newydd yn anhygoel!"

"Wel, chi sy'n dallt y petha 'ma. Rargian, be 'di'r sŵn aruthrol yna?"

"O, dim byd. Chekhov sydd wedi dŵad dros y wal ac wedi ista yn hoff gadair Pushkin. Rŵan ma 'na goblyn o ffeit."

"O."

Pam mae siarad â'ch rhieni ar y ffôn mor boenus? Dwi'n anadlu'n ddwfn. Cyfri i dri. Newid y pwnc.

"'Di Dad yn ocê?"

"Yndi, mae o'n cysgu o flaen *Bargain Hunt.*"

"Reit. Ffonia i chi fory."

"Iawn 'ngwas i. Cym bwyll – ac Irfon?"

"Ia?"

"Ti'm am neud dim byd gwirion yn nagw't?"

"Nadw siŵr."

Dwi'n rhoi'r ffôn i lawr a gwylio Pushkin yn gyrru Chekhov yn ôl dros wal drws nesaf.

O'n i'n mynd i fod yn awdur. O'n i am gydio yn y cyfle.

Yn wahanol i'r hen ddyn.

# Everton a'r gacen Battenburg

Weithia, pan o'n i yn fy arddegau cynnar, o'n i'n licio dringo'r ysgol i fyny i'r atig a bodio trwy'r hen albyms lluniau. Oedd y rhai cynharaf yn dyddio yn ôl i ddechrau'r ugeinfed ganrif ac yn llawn o bortreadau bregus o bobl flin yr olwg yn eu dillad gora yn sefyll tu allan i ryw gapel neu eglwys ac yn dal llyfrau emynau a Beiblau. Oedda nhw'n gwneud i'r Taliban edrach fatha'r *Teletubbies*.

Y llunia o'n i'n licio fwyaf oedd y rheini oedd yn dangos fy mam a fy nhad fel plant – ac yn enwedig y rhai o 'nhad achos mi oedd hi'n hollol amlwg, wrth i mi droi'r tudalennau trwchus a drewllyd, fod 'na un obsesiwn wedi bod yn ei reoli ers iddo fo fod yn ddigon hen i gerdded.

Pêl-droed.

Oedd yna lunia du a gwyn ohono fel bachgen pump neu chwech oed yn chwarae ar ei ben ei hun yn y stryd, yn y cae neu yn yr ardd – rwla, i ddweud y gwir, lle'r oedd yna ddigon o le iddo fo gael smalio bod yn Stanley Matthews neu Dixie Dean yn sgorio'r gôl fuddugol yn yr FA Cup yn Wembli!

Wrth iddo fynd yn hŷn mi oedd yr albyms yn dilyn datblygiad ei dalent ac yn ei ddangos o'n sefyll hefo rhesi o hogia eraill yn y tîm ysgol, tîm y sir ac wedyn tîm Caernarfon Town. Wrth ymyl y llunia 'ma oedd 'na hen erthyglau (eisoes yn felyn gan amser), wedi eu torri'n ofalus hefo siswrn, o dudalennau cefn y *Caernarfon and Denbigh Herald* neu'r *North Wales Tribune* a'u selotepio gyferbyn ag ambell i lun o 'nhad yn sgorio gôl yn erbyn Bangor City neu Conwy Town. 'Thomas Scores Another Hat-Trick' medda un. Wedyn,

'Last Minute Scorcher From Thomas Saves The Canaries'.

Wrth gwrs, cyn bo hir mi oedd hi'n anochel fod y si am sgiliau fy nhad wedi llifo dros waliau'r Ôfal fel ton ac wedi byrlymu dros Glawdd Offa nes iddi drochi rhai o glybiau mawr y dydd fel Manchester United, Bolton Wanderers…

… ac Everton.

"Be ddigwyddodd hefo Everton, Dad?"

Dyna oedd y cwestiwn o'n i wrth fy modd yn ei ofyn pan o'n i'n fengach a pan oedd fy nhad yn dreifio'r car tuag adra ar ôl i ni fod yn gweld Bangor City yn Farrar Road. (Yn naturiol, o'n i wedi clywed y stori gannoedd o weithia o'r blaen ond doedd dim ots am hynny, oedd hi bob tro werth ei chlywed eto.)

"Be ddigwyddodd, boi? Wel, ddaethon nhw i gyd i 'ngweld i sti – Man U, Preston, Bolton… Spurs hefyd os dwi'n cofio'n iawn. Ar ddiwedd y gêm, ar ôl i fi newid a ballu, oedda nhw'n dŵad ata i ac yn gofyn cwestiyna."

"Sut fath o gwestiyna, Dad?"

"Wel, 'ngwas i, oedda nhw isho gwbod faint o'dd 'yn oed i ac ers pryd o'n i wedi bod yn chwara – math yna o beth. Dwi'm yn meddwl fod nhw wedi bod isho gwbod y petha 'ma o ddifri sti. Oedda nhw jyst isho ca'l cyfla bach i sgwrsio – i weld sut fath o foi o'n i ag os o'n i'n debygol o ffitio hefo'r tîm. Wel, a'th hyn ymlaen am fisodd ac, i ddeud y gwir, ma rhaid i mi gyfadda, ar ôl dipyn o'n i'n dechra blino braidd hefo'r holl siarabáng. Ond wedyn, un pnawn, dyma petha'n newid. Mi o'dd hi'n half-time mewn gêm yn erbyn Caergybi. Ew, tîm budur o'dd Caergybi ar y pryd. Mi o'n i wedi ca'l amser caled gin 'u sentar-half nhw – Tomos Ffowc. Wedi marw rŵan y criadur. Beth bynnag, mi nath o fy nghicio i ar draws y cae o un pen i'r llall am dri chwarter awr, ac i ddeud y gwir ma rhai o'r cleisia ges i'r pnawn hwnnw dal yna heddiw! Wrth i mi gael panad yn ystod y brêc dyma'r capten yn dŵad ata i a deud fod rheolwr Everton newydd gyrradd. Nid y sgowt ond y rheolwr ei hun, ac mi o'dd o yna yn arbennig i 'ngweld i! Yn ôl y capten, o'dd o yna i gynnig cytundeb i mi fel prentis yn Everton, os o'dd o'n meddwl mod i ddigon da. Oedda nhw'n dîm mawr adeg yna sti. Ond, wrth gwrs, o'n i'n ca'l gêm wael yn do'n? O'dd Tomos Ffowc yn hen ddiawl bach cenfigennus ac mi o'dd o'n benderfynol o sboilio bob dim i fi'r pnawn hwnnw. Wel, ma gen i gywilydd cyfadda'r peth ond mi gollis i 'nhymer yn llwyr hefo fo yn y diwedd. O'dd 'na mond chwarter awr wedi mynd yn yr ail hanner pan nath o 'nhaflu i lawr hefo clamp o dacl 'sa wedi torri coes rhywun dipyn bach mwy bregus. Ew, dyma fi'n codi. 'Nes i redeg ar 'i ôl o fel tarw bach, ei droi o rownd a rhoi peltan go iawn iddo fo – yn union fel Joe Louis! A'th Tomos druan i lawr fel sach o datws reit tu allan i'r penalti bocs ac, wrth gwrs, dyma'r dyfarnwr yn fy ngyrru i i ffwrdd o'r cae yn syth. Ac mi o'n i'n haeddu hynny hefyd. Ddyla mod i heb fod mor fyrbwyll. Es i nôl i'r ystafell newid ac o'n i bron iawn â chrio wrth feddwl bod fy ngyrfa hefo Everton drosodd cyn iddi ddechrau. Pwy ar y ddaear fasa isho cynnig cytundeb i sentar-fforwyrd fatha fi o'dd yn methu cadw ei dymer?"

"A'th y dyn o Everton adra felly, Dad?"

"Wel, dim cweit, 'ngwas i. Yn od iawn, ddoth o i mewn i'r ystafell ac, ar ôl rhoid coblyn o ffrae i fi am fod mor wirion, dyma fo'n gwenu, estyn ei law a deud 'i fod o'n awyddus iawn i 'ngha'l i fel prentis yn Everton mewn pythefnos."

Ond a'th o ddim.

Yr agosaf a'th o i Goodison Park oedd platfform stesion Bangor.

"Pam aethoch chi ddim, Dad?"

Naeth o erioed egluro. Oedd o wedi poeni be 'sa wedi digwydd os fasa'r freuddwyd yn suro? Be os fasa fo ddim yn gwneud y grêd ac yn ffendio'i hun yn unig ac ar goll mewn dinas fawr fel Lerpwl heb ffrindiau na phres? Roedd chwarae pêl-droed fel gyrfa lawn-amser yn gymaint o gambl. Be os fasa fo'n torri ei goes? A doedd 'na ddim sicrwydd yn perthyn i'r gêm. Un Sadwrn fasa fo'n gallu bod yn arwr a'r Sadwrn nesaf fasa fo'n medru ca'l gêm wael a chael 'i adael ar y fainc am fisoedd. Doedd pêl-droedwyr ddim yn cael yr arian mawr ma nhw'n gael heddiw. Doedd 'na'm Ronaldos na Beckhams. Fasa sentar-fforwyrd ifanc fel fy nhad yn lwcus i gael deg punt yr wythnos ar ôl i'r clwb dalu lojings.

Beth bynnag, hefo llai na deg munud i fynd cyn i'r trên gyrraedd yr orsaf dyma 'nhad yn codi, gafael yn ei gês a chroesi'r ffordd i'r Waverly Hotel ac archebu panad o de. Ymhen dipyn, dyma fo'n clywed chwiban siarp yn cyhoeddi ymddangosiad y trên o Gaergybi a fyddai'n ei dywys tuag at Lerpwl. Ond yn lle cipio ei gês a chamu dros y ffordd i'w ddal dyma fo'n gofyn am banad arall.

Y tro yma hefo sleisan o gacen Battenburg.

"Be ddigwyddodd wedyn, Dad?"

Ar ôl i'w amser ddod i ben fel arwr mawr yr Ôfal a Caneris Caernarfon Town, mi drodd ei gefn ar y gêm a chymryd job dros dro hefo'r Cyngor Sir cyn penderfynu mynd i'r coleg, dod yn gyfrifydd a gorffen ei yrfa hefo cwmni bach ei hun tu allan i Fangor. Ond serch y bodlondeb arwynebol yma, bob blwyddyn, wrth i ni ista lawr i wylio'r Cup Final hefo'n gilydd ar y teledu (yn y dyddia cyn i mi adael adra i fynd i'r coleg), o'n i'n sylwi ar y tristwch oedd yn tywyllu ei wyneb, weithia, pan oedd 'na sentar-fforwyrd bach ifanc yn cael ei ben yn rhydd a sgorio perl o gôl a'r dorf yn llawenhau. Oedd hi fel tasa fo'n gofyn iddo'i hun, "Be fasa wedi digwydd, sgwn i, os faswn i wedi peidio mynd i'r Waverly Hotel y dwrnod hwnnw? Os faswn i wedi bod dipyn bach yn fwy dewr. Faswn i wedi gneud y tîm cyn̂ta? Faswn i wedi sgorio gôl yn Wembley?"

Dyna dwi'n siŵr oedd yn mynd trwy'i ben o wrth i Mam ddŵad i mewn yn ystod hanner amser hefo llond tebot o de a ffefryn yr hen ddyn – platiad o ffenestri melys y gacen Battenburg.

# Descartes. Nietzsche. Siân.

"Siân?"

Ma hi'n sbio o bobtu ei chyfrifiadur. Ma'r papurau newydd gyrraedd y swyddfa ac ma hi hanner ffordd trwy'r *Daily Mail* yn chwilio am Syniad. Dwi hanner ffordd trwy'r *Western Mail* a dwi'n hollol bôrd yn barod.

"Ie?"

"Be oedda ti isho bod ers talwm? Ti'n gwbod, pan oedda chdi'n blentyn."

"O, sai'n gwbod." Mae'n stopio bodio trwy'r *Daily Mail* am eiliad. "Nyrs falle? Neu filfeddyg. O'n i'n dwli ar anifeiliaid twel."

Ma hi'n mynd yn ôl i ddarllen yn hapus. Ond dwi'm 'di gorffen eto. Dwi mor bôrd â hynny.

"Felly be ddigwyddodd?"

Tydi hi ddim yn y mŵd am sgwrs ond mae'n eithaf poléit, chwara teg.

"Wel," medda hi, "es i i'r coleg. Wedyn i fan hyn fel merch golur. A nawr wi'n ymchwilydd."

Mae'n gwenu gwên air-hostesaidd wag gan obeithio, reit siŵr, mod i ddim am ei phoeni hi 'mhellach.

"Reit," medda fi, yn cael y negas.

I ddweud y gwir, wrth sbio ar Siân yn teipio, dwi'n teimlo'n eithaf cenfigennus. Falla fod hi ddim yn gwbl sicir sawl 'f' sydd mewn BAFTA ond, blydi hel, o leiaf mae'n hapus! Fasa Siân yn dallt yr angst o drio sgwennu nofel neu'r boen wedyn o drio cael asiant neu gyhoeddwr? Na, wrth gwrs fasa hi ddim. Fasa Siân ddim yn gweld y pwynt. A pam ddyla hi? Achos does 'na ddim anniddigrwydd yn perthyn i fywyd Siân – dim dicter na surni achos bod pethau heb fynd yn union fel dyla nhw, dim chwerwder tuag at neb am eu bod nhw wedi llwyddo tra'i bod hi wedi methu, dim byd felna. Oedd raid i chi edmygu'r hogan 'ma achos – heb drafferthu i ddarllen Nietzsche, Descartes, Plato na Socrates – oedd hi rywsut wedi llwyddo i dorri cragen gwir hapusrwydd hefo mwrthwl pwerus ei diniweidrwydd. Peidiwch â darllen llyfrau, peidiwch â meddwl yn rhy galad, gwnewch eich job, gwenwch ar bawb a cherwch adra bob dydd am hanner awr wedi pump. Dyna oedd yr ateb.

Perffeithrwydd.

"Beth amdanat ti, Irfon?"

"Amdana *i*?"

"Ie," medda Siân gan gario mlaen i ddarllen y *Daily Mail*, "pan o't ti'n grwtyn. Be o't ti moyn neud?"

I fod yn onest o'n i ddim yn disgwyl i Siân fy holi innau hefyd fel hyn. Mae o bron mor annisgwyl â tasa'r ddynas yn y Swyddfa Bost yn gofyn pa bosishyn rhywiol dwi'n licio ora wrth basio'r stamps dros y cownter.

"Wel... sgwennu."

"Storis ife? Wi'n dwli ar storis. Wi'n lico Patricia Highsmith."

"O ia?"

"A'r *Da Vinci Code*."

"Reit."

"Ti wrthi'n sgrifennu nawr te?"

"Yndw, dwi 'di gorffen nofel a dwi'n trio'i chyhoeddi hi. Nofel Saesneg ydi hi."

"Am be ma hi te?"

"Wel, mae o reit gymhleth i ddeud y gwir. Ti'n gweld –"

"O, sai'n lico llyfre cymhleth."

Ma Siân yn llyfu ei bys ac yn troi tudalen.

"Na. Wrth gwrs."

"O's rhywun ishe cyhoeddi fe?"

"Mi o'dd 'na rywun hefo diddordeb. Tua phedwar mis yn ôl."

"*O'dd* rhywun? Beth ddigwyddodd te?"

## 306/351/83/997/497

Mae'n debyg fod co-peilot Flight 306 o Lundain i Seland Newydd wedi synhwyro am y tro cyntaf fod 'na rwbath mawr o'i le rwla dros Borneo.

Er bod y tywydd yn fwyn mi oedd yr awyren wedi bod yn pwyso'n wyllt i'r chwith, ac wedyn mi oedd hi'n gwrthod ymateb i system gyfrifiadurol y Flight Deck. Wrth iddi hercio a neidio fel hen Land Rover dros ddarn o dir anesmwyth mi oedd 'na sŵn gwichian anarferol yn ymosod ar glustiau'r peilotiaid o bob cyfeiriad ac mi oedd un o'r criw hyd yn oed wedi dŵad i'r cocpit i weld os oedd bob dim yn iawn. Oedd y peilot yn brofiadol iawn (a braidd yn nawddoglyd hefyd, yn ôl tystiolaeth y blac bocs) ac mi oedd o wedi mynnu mai jyst cynnwrf arferol oedd o. Wnaeth o anwybyddu'n llwyr awgrym y co-peilot y dylen nhw gysylltu â'r maes awyr agosaf a gwneud cais am emergency landing "jyst i fod yn saff" gan ddweud y basa hynny'n creu panig mawr ymhlith y teithwyr (wnaeth o gadw'n ddistaw am y cariad oedd yn ei ddisgwyl yn y gwesty). Na, o'i safbwynt o, ar hyn o bryd oedd pawb yn cysgu ac, yn ôl pob tebyg, erbyn iddyn nhw ddihuno fydda bob dim drosodd a fydda'r 747 yn disgyn yn esmwyth i faes awyr Wellington.

Ond yn anffodus, ymhen deg munud roedd yr awyren yn disgyn mewn ffordd oedd ymhell o fod yn esmwyth ac yn plymio tua'r ddaear fel saeth ar gyflymdra o chwe chan milltir yr awr â'r ddwy adain yn wenfflam.

* * * *

Ynys anghysbell yng nghanol Môr Sulu oedd Kina Seri ac ers y saithdegau cynnar roedd hi wedi bod yn warchodle i orang-utangs. Unwaith bob mis mi oedd 'na weithwyr maes yn glanio wrth y jeti bach yn eu cwch modur ac yn troedio ar hyd llwybrau gwyllt a dyrys yr ynys er mwyn rhoi tagiau newydd ar rai o'r creaduriaid blewog yma ac i weld os oedd yna gynnydd wedi bod yn eu poblogaeth. Y noson honno, roedd y gweithwyr yn falch o weld fod nifer yr orang-utangs ar yr ynys wedi tyfu i wyth deg tri. Ar ôl iddyn nhw orffen eu gwaith, yn hytrach na throedio'r llwybrau peryglus yn y tywyllwch arferai'r gweithwyr yma gysgu yn eu pebyll ar dir uchel a theithio yn ôl tuag at y jeti yn y bore. Ond yn yr oriau mân cawsant eu deffro gan sŵn sgrechian dieflig yn rhuthro ar garlam tuag atynt o gyfeiriad y nefoedd. Erbyn iddyn nhw ddad-sipio'r bagiau cysgu a sefyll tu allan i'w pebyll roedden nhw jyst mewn pryd i weld Flight 306 o Lundain i Seland Newydd yn ffrwydro fel arf niwclear lai na hanner milltir i ffwrdd.

Am gwpwl o eiliadau, mae'n debyg bod y fflach yn ddigon pwerus i dwyllo'r adar fod y wawr wedi dod yn gynnar.

Ymhen oriau roedd ynys fach Kina Seri yn byrlymu fel nyth morgrug wrth i'r gwasanaethau argyfwng ruthro ar hyd y llwybrau hefo pecynnau cymorth cyntaf (jyst rhag ofn fod 'na rai wedi goroesi) ac i'r awyrennau a'r hofrenyddion gylchdroi uwchben diwedd truenus Flight 306 yn tollti dŵr dros y fflamau. Ond, wrth gwrs, mi oedd hi'n amlwg i bawb oedd wedi ymgynnull o gwmpas gweddillion y 747 – o'r criwiau achub i'r newyddiadurwyr – na fyddai'r un wyrth yn debygol o ddigwydd y tro yma.

Doedd neb yn mynd i gamu'n fyw o Flight 306. Roedden nhw i gyd wedi marw yn y ddamwain. Tri chant pum deg ac un o bobol.

Ac wyth deg tri orang-utang.

★ ★ ★ ★

Yn y cyfamser, ychydig dros bum mil o filltiroedd i ffwrdd yn ystafell 997 ar lawr uchaf gwesty pum seren y Sandringham yn Wellington mi oedd Linda Sachs yn cysgu'n sownd dan ddillad gwely sidan moethus.

Wrth y gwely roedd hanner potel o Bollinger a gweddillion ei swper – platiad o eog mwg i ddechrau, wedyn darn o diwna o Siapan wedi ei ffrio'n sydyn am eiliad neu ddwy cyn ei osod yn grefftus ar ben casgliad o lysiau crisbin. Roedd Linda yn gyfarwydd iawn â sgiliau cywrain y chef erbyn hyn ac mi oedd o, yn ei dro, yn gwbl gyfarwydd â'i ffefrynnau hi. Roedd o'n gwybod yn union be oedd ei hoff bwdin er enghraifft – tarten lemon hefo mafon ffres a tholpyn o hufen iâ fanila – a dyna be oedd wedi ei gynnwys ar y troli yn arbennig fel syrpréis iddi (er nad oedd ar y fwydlen y noson honno). Oedd, mi oedd Linda Sachs wastad yn cael ei thrin fel brenhines yn y Sandringham. Hi a'i chariad. Y cariad oedd ar ei ffordd. Y cariad oedd – o'r diwedd – wedi cytuno i adael ei wraig a symud i fyw i Seland Newydd. Y cariad oedd yn gwibio ati ar ei awyren.

Capten Flight 306 o Lundain i Seland Newydd.

Capten Tom Rourke.

Bum llawr oddi tani roedd ystafell 497 yn wag ar hyn o bryd ond roedd y gwestai ar ei ffordd ac roedd yna flodau ffres ar y ford a chasgliad o siocledi wedi eu trefnu ar blât bach porslen wrth ymyl y gwely.

Roedd yna hefyd amlen dan y drws yn cynnwys nodyn gan Martin Rose o Random House (Seland Newydd).

'Hi there, welcome to NZ! It'll be so good to meet up again after the Hamburg conference. I hope that Ralph picked you up alright from the airport and that I got the new flight details right! It was Flight 306, wasn't it?'

Yr enw ar yr amlen oedd Kelly Wannamaker.

⋆ ⋆ ⋆ ⋆

Roedd traffig trwm ar yr M4 allan o Hammersmith a'r glaw yn pistyllio i lawr fel ceiniogau ar do'r tacsi, felly dyma Kelly Wannamaker yn cnocio ar y gwydr a dweud wrth y gyrrwr fod 'na ffordd rownd y strydoedd cefn oedd hi wedi'i defnyddio o'r blaen fasa'n sicir o arbed amser iddyn nhw.

Doedd y gyrrwr tacsi ddim yn rhy siŵr ar y cychwyn ond, ar ôl sylwi fod llai nag awr i fynd nes i Flight 246 adael Terminal 1, dyma fo'n troi'r car rownd a dilyn y cyfarwyddiadau. Ac yn wir, er mawr syndod iddo, mi oedd y ffordd newydd yn un dda ac mi wnaeth nodyn bach yn ei ben i'w chofio hi yn y dyfodol.

Hefo'r troiad i Heathrow ychydig dan dair milltir i ffwrdd – a dim traffig o gwmpas yn nunlla – roedd Kelly Wannamaker yn weddol ffyddiog ei bod hi am ddal Flight 246 i Wellington a bod pethau'n mynd i fod yn iawn, felly dyma hi'n eistedd yn ôl yn ei sêt ac estyn croesair caled yr *Independent*.

Be tasa'r gath heb groesi'r ffordd yr eiliad honno?

Er mwyn trio osgoi'r gath dyma'r boi tacsi'n slamio'r brêcs ond yn rhy fyrbwyll o lawer achos, o ganlyniad, mi sgrialodd y car ar draws y lôn ac i mewn i boced y ffos fel pelen snwcer. Roedd bonet y tacsi fel consertina ac, wrth iddi ddringo o'r cefn yn simsan, mi sylwodd Kelly Wannamaker bod 'na wydr fel cenllysg ym mhobman o dan ei thraed. Trwy lwc, chafodd neb anaf – ddim hyd yn oed y gath – ond, wrth gwrs, roedd Kelly Wannamaker erbyn hyn yn poeni am ei flight. Roedd y gyrrwr tacsi yn trio'i ora i'w helpu – wnaeth o ffonio'r swyddfa a cheisio trefnu tacsi arall ond, yn naturiol, hefo'r traffig – a'r glaw – mor drwm, doedd hi ddim yn debygol y byddai un arall yn cyrraedd mewn pryd.

Yn y diwedd cafodd Kelly Wannamaker lifft gan yrrwr lori i Terminal 1, ond er iddi redeg yr holl ffordd i'r ddesg check-in roedd hi'n rhy hwyr achos roedd Flight 246 i Wellington wedi gadael ddeg munud ynghynt.

Diolch byth am y ferch ifanc frwdfrydig tu ôl i'r ddesg. Ar ôl iddi jecio'r cyfrifiadur, rhannodd y newyddion da bod un o deithwyr y ffleit nesaf wedi canslo ac mi oedd hi'n bosib i Kelly Wannamaker gael lle ar honno heb dâl ychwanegol. Yn naturiol, mi oedd Kelly Wannamaker yn orfoleddus! Dyna be oedd lwc!

A dyna sut y cafodd hi sêt ar Flight 306.

Be tasa'r gath heb groesi'r ffordd yr eiliad honno?

Be tasa...

* * * *

Fis yn ddiweddarach 'nes i gysylltu â Random House a dallt fod dyn o'r enw Ted Moorcroft wedi cael ei benodi i hen swydd Kelly Wannamaker.

Yn anffodus, doedd o ddim yn hoffi *The Sands of Rillentajara* o gwbl.

## David Beckham

Fis yn union ar ôl i mi ddechrau fy swydd, ac yn ystod yr awr ginio dwi'n ista yn y parc yn bwyta brechdan ac yn gwylio dau foi yn ymarfer judo yn y pellter tra bod grŵp o hwdis yn taflu sglodion at hen gath tu allan i'r Jobcentre Plus. Dwi'n checio fy wats. Llai na hanner awr i fynd nes bydd raid i mi fynd i dwll tin gorllewin Cymru yn y Ford Granada (hefo Robat Cadnant!) i gyfweld y ffarmwr ddoth yn fuddugol yng nghystadleuaeth *Trwy Lygaid Duvka* i ffendio'r enw mwyaf doniol ar fuwch. Enwau Rhyfedd ar Wartheg. God's sêc! Dwi'n siglo fy mhen ac yn gwenu yn drist wrth feddwl am y peth. A'r peth tristaf oll ydi'r ffaith mai fi feddyliodd am y peth yn y lle cyntaf. Dyna oedd fy Syniad.

Da iawn chdi, Irfon. Tair blynedd o goleg yn darllen y mawrion – Melville, Proust, Dickens – a dyma ydi ffrwyth sur a phydredig dy astudiaethau. Enwau ar Ffycin Gwartheg.

Ma'r ffôn yn crynu yn fy mhoced. Michelle.

"Ti'n iawn?"

"Yndw."

"Be ti'n neud?"

"Meddwl os mai bwlad ta pilsan fasa'r gora."

"Sori?"

"I ladd fy hun."

"O ddifri, Irfon!"

"Dwi jyst yn y parc yn bwyta brechdan."

"Rwbath neis?"

"Dim cliw. Rwbath pinc hefo llond rhaw o fayonnaise. Dwi ofn sbio'n rhy ofalus i fod yn onast."

Clywaf sgrech o ben draw'r parc a dwi mewn pryd i weld un o'r hwdis yn hitio'r hen gath ar ei thalcen hefo darn gwlyb o bei stêc a cidni. Ma'r hwdis eraill yn gweiddi chwerthin ac yn llongyfarch eu ffrind fel tasa fo'n bêl-droediwr sydd newydd sgorio gôl hollbwysig.

"Pryd fyddi di adra?"

"Dipyn bach yn hwyrach heno. Sori. 'Nes i anghofio deud."

"Mmm... rŵan ta. Tydi hynna ddim yn swnio'n amheus o gwbl! Ti'm yn ca'l affêr nagwyt?"

"*Rŵan* pwy sy'n bod yn ddoniol?"

"Faint o'r gloch?"

"Tua saith ella. Dwi'n gorfod mynd i ffilmio eitem yn ganol nunlla. Ac, yn waeth byth, dwi'n gorfod rhannu car hefo Robat Cadnant."

"Pam?"

"Ma Duvka wedi penderfynu mod i angen cyfarwyddwr profiadol hefo fi."

"Be ti'n gorfod neud ta?"

"Cyfweliad."

"A ti angan cyfarwyddwr i neud hynny? Blydi hel!"

"Cyn y toriadau 'sa nhw wedi gyrru tri."

Ma 'na ddyn yn rhuthro allan o'r Jobcentre Plus ac yn gweiddi ar yr hwdis. Mae o'n dal ei ffôn symudol i fyny ac yn dweud 'i fod o'n ffonio'r heddlu ond tydi'r hwdis ddim yn ofnus o gwbl. Ma nhw'n cario mlaen i chwerthin ac i daflu sglodion at yr hen gath druan sydd methu neidio dros y wal i warchodle cysegredig ei gardd gefn. Ac ma'r ddau arbenigwr judo yn anwybyddu'r cyfan.

"Cyfweliad hefo pwy?"

"'Nei di'm coelio."

"Tria fi."

"'Nei di feddwl mai jôc ydi o."
"*Tria* fi, Irfon."
"David Beckham."

## Tri peth i wneud i beidio edrach yn rhyfadd wrth rannu car hefo rhywun o'r gwaith 'dach chi ddim yn licio (neu rhywun o'r gwaith 'dach chi acshiyli eu hofn)

1. Sbiwch trwy'r ffenest.
Ffeil-sêff. Ma hyn yn grêt achos fedrwch chi smalio 'ych bod chi'n meddwl yn galad am rwbath. I wneud o'n fwy credadwy byth, hannar caewch eich llygaid a nodiwch eich pen ambell dro achos ma hyn yn rhoi'r argraff 'ych bod chi'n meddwl yn gletach byth. O weld hyn fedrai'ch sicrhau chi fod naw deg y cant o bobol 'dach chi'n rhannu car hefo nhw yn mynd i feddwl ddwywaith cyn eich distyrbio.

Yn anffodus, ma Robat Cadnant yn y deg arall.

"Be ti'n neud, Irfon?"

Damia! Dwi'n troi ato'n araf gan smalio bod fy meddwl ymhell i ffwrdd.

"O, dim byd," dwi'n gwenu'n wan. "Jyst meddwl."

(Ma hynna'n gweithio fel arfar. Tydi naw deg y cant o bobol ddim yn licio busnesu.)

"Meddwl am be?"

2. Os oes rhaid sgwrsio, cadwch at byncia saff.
Rygbi, pêl-droed, criced, ffilmia 'dach chi wedi eu gweld yn ddiweddar (neu grynoddisgiau 'dach chi wedi eu prynu), prisiau tai, ydi *Strictly* yn well na'r *X Factor*, llefydd da i fynd ar wyliau, llefydd gwael i fynd ar wyliau, Jamie Oliver,

ceir, problem parcio yng nghanol eich tref leol, y rhyfel yn Affganistan, garddio, cŵn, cathod, Roman Polanski, y Steddfod, cadw ieir, pysgota, treth y cyngor…

"Simon Cowell."

"Be?"

"O'n i jyst yn meddwl am Simon Cowell. Ac a ydi o wedi sboilio canu pop cyfoes. Be 'dach chi'n feddwl, Robat?"

"Sothach."

"Reit."

"Ti'n isal ar betrol, 'ngwas i."

"O? Pa mor isal?"

"Ma dy gar di'n llyncu'r stwff. Be ydi o da?"

"Ford Granada. Mil naw saith wyth. Mae o'n cael ei ystyried yn glasur mewn rhai llefydd. Latvia er enghraifft."

"Wel blydi jalopi ydi o o le dwi'n ista. Fydd raid i ni stopio yn y garej nesa."

Ma Robat Cadnant yn iawn. Ma'r nodwydd yn sownd solat ar yr 'E'. Dwi'n edrych allan trwy'r ffenest mewn panig ac, y tro yma, dwi ddim yn smalio meddwl am rwbath – dwi'n desbryt i drio gweld garej! Ond ma'r blydi lle fel diffeithwch. Mi fasa jyst *un* arwydd Texaco yn cael ei groesawu fel oasis pur!

Ma 'na ddiferyn oeraidd o chwys yn rowlio lawr pant fy asgwrn cefn wrth i mi wynebu'r ffaith ein bod ni wedi bod yn dreifio drwy dwll tin gorllewin Cymru am dros awr rŵan ac, ers i ni droi oddi ar yr M4, y cyfan dwi wedi gweld ydi

coed<br>
gwartheg<br>
coed<br>
gwartheg<br>
a mwy o ffycin goed!

Dwi ddim wedi gweld siop yn nunlla, heb sôn am garej.

I ddweud y gwir, dwi'm hyd yn oed wedi gweld car arall chwaith. Am eiliad ddychrynllyd dwi'n dychmygu'r injan yn rhygnu ac yn pesychu ac yn dod i stop yng nghanol y lôn.

Fi a Robat Cadnant.

Ar ben ein hunain.

Fi a'r llofrudd! Y boi wnaeth gladdu Miss Wynne!

3. Ffoniwch rywun.

"Be ti'n neud?"

"Ffonio rhywun."

"Pwy?"

"Siân."

Ia, dwi'n gwybod. Siân. Ond hei, dewch mlaen. Horsys ffor corsys. Falla nad ydi hi 'rioed 'di clywed am Khrushchev

na Mussolini

na Zebedee

na Sergeant Bilko

na *Pet Sounds*

na *Last Tango in Paris*

na Woody Guthrie

na John Updike

na Bobby Moore

na Sammy Davis Jr

na Seattle

na Charlie Watts

ond os oes 'na rywun yn debygol o wybod lleoliad bob un garej yn nhwll tin gorllewin Cymru yna Siân 'di honno. Felly, hefo un llaw ar olwyn y Ford Granada dwi'n deialu rhif y swyddfa a disgwyl am ganu grwndi cysurus y ffôn.

Dim signal.

"Damia!"

Am ryw reswm dwi'n ysgwyd y ffôn yn fy llaw ond, wrth gwrs, tydi hyn ddim yn gwneud gwahaniaeth.

Emergency calls only.

Dyna be mae o'n ddweud.

Ond *ma* hyn yn imyrjynsi! Dwi'n styc mewn car yng nghanol nunlla hefo blydi seicopath naeth dreisio fy hen athrawes, ei lladd (mwy na thebyg) ac wedyn dweud wrth bawb 'i bod hi wedi symud i Fanceinion! O leiaf 'dio'm yn fy nghofio i neu falla fasa fo'n penderfynu fy lladd inna hefyd. Mi o'n i'n dyst wedi'r cyfan. Yr unig dyst. Y person olaf i weld Miss Wynne yn fyw!

Ma'r car yn dechrau crynu.

Ma'r injan yn rymblan.

Dwi'n cicio ac yn stampio'r pedal. Ac yn rhegi.

"Blydi car!"

Rŵan, falla bod hyn yn dipyn o sioc ond, wel, credwch neu beidio, dydw i ddim yn berson crefyddol o gwbl. Na, cyn belled â dwi yn y cwestiwn, lol ydi'r busnes 'na am atgyfodi a'r nefoedd a'r angylion a Duw i gyd. Ond serch hyn i gyd, yn fy mhen, yn dawel bach, dwi'n dechrau gweddïo –

Plis, Duw, gwranda. Dwi'n sori mod i wedi gofyn i'r athrawes ysgol Sul pam does 'na'm unrhyw sôn am ddinosors yn yr Hen Destament a sori mod i wedi chwerthin mor uchel yn *Life of Brian* a sori mod i wedi tyllu 'Leeds United' i bren y sêt fawr un pnawn hefo fy nghyllell boced a sori mod i wedi cuddiad tu ôl i'r wardrob bob bora Sul wrth i Mam a Dad ddŵad i mewn i fy stafell i fynd â fi i'r capal. Er gwaethaf gwyddoniaeth, rhesymeg athronyddol, Richard Dawkins a synnwyr cyffredin, dwi'n gaddo 'na i drio coelio yndda chdi – a Iesu Grist wrth gwrs – os 'nei di plis, plis, plis jyst gwneud yn siŵr bod 'na ddigon o betrol yn y tanc

’ma i ni gyrraedd gorsaf. Neu, falla, jyst gwneud i bwmp Premium Unleaded ymddangos yn sydyn o nunlla.

“Irfon? Be goblyn ti’n neud?”

“Be?”

“Mae o’n edrach fel tasa ti’n gweddïo!”

“Gweddïo?”

Dwi’n trio chwerthin.

“Ia, o’dd dy lygaid di ar gau a o’dd dy ddwylo di fel hyn. Fatha’r ddwy law yn erfyn o’dd yn y darlun. Bron iawn i ni fynd i’r wal!”

“Sori, Robat… o’n i jyst yn…”

Ond yn sydyn, ’dan ni’n troi’r gornel – ac mae yna garej!

“Haleliwia!” medda Robat Cadnant.

“Cweit,” medda finnau gan sbio i fyny i’r cymylau a dechrau ofni realiti uffern am y tro cyntaf yn fy mywyd.

# Siriyl culyr

Hefo bol anferthol y Ford Granada yn llawn – a hefo'r nodwydd yn pwyso'n saff yn erbyn yr 'F' unwaith eto – ma'r injan yn gymharol dawel ac ma'r TomTom yn ein harwain yn wyrthiol tuag at y fferm, a'r cae, lle ma David Beckham – y fuwch fuddugol yng nghystadleuaeth Enwau Rhyfedd ar Wartheg – a'r ffarmwr yn disgwyl amdanom.

"At the next junction," medda'r TomTom, "turn left..."

Dwi'n trio osgoi gorfod sgwrsio ond ma hyn yn amhosib hefo Robat Cadnant. Mae o'n hanner troi ata i hefo'i un llygad da (ma'r un arall tu ôl i'r patshyn du).

"Dwi'n gwbod be ti'n feddwl, 'ngwas i."

"O?" Dwi'n trio gwenu. Y gêm fach yma eto. "Ydach chi?"

"Yndw. Wyt ti'n meddwl – dewadd, sgwn i be ddigwyddodd i'w lygad o? Dwi'n iawn yn dydw?" Mae o'n pwnio fy mraich. "Ei?"

"Wel..."

Mae o'n chwerthin.

"Paid â phoeni, Irfon bach. Ma'r peth yn hollol naturiol. Dwi'n ga'l o trw'r amser sti. Plant a ballu yn y stryd yn syllu – ac wedyn yn ca'l ffrae am wneud! Ond dyna fo. Syllu faswn i hefyd, reit siŵr, os faswn i'n gweld dyn hefo patshyn du dros ei lygad fatha môr-leidr yn ganol Debenhams! Eironig hefyd, cofia, pan ti'n meddwl am y peth. A finnau wedi bod yn fôr-leidr smal ers talwm yn de?" Mae o'n clirio'i wddw ac yn rhoi chwerthiniad yn arddull unigryw ei hen gymeriad. "Ha ha ha – fi yw Capten Cadnant, dewch hefo fi dros y moroedd mawr!" Wedyn mae o'n troi ata i eto gan wenu, a dwi'n gwenu yn ôl – ond, i fod yn hollol onast, ma clywed llais yr hen Gapten ar ôl yr holl flynyddoedd yn gwneud i fy nghalon garlamu'n wyllt mewn panig. "Ond, dyna fo, mi wyt ti rhy ifanc i gofio Capten Cadnant reit siŵr."

Dwi'n gwenu eto. Newidia'r pwnc, Irfon. Rŵan...

"Felly sut yn union golloch chi'ch llygad, Robat?"

"Wel, mi o'dd o'n un o'r pethau bach gwirion 'na 'sa'n gallu digwydd i rywun. Ddyla mod i wedi bod yn fwy gofalus i ddweud y gwir, ond dyna fo. Mi o'n i wrthi un pnawn yn llifio darn o bren yn y sied. Mi o'n i'n hoff iawn o waith coed a ballu ers talwm sti – ma'r hen dŷ 'cw'n llawn o ryw hen gypyrddau a cabinets dwi 'di neud dros y blynyddoedd. Ta waeth, yn sydyn, mi a'th 'na sblintar bach i'n llygad i fatha saeth i lygad yr hen Harold druan a dyna lle o'n i ar y llawr yn gwingo ac yn sgrechian. Wel, dyma'r wraig yn rhuthro i mewn o'r tŷ ac yn ffonio ambiwlans ond, er bod y doctoriaid wedi trio bob dim, do'dd 'na'm byd 'dda nhw'n medru neud i achub fy llygad felly dyma nhw'n rhoi'r patshyn 'ma i mi. Wrth gwrs, mi naetho nhw gynnig llygad gwydr o rwla yn Lerpwl ond do'n i ddim yn ei ffansïo rywsut. Ma 'na rwbath reit, wel, dwn i'm... rwbath reit anghynnes amdanyn nhw yn does? Beth bynnag, o'dd 'na lot o bobol wedi hen arfer 'y ngweld i hefo patshyn ar y teledu a ballu felly dyna ni."

"A... 'dach chi'n gweld yn iawn a bob dim?"

Mae o'n smalio fod y llais wedi dŵad o nunlla gan droi ei ben o un ochor i'r llall fel jôc.

"Pwy ddudodd hynna?"

"Doniol iawn, Robat."

Ond wedyn ma'r wên yn diflannu o'i wyneb.

"Dwi'n gweld pob dim, 'ngwas i. I ddeud y gwir dwi'n eitha siŵr mod i'n gweld yn well rŵan nag oeddwn i cynt."

Mae o'n pwyso mlaen ac yn dweud yn dawel, "Does 'na'm lot yn mynd heibio'r hen Robat Cadnant sti."

"Grêt," medda fi gan obeithio fod o heb sylwi mod i wedi llyncu fy mhoer yn anniddig.

'Dan ni'n dreifio mewn tawelwch am tua hanner milltir.

Wedyn ma Robat Cadnant yn fy mhwnio.

"Irfon, cwestiwn bach i chdi. Ti'n gwbod pwy o'dd y siriyl culyr mwya fuodd yn y wlad yma?"

"Siriyl culyr? Am gwestiwn! Ym... na. Jack the Ripper?"

"Lot gwaeth."

"Be am y doctor 'na ta? Shipman?"

"Tria eto."

"Hindley?"

"Naci."

"Sgin i ddim syniad."

"Y Frenhines."

Dwi'n chwerthin. Wel, hanner chwerthin beth bynnag. Mae'n anodd dweud weithia hefo Robat Cadnant os ydi o o ddifri neu beidio. Ond ar ôl cymryd cipolwg bach sydyn ar ei wyneb o dwi'n sylwi nad ydi o'n gwenu.

"Be... *y* Frenhines?"

"Yr union un, Irfon. Mrs Elisabeth Windsor."

"Dewch 'laen, Robat! Nath y Frenhines 'rioed ladd neb!"

"O na? Wel be am Tudur Sion a'i frawd Ianto?"

"Pwy?"

Ma Robat Cadnant yn edrych arna i fatha 'swn i'n wirion.

"Tudur a Ianto! Paid â deud dy fod ti 'rioed wedi clywed am Tudur a Ianto?"

"Naddo. Sori."

"Gwarthus. Wel gwranda, Irfon bach, er mwyn dy addysg – Tudur a Ianto Sion o ardal Penrhyndeudraeth o'dd y deuawd gora fu gan Gymru 'rioed. Oedda nhw ar y radio trwy'r amser pan o'n i'n blentyn a dwi'n cofio pawb yn rhuthro adra o'r capal bob nos Sul i'w clywed nhw'n canu ar y *Noson Fawr*."

Dwi'n smalio bod gen i ddiddordeb.

"Sut fath o stwff oedda nhw'n ei ganu ta?"

"Stwff? Stwff?! Doedda nhw'm yn canu *stwff*! O'dd Tudur a Ianto yn canu miwsig go iawn. Cerdd dant, opera, canu gwerin. Bob dim. Bob math o... stwff! A ti'n gwbod be? Mi o'dd y llythyra yn llifo i mewn i'r BBC ym Mangor. Ffan-meil, Irfon bach. Sach ar ôl sach! Ac o'dd hyn ymhell cyn y Beatles a hen lol felna."

"Bear left and then take the first right..."

"Falla mod i'n dwp, Robat, ond... wel... sut ma hyn yn berthnasol i'r Frenhines?"

Ma'r hen ddyn yn ochneidio.

"Mil naw pump tri, Irfon. Sut siâp sydd ar dy hanes di? 'Di'r dyddiad yna'n canu cloch?"

"Tro dwytha i Gymru ennill gêm bêl-droed gystadleuol?"

"Y coroni, twpsyn."

"O ia. Wrth gwrs."

"Dyna pryd gafodd Elisabeth yr ail ei choroni yn Abaty Westminster."

"Continue for three hundred yards..."

"Sori, Robat, ond dwi dal ddim cweit yn dallt y cysylltiad rhwng hyn a'r ddau foi 'ma... Tudur a..."

"Tudur a Ianto Sion."

"Ia. A dwi'm yn dallt y busnas 'ma am y Frenhines chwaith. A'r ffaith 'i bod hi'n... siriyl culyr."

"Wel gwranda a mi dduda i wrthat ti. Ti'n gweld, cyn y coroni, radio o'dd bob dim yng nghefn gwlad Cymru. O'dd hi yna yng nghornel yr ystafell ac ro'dd y teulu i gyd yn ista rownd hi gyda'r nos i glywed y rhaglenni – rhaglenni fasa ti 'rioed wedi clywed amdanyn nhw ma'n siŵr. *ITMA*, *Gari Tryfan*, *Dick Barton*, *Welsh Rarebit*... math yna o beth."

"Reit."

Oedd o'n iawn. Doedda nhw'n golygu dim byd i mi.

"Wel, un o raglenni mwyaf poblogaidd y cyfnod o'dd *Noson Fawr*. O'dd hon yn cael ei darlledu o Fangor bob nos Sul a o'dd pawb yng Nghymru yn gwrando arni – a dwi'n golygu pawb! Ti'm wedi clywed am Wil Dafis chwaith, mae'n siŵr?"

Dwi'n ysgwyd fy mhen.

"Wel, fo o'dd y cynhyrchydd. Dyn peniog iawn. O flaen ei amser. Ta waeth, fel plant oedda ni'n addoli sêr y *Noson Fawr*, pobol fel Triawd Abersoch a Hogia'r Pant – eto, enwa sy'n golygu bygyr ôl i chdi mae'n siŵr ond, ar y pryd, rhein o'dd selebs mawr Cymru. A'r sêr mwyaf yn eu plith o'dd...?"

Ma Robat Cadnant yn hanner sbio arna i fel tasa fo'n disgwyl i mi orffen y frawddeg iddo.

"Ym... Tudur a Ianto?"

"Cywir."

"At the end of the road, turn right..."

'Dan ni'n pasio mwy o gaeau. A gwartheg. A defaid. A choed.

"Felly be ddigwyddodd?"

"Teledu de?" medda Robat Cadnant. "Dyna be ddigwyddodd washi."

"Dwi'm cweit yn dilyn."

Ma Robat Cadnant yn ochneidio eto.

"Fasa ti ddim. Dyna 'di'r peth yn de? I chdi a dy genhedlaeth ma'r teledu wedi bod yna erioed, yn dydi? Mor gyffredin â chloc neu lamp yn y gornel. Ond pan o'n i'n blentyn do'dd 'na'm teledu gan neb. Neb! Rwbath i'r bobol fawr o'dd teledu. Pobol hefo digon o bres. Adeg hynny o'dd bod yn berchen ar deledu fel bod yn berchen ar long hwylio heddiw. Wrth gwrs, o'n i – fatha pawb arall yn y pentra – wedi syllu ar yr un o'dd yn ffenest Nelson & Sons ar y maes yng Nghaernarfon ond o'n i 'rioed yn meddwl y deuai'r dydd lle fasa 'na deledu yn fy stafell fyw. Teledu go iawn! Ond mi newidiodd y coroni bob dim. Yn sydyn mi o'dd pawb isho teledu yn doedd? Er mwyn iddyn nhw ga'l gweld y Frenhines yn mynd trwy'i phethau yn Abaty Westminster yn de?"

"Continue for one mile..."

"Gafoch chi deledu i weld y coroni 'ma felly, Robat?"

"Ni? Iesu, naddo! Oedda ni rhy dlawd. Ond mi gafodd Doctor Miles o'r syrjeri i fyny'r lôn un ac, yn glên iawn, ar ddwrnod y coronation dyma fo'n estyn gwahoddiad i bawb yn y stryd ddŵad draw i weld y digwyddiad. Iesgob, dwi'n cofio'r dydd fel 'sai'n ddoe. Ro'dd y cabinet teledu yn anfarth – bron iawn gymaint â'r car 'ma – ond ro'dd y sgrîn mor fach â stamp! Ond, serch hynny, y pnawn hwnnw – diolch i Doctor Miles – gafon ni gyd weld Elisabeth Windsor yn cael ei choroni yn Elisabeth yr Ail."

Ma 'na seibiant bach am gwpwl o eiliadau. Dwi'n troi i sbio allan o'r ffenest ar y coed a'r caeau a'r gwartheg... a'r coed a'r caeau a'r gwartheg... eto ac eto fel cefndir crwn ar hen gartŵn.

Ond yn y diwedd, wrth gwrs, mi oedd raid i mi ofyn y cwestiwn.

"Sut ma hyn yn berthnasol i Tudur a Ianto Sion?"

Ma Robat Cadnant yn gwenu. Mae o'n mwynhau hyn. Y gynulleidfa yn ei law. Fel ers talwm. Amseru. Hwnna 'dio. Gadewch i'r diawliaid ddisgwyl…

"Hogia fferm oedda nhw sti. A falla fasa 'na neb wedi clywed dim byd amdanyn nhw tasa Wil Dafis heb ga'l pyncjar ar ei ffordd i'r gwaith un bora. O'dd o ar ryw lôn anghysbell yng nghanol nunlla."

"Fatha hon."

"Reit debyg. O'dd 'na'm lot o dai – ac, wrth gwrs, do'dd 'na'm ffôns symudol yn y dyddia yna chwaith."

"Tewch â sôn."

"At the next junction, turn left…"

"Dyma Wil yn cerdded lawr y lôn am dipyn gan regi dan ei wynt – achos ryw hen gymeriad blin o'dd o'n gallu bod weithia yn ôl pob sôn – pan, yn sydyn, dyma fo'n clywed y lleisiau nefolaidd yma'n dŵad o'r cae i'w chwith. Dyma fo'n stopio i wrando a ti'n gwbod be? Ar ôl cwpwl o funudau o'dd o wedi anghofio'n llwyr am y pyncjar. O'dd raid iddo fo ffendio allan pwy o'dd yn berchen ar y lleisiau anhygoel yma."

"Continue for two hundred yards…"

"Wel, mi aeth Wil atyn nhw a chyflwyno ei hun a gwahodd yr hogia yn y fan a'r lle i ddŵad draw i Fangor yr wsos honno i ganu ar y *Noson Fawr*. A mi oedda nhw'n llwyddiant o'r cychwyn. Dwi'n dal i gofio Mam ac Anti Aelwenna yn plygu o flaen y set radio a'r dagrau'n llifo lawr eu bochau wrth i Tudur a Ianto Sion ganu 'Elen Fwyn'. Ymhen dim ro'dd y stiwdios ym Mangor yn cael cannoedd ar gannoedd o lythyra a cheisiada bob wsos – pawb isho clywed Tudur a Ianto Sion. A ma raid i ti gofio, yn y dyddia yna mi o'dd y darllediadau Cymraeg i'w clywed dros y ffin yn Lloegr hefyd a chyn bo hir mi o'dd 'na lond sachau'n heidio i mewn o lefydd fel

Lerpwl, Birmingham, Stockport, Bolton – bob man bron. Tudur a Ianto Sion o'dd sêr y *Noson Fawr.* Ac mi fasa nhw wedi parhau felly hefyd. Heblaw am y coroni."

"Turn left…"

"Teledu. Dyna be laddodd nhw."

"Teledu?"

"Ia. Ti'n gweld, hefo'r coroni mawr 'ma yn Llundain ro'dd y werin datws isho teledu yn doedd? Dros Gymru gyfan mi o'dd y set radio druan yn ca'l ei symud o ganol yr ystafell fyw – lle o'dd hi wedi bod am flynyddoedd – i neud lle i'r teledu. Ro'dd y prisia wedi gostwng a rŵan o'dd pawb bron yn medru camu i mewn i Nelson's a nifar o siopa erill ar hyd y wlad a phrynu teledu ar y nefar nefar – hanner coron yr wythnos. Ac, wrth gwrs, dyna be laddodd Tudur a Ianto Sion."

"Continue for one mile…"

"Yn sydyn o'dd rhaid ca'l hyd i raglenni i fwydo'r bwystfil llwglyd yma, ac un o'r syniadau cynnar o'dd ca'l fersiwn deledu o'r *Noson Fawr.* Dyn radio o'dd Wil Dafis yn y bôn ond gafodd o ordors i fynd i Fanceinion hefo holl sêr y sioe ar gyfer darllediad dwyieithog arbennig o'r rhaglen. A top of ddy bil, wrth gwrs, o'dd Tudur a Ianto Sion. Ond mi o'dd 'na broblem."

"O?"

"Ti'n gweld, Irfon bach, falla fod gan Tudur a Ianto Sion leisiau fel angylion ond yn anffodus iddyn nhw mi oedda nhw hefyd yn ddychrynllyd o hyll. Wrth gwrs, fel nath y cyfrwng ddatblygu ddoth 'na bob math o bobol hyll i'r amlwg – pobol fel Sid James a Tony Hancock a ballu, cyn dy amser di – ond yn nyddia cynnar teledu o'dd 'na'm lle i bobol hyll. Mor syml a chreulon â hynny. Os nad o'dd dy wynab di'n ffitio oedda chdi allan ar dy din."

"At the roundabout, take the first exit..."

"A dyna be ddigwyddodd i Tudur a Ianto druan. Ar ôl eu gweld nhw am y tro cynta ar y *Noson Fawr* arbennig yma o Fanceinion gafodd y cyhoedd andros o sioc. O be oedda nhw wedi clywed ar y radio – y lleisiau hudolus yna a bob dim – oedda nhw wedi dychmygu dau ffilm star, ond be welson nhw ar y sgrîn o'dd dau was ffarm hefo gwyneba fatha llond poced o farblis."

"Turn right..."

"Yn ystod y dyddia a'r wythnosa wedyn mi o'dd y postman ym Mangor yn falch o sylwi fod ei sach o ddydd i ddydd yn ysgafnach o bell ffordd. Gafodd un o'r bosus air yng nghlust Wil Dafis a dyna fo, mi o'dd gyrfa deledu Tudur a Ianto Sion drosodd cyn iddi gychwyn."

"Creulon."

"O'dd o'n digwydd trwy'r byd adloniant i gyd, Irfon bach. Faswn i'n gallu sôn wrthot ti am Willie Max, Trevor Hayden, Mick a Tiny, Shirley Wallace a'r Dixie Dance Combo."

"Grêt, ond dwi 'rioed wedi clywed am 'run ohonyn nhw."

"A dyna 'mhwynt i yn de'r lembo? Ro'dd rhein i gyd yn sêr mawr ar y radio ar y pryd yn doeddan? Ond o'dda nhw i gyd yn rhy hyll neu'n rhy dew neu'n rhy anghynnes mewn rhyw ffordd i apelio yn yr oes deledu a dyna fo."

"Ia, ond o'dd y radio dal yna iddyn nhw yn doedd?"

Ysgwydodd Robat Cadnant ei ben yn drist.

"Yn y busnas yma, Irfon bach, ma methiant yn lledu fel cancr. Yr eiliad mae'n ymddangos i ti orfod cymryd cam yn ôl ma'r cyhoedd yn synhwyro'r peth. Nath llawer iawn o'r hen sêr 'ma adal y busnas. A'th Willie Max, er enghraifft, yn athro a mi a'th Shirley Wallace yn ysgrifenyddes. Ond Mick a Tiny druan."

"Mick a Tiny?"

"Mick Sharples. Un o'r ventriloquists gora 'rioed. Fo a'r ddol 'ma o'r enw Tiny – hogyn ysgol bach drwg. Iesu o'dd o'n ddigri, o'dd y dagra'n rowlio lawr fy ngwynab i wrth i mi wrando arno fo ar yr Home Service. Ond yn anffodus, gynta a'th o ar y teli o'dd pawb yn medru gweld yn glir fod ei wefusau fo'n symud. Gafon nhw hyd i'w gorff o yn Hyde Park un bora hefo bwled yn ei ben a gwn yn ei law. Ond ti'n gwbod y peth mwya trist am y peth? Mi o'dd y doli bach – Tiny – wrth ei ochor. Ac mi o'dd 'na fwled yn ei ben o hefyd."

"Drive for half a mile then turn right to destination..."

"Felly, ti'n gweld, Irfon bach, y cwîn 'di un o'r siriyl culyrs mwyaf yn ein hanes. A ma hynna jyst yn dangos i chdi pa mor annheg ydi bywyd yn dydi? A pa mor fregus ydi dy yrfa di ar y bocs bach 'na. Sbia 'na i er enghraifft. Erbyn diwedd y chwedegau mi o'dd pethau wedi setlo i lawr dipyn bach ac mi o'dd pobol yn fwy parod i dderbyn creaduriaid amherffaith fel Capten Cadnant yn eu cartrefi. Fi o'dd un o sêr mwya Cymru ar un adeg, Irfon."

"Dwi'n gwbod."

"In one hundred yards turn right into destination..."

Dwi'n slofi lawr dipyn er mwyn troi i mewn i'r fferm lle ma'r ffarmwr buddugol yng nghystadleuaeth Enwau Rhyfedd ar Wartheg *Trwy Lygaid Duvka* yn ein disgwyl ni hefo David Beckham. Ma'r criw siŵr o fod yno ers sbel. Ond wrth i mi baratoi i newid gêr ma Robat yn cydio yn fy llaw yn dynn.

"Caria mlaen," medda fo.

"Ond ma –"

"Jyst caria mlaen!"

Ma'r Ford Granada'n rhuthro heibio'r arwydd ar gyfer fferm Tyddyn Mawr.

"Lle 'dan ni'n mynd?"

"Wyddost ti be, Irfon? Ti'n iawn. Hen fusnas creulon ydi teledu. A dydi pethau ddim 'di newid gymaint â hynny hyd heddiw. Ma pobol dal isho gweld gwyneba del a pherffaith ar y sgrîn. Sut uffar ti'n meddwl fod Duvka wedi cael job?"

Ma'r car yn bwmpio ar hyd rhyw ffordd gul sy'n ein harwain ni i fyny at chwarel.

"'Sai'n syniad i mi droi rownd, Robat? Hanner awr wedi dau naetho ni drefnu hefo'r ffarmwr ac mi fydd raid ni ga'l y tap i edit erbyn heno ar ôl ni orffen."

"Faint ti'n meddwl 'di'n oed i, boi?"

"Eich oed chi, Robat? Dwn i'm..."

"Dwi'n chwe deg tri."

"Recalculating. Turn around at the earliest opportunity..."

"Robat, ddyla ni droi yn ôl –"

Ond mae o'n gafael yn fy llaw i'n gadarn ac yn dynn ac ma'r Ford Granada'n simsanu o un ochor o'r ffordd i'r llall gan grafu yn erbyn y drain a'r eithin.

"Robat, ma hyn yn –"

"Dwi 'di bod yn gweithio yn y byd teledu ers deugain mlynedd a dwi ddim yn planio gadal eto. Ti'n dallt?"

"Yndw ond –"

"Busnas yr ifanc ydi teledu, Irfon, ti'n gweld. Yr ifanc a'r del. Pwy arall sy'n mynd i roi job i hen gojar sy'n chwe deg tri?"

"Recalculating. Turn around at the earliest opportunity..."

"Na, ti'n gweld, Irfon bach, yn y busnas yma, gyntad ti wedi cyrradd fy oed i ma rhaid i ti grafu. Insiwrans, hwnna 'dio. Os 'di'r bos yn deud jôc, gna'n siŵr 'na chdi sy'n chwerthin gynta. Os 'di'r bos yn meddwl am syniad, gna'n siŵr mai ti 'di'r cynta i ddeud fod o'n syniad gwych. Ma dy yrfa di'n gallu gorffen mewn chwinciad chwannan yn y gêm yma, Irfon. Dyna 'di'r gwir amdani. Nath o ddigwydd i Tudur a Ianto Sion am fod eu gwyneba nhw ddim yn ffitio. A mi nath o ddigwydd i mi achos..."

Yn sydyn, yn gwbl ddirybudd, ma Robat Cadnant yn estyn draw ac yn slamio'r brêcs yn galed. Ma'r car yn sgrialu i stop ar ochor y ffordd ac ma 'nghorff i'n saethu ymlaen tuag at y ffenest nes i'r gwregys fy stopio rhag cael fy hyrddio trwy'r gwydr a 'nhaflu i nôl i'r sêt. Cyn i mi gael cyfle i gael fy ngwynt ma Robat Cadnant yn pwyso reit mlaen at fy wyneb gan wenu'n ffiaidd.

"Ond ti'n gwbod yn iawn be nath ladd 'y ngyrfa i, yn dwyt, Irfon?"

Ma 'na deimlad annifyr yn dechrau berwi yn fy stumog.

"Ym... dwi'm yn... dilyn."

"Nagw't? Wel gad i mi dy helpu."

Mae o'n mynd i'w boced a thynnu rwbath allan.

"Welish i rhein yn y siop yn y garej tra 'dda ti'n llenwi'r car hefo petrol ac, yn sydyn iawn, dyma fi'n meddwl amdanat ti."

Mae o'n taflu rwbath ar fy nglin a dwi'n sbio i lawr.

Tiwb o Smarties.

"'Dda chdi'n meddwl mod i wedi anghofio'n doeddach chdi, 'ngwas i?"

Mae o'n gwenu eto a dwi'n sylweddoli fod llygad craff y Capten wedi fy nabod i o'r cychwyn.

# Fyrtigo

Erbyn hyn ma Robat yn gyrru'r Ford Granada a dwi yn y sêt flaen.

"Lle 'dan ni'n mynd, Robat?"

'Dio'm yn ateb. Ma sgrîn fach y TomTom o mlaen i yn dangos tirlun sy'n mynd yn fwy anghysbell hefo diflaniad bob milltir. Rŵan does 'na'm gwartheg yn y caeau hyd yn oed – dim ond defaid dwl yn pigo'r gwair gwydn a diffrwyth. Oes rhywun yn berchen ar rhein ta ydyn nhw wedi cael eu hanghofio'n llwyr? Dim bod ots gin i am y defaid, wrth gwrs, ond dwi'n dechrau meddwl oes 'na fugail neu rwbath o gwmpas fasa'n barod i ddŵad i'n achub i os faswn i'n rowlio'r ffenest i lawr a dechrau sgrechian. Pur annhebyg. Does 'na'm pobol wedi troedio fan hyn ers dyddia'r Rhufeiniaid.

Ma Robat yn stopio'r Ford Granada ac yn crogi'r handbrêc. Tu allan ma'r gwynt yn amgylchynu'r car fel feiolíns.

"Ty'd hefo fi."

Dwi'n agor drws y car a dilyn Robat Cadnant allan i'r oerfel. Tua deg troedfedd i ffwrdd ma cwpwl o ddefaid dwl yn sbio i fyny gan gnoi. Dwi'n checio'r ffôn. Dim signal.

"Ffordd hyn," medda Robat. "Dwi 'sho dangos rwbath i chdi."

* * * *

'Dan ni ddim yn licio meddwl llawer am ein marwolaeth. 'Dan ni gyd yn gobeithio fod o'n rwbath sy'n mynd i ddigwydd ymhell yn y dyfodol – pan 'dan ni wedi colli'n dannadd, pan 'dan ni'n bwyta dim byd ond uwd a bîns a pan

’dan ni ddim yn nabod neb yn y stryd nac ar *Noson Lawen*. Ar y diwrnod hwnnw pan ma cloch drws y ffrynt yn canu a ’dan ni’n gweld y Grim Rîpyr ei hun yna’n disgwyl amdanom hefo’i gryman a’i glogyn du, ’dan ni’n gobeithio ein bod ni’n mynd i fod yn eitha balch o’i weld. Mi fydd o fel dyn tacsi sydd wedi cyrraedd i fynd â ni i rwla neis. Y Bahamas falla. Neu’r Bermo o leiaf. Ond yn anffodus, y gwir amdani ydi fod ein marwolaeth yn debygol o fod lot yn fwy poenus ac annifyr na hyn. Ac mae’n gwbl bosib hefyd fod o’n mynd i gyrraedd pan ’dan ni ddim cweit yn barod amdano…

“Ti’n diodda o fyrtigo, boi?”

Ma Robat Cadnant yn gryfach nag y mae o’n edrych ac mae o’n fy ngwthio i’n agosach at ymyl y dibyn.

“Yndw…”

“Well i ti beidio sbio i lawr ta.”

Ond mae’n amhosib peidio. Dwi’n agor fy llygaid ac wrth i mi weld y drop – cant a hanner o droedfeddi reit siŵr – ma ’mhen i’n dechrau troi ac ma’n stumog i’n byrlymu wrth i mi ddychmygu fy nghorff yn syrthio fel sach sbwriel ac yn ffrwydro yn erbyn y cerrig mawr ar y gwaelod mewn sbri anghynnes o waed, esgyrn, gyts… a chinio pinc.

Ma dwylo Robat Cadnant yn tyllu i mewn i fy ’sgwydda fel crafangau rhyw fwltur erchyll ac mae’n amhosib i mi symud. Mae o mor gryf â reslar wrth iddo fy ngwthio i’n agosach byth at yr ymyl. Ma’r ddaear erbyn hyn yn fregus dan fy nhraed – ma ’na ddarnau’n syrthio i ffwrdd oddi tanai ac yn tymblo lawr ochor serth y dibyn.

“Diawl o beth ydi’r hen fyrtigo yma sti, Irfon. Yn ôl be dwi ’di ddallt mae’n well gin rai pobol neidio na chario mlaen i ddiodda.”

“Robat, gwrandwch, ma hyn yn… ddwl. Awwww!”

Mae ei grafangau creulon yn tyllu i mewn yn galetach.

"Mae'n debyg mai'r Empire Stêt yn Efrog Newydd ydi'r lle gwaetha sti, Irfon. Ia, dwi'n cofio darllen yn y *Reader's Digest* unwaith – wrth ddisgwyl yn y deintydd – fod 'na gymaint o dwristiaid yn penderfynu neidio o'r top yn hytrach na diodda'r fyrtigo nes i'r awdurdoda orfod rhoi ffens fawr o gwmpas yr ochor. Ma 'na rwbath tebyg yn y Grand Canyon hefyd. Yndi, ma fyrtigo yn ddifrifol o beth sti, Irfon. Ac eto, dydi pobol ddim yn 'i gymryd o o ddifri rywsut."

"*Dwi* yn."

"A ti'n gwbod y peth gwaetha amdano fo?"

"Be?"

"Ar ôl disgyn cannoedd a channoedd o droedfeddi i lawr i'r pafin, dydi'r creaduriaid anffodus yma ddim yn marw'n syth bob tro. Ma lot ohonyn nhw'n diodda bob math o anafiadau erchyll. O'n i'n darllen hanes am foi o'dd 'i stumog o 'di ffrwydro fel balŵn tu fewn iddo. Poenus iawn. Gymodd o dair awr i farw. Ac wedyn, wrth gwrs, 'di rhai ddim yn marw o gwbl – ond i ddeud y gwir, rheini ydi'r rhai anlwcus. Meddylia am y peth, Irfon bach – dy holl fywyd o dy flaen a chditha fel cabajan yn y gadar olwyn, ddim yn gallu symud ac yn gorfod ca'l dy fwydo trwy beipan gin nyrs. Ddim yn neis. Ddim yn neis o gwbl."

Yn sydyn dwi'n teimlo anadl cynnas Robat Cadnant ar gefn fy ngwddw.

"Dwi'n cofio'r dydd ddoth y llythyr fel 'sai'n ddoe," medda fo. "O'n i wedi bod yn 'i ddisgwyl ond o'dd o dal yn sioc. O'n i wedi ca'l y cyfarfod hefo HTV i lawr ym Mhontcanna felly o'n i'n gwbod yn iawn be o'dd yn yr amlen ond, er hynny, dwi'n cofio 'nghalon fach i'n stopio am eiliad pan nath y llythyr swyddogol landio ar y carped. Dwi'n cofio ista yn y gegin yn smocio Player's No. 6 am oria cyn 'i agor o. Ond, yn y diwedd, i agor o 'nes i – a dyna fy ngyrfa i drosodd. Mewn chwinciad de? Ar ôl cyrradd y brig, o'n i wedi disgyn lawr i'r gwaelodion. O'dd y bosus yn HTV wedi rhoi'r sac i mi. O'dd fy rhaglen deledu wedi ca'l ei chanslo a 'nes i 'rioed ymddangos ar y teledu eto achos y sgandal. Capten Cadnant druan, dyn priod a diddanwr plant, wedi ei ddal hefo'i drowsus lawr yn treisio athrawes ysgol. Dyna be o'dd sgandal go iawn, yn enwedig yn y dyddia hynny! Gwarthus o beth. Tudalen flaen y *Daily Post* am wythnos gyfa. Mond un person o'dd yn gefn i mi a Bess o'dd honno."

Wrth i fwy o'r cerrig dan fy nhraed friwsioni'n rhydd dwi'n cael gweledigaeth erchyll o 'mywyd ar ôl i mi gael fy ngwthio lawr y dibyn. Y gadair olwyn, y nyrs hefo'i thiwb, Mam a Dad a Michelle yn trio gwenu yn yr ysbyty ac yn trio peidio crio.

A finnau ddim yn eu nabod nhw.

Oedd marwolaeth yn swnio'n lot gwell rywsut. Sydyn a chwim. Heb boen, plis.

"Un da dwi 'di bod hefo gwyneba erioed sti, Irfon. Dwi'n wael iawn hefo enwa ond 'nai byth anghofio gwynab. Ac mi nath gwynab yr hogyn bach 'na aros hefo fi. Yr hogyn bach nath addo cau ei geg."

Mae o'n tynhau'r crafangau eto.

"Awwww!"

"Yr hogyn bach nath gymyd y tiwb Smarties o fy llaw. Yr hogyn bach nath redag adra a deud y cwbl lot wrth Mami!"

"Awwww!"

"A Mami'n codi'r ffôn ar yr heddlu a dyna ni. 'Medran, mi fedra ni gadw enw'r hogyn bach o'r wasg, Mrs Thomas.' Ta ta, Capten Cadnant. Mi 'nes i oroesi wrth gwrs. Gesh i jobsys bach fan hyn a fan draw ac wrth i amser basio – ac wrth i bobol ddechra anghofio – gesh i 'mhig mewn fel cyfarwyddwr a ballu. Ond er bod Robat Cadnant dal hefo ni, cysgod o ddyn oedd o. Ddoth Capten Cadnant byth yn ôl."

Ma'r gwynt yn chwyddo fel cerddorfa Wagneraidd o'n cwmpas ni, a'r feiolíns yn sgrechian yn ein clustiau. Dwi'n hanner disgwyl gweld haid o Falcyris yn cyrraedd dros y gorwel.

"'Nes i dy nabod di'n syth, Irfon. Yr eiliad 'nes di gamu i mewn i'r swyddfa'r dwrnod hwnnw, fis union yn ôl. Ac o'n i wedi edmygu dy waith di ar *Teithio*, wrth gwrs. Da iawn os ga i ddeud. Da iawn wir."

"Ma hyn yn wirion, Robat. Hogyn bach o'n i. Hogyn bach ysgol. Be 'ddach chi'n disgwyl i mi neud?"

"Ta ta, Irfon."

A, hefo hynna, mae o'n fy ngwthio lawr y dibyn.

# Marwolaeth drist, unig a phoenus Irfon Thomas

Wrth i mi syrthio ma Morus y Gwynt, chwara teg iddo fo, yn trio ei ora i fy nal ac arafu fy nghwymp ond, serch ei holl ymdrechion, dwi'n plymio trwy ei ddwylo anweledig ac – o fewn eiliadau – ma'r ddaear yn codi ata i fel bwli hefo'i ddwrn terfynol. Pan mae o'n fy nharo, yn rhyfedd iawn, does 'na'm poen i gychwyn – jyst rhyw fath o fflach nefolaidd o flaen fy llygaid. Wedyn dwi'n rowlio drosodd a drosodd a drosodd, fy nghorff gwaedlyd yn bownsio fel bwgan brain yn erbyn y cerrig didostur. Pan dwi'n stopio rowlio, dyna pryd dwi'n teimlo'r boen. Ac o fewn eiliadau mae hi'n gwibio trwy bob rhan o 'nghorff fatha ryw drên cyflym, dieflig a dwi'n sbio fyny i weld Robat Cadnant yn dal i sefyll ar frig y dibyn yn edrych i lawr arna i hefo'i un llygad da ac yn chwerthin. Mae'r chwerthin yn mynd yn uwch ac yn uwch ond mae'n amser i ar ben achos ma'r byd yn mynd yn dywyllach hefo pob eiliad sy'n mynd heibio.

Yn dywyllach...

Dwi'n meddwl am Michelle yn ôl yng Nghaerdydd wrthi'n golygu ffilm ac yn checio'r ffôn bob hyn a hyn. Ma hi'n poeni mod i heb decstio.

Yn dywyllach...

Dwi'n meddwl am Mam i fyny yn y gogledd, yn darllen *Take a Break* gan hanner gwylio pennod o *Murder, She Wrote* mae hi wedi ei gweld dair gwaith o'r blaen. Ma Dad yn chwyrnu hefo'r *Daily Post* fel hances ar ei fol.

Yn dywyllach...

Dwi'n meddwl am *The Sands of Rillentajara*. Pwy fydd am ei darllen rŵan? Neb. Dyna 'di'r ateb trist.

Yn dywyllach...

Yn rhyfedd iawn dwi'n meddwl am Mr Owen yn disgwyl amdanom ni hefo David Beckham ac am Ash a Steve, y dyn camera a'r dyn sain, yn trio ein ffonio ni ond yn methu cael signal.

Yn dywyllach...

Hwyl fawr, Michelle! Hwyl fawr, Mam a Dad! Hwyl fawr, Mr Owen! Hwyl fawr, Ash a Steve! Hwyl fawr, David Beckham! Hwyl fawr, *Trwy Lygaid Duvka*!

Dyma'r diwedd.

Ma'r tywyllwch mawr yn agosáu ac ma fy anadl yn gwanhau. Erbyn hyn ma marwolaeth yn teimlo fel rhyddhad o ryw fath achos ma'r boen mor erchyll. Y peth olaf dwi'n weld ydi Robat Cadnant yn cerdded i ffwrdd o frig y dibyn.

Dwi ar fy mhen fy hun.

Ac wedyn dwi'n marw.

* * * *

Wrth gwrs, dyna be ddyla fod wedi digwydd.

Ond pan naeth Robat Cadnant fy ngwthio i oddi ar dop y dibyn, am ryw reswm – panig falla – mi 'nes i gofio rwbath o'n i wedi'i ddarllen flynyddoedd maith yn ôl yn y copi o *Teach Yourself Judo* gan Eric Dominy o'n i wedi ei fenthyg o lyfrgell Caernarfon. Symudiad chwim, syml... ond hynod effeithiol. O'n i wedi ymarfer y symudiad hefo fy nghysgod am oria yn y garej a rŵan, yn wyrthiol, ddoth bob dim yn ôl i mi mewn chwinciad. Felly, pan estynnodd Robat Cadnant ei fraich i 'ngwthio i mi afaelais ynddi, ei throi, plygu, codi corff yr hen foi ar fy nghefn fel sach o lo a'i daflu lawr yn galad.

Yn anffodus, yn ei lyfr, doedd Eric Dominy heb grybwyll y posibilrwydd y gallai'r person roeddech chi newydd ei daflu gydio yn eich coes a'ch tynnu chi i lawr hefyd.

"Be sy, boi? Meddwl fod Robat rhy hen i reslo, ia?"

Mae ei fraich o fel rhaff rownd fy ngwddw.

"Robat... peidiwch... plis!"

"A be wedyn? Mynd at y glas eto mae'n siŵr, ia?"

"Na... awwww!"

"Rhedag adra at Mami."

"Robat... stopiwch... fedrwn ni drafod hyn... a... awwwww!"

"Braidd yn hwyr i drafod rŵan, washi."

Hefo'i fraich anacondaidd yn tynhau fesul eiliad dwi'n cicio fy nhraed yn ofer. Pwy sy'n mynd i sylwi ar fy mhrotest? Neb ond y defaid. A Morus y Gwynt, sy'n canu alaw drist ar ei feiolín. Wedyn, mewn gobaith mwy na dim, dwi'n taflu fy mraich yn ôl ac ma 'mawd i'n mynd dan y patshyn du ac yn syth i soced llygad gwag Robat Cadnant.

"Awwwww!"

Ei dro fo ydi hi i sgrechian rŵan. Dwi'n gwthio fy mawd yn galetach i'r twll.

"Awwwwwwwwwww!"

Ma'r fraich anacondaidd yn colli ei nerth a diflannu ac, mewn symudiad chwim arall (oedd, eto, heb ei drafod yn *Teach Yourself Judo*) dwi'n rhedeg fel milgi tuag at y Ford Granada.

Ond dydi Robat Cadnant ddim wedi gorffen eto.

"Ty'd yma'r basdad!"

Am ddyn yn ei chwedegau mae'n rhaid cyfadda fod o'n uffernol o heini. Dwi'n rhedeg mor sydyn ag y medra i ond ma'r hen foi mond ychydig lathenni tu ôl i mi, fel byffalo blin. Mae o'n fy maglu o'r cefn, gafael yndda i a fy nhaflu i'r gwair. Mewn dim ma'i ddwylo fo fel haearn rownd fy nghorn gwddw unwaith eto a'r cwbl dwi'n ei weld ydi ei wyneb mawr Cycloptaidd uwch fy mhen.

"Dwi 'di meddwl am bob dim yli, Irfon bach," medda fo, ei lais yn gwichian a'i chwys yn dripian lawr ar fy mochau, "a pan ti'n meddwl am y peth ma bob dim yn berffaith. Y cwbl fydd angan i mi ddeud wrth yr heddlu fydd 'yn bod ni wedi mynd ar goll. Ddaetho ni allan i fan hyn ac, am ryw reswm gwirion, 'nes di benderfynu mynd i chwilio am gymorth ond oedda ti ddim yn sylweddoli pa mor agos i'r dibyn oeddat ti yn nag 'ddat? Wel, wrth gwrs, mi 'nes i weiddi ar dy ôl – 'Irfon... gwatshia lle ti'n mynd... 'di'r lle 'na ddim yn saff...' ond 'nes di'm gwrando yn naddo? Yn sydyn 'nes di ddiflannu lawr i'r gwaelod ac, erbyn i mi redeg draw i weld be o'dd wedi digwydd, o'dd hi rhy hwyr. Mi o'dd dy gorff druan di'n gorwedd yn farw. Diar mi. Biti mawr."

"Chewch chi byth get-awê 'fo hi."

"O na? Ti'n meddwl? Do's 'na'm rheswm iddyn nhw beidio 'nghoelio i yn nago's? Pa reswm 'sa gin i, hen ddyn clên sy'n ffrindiau hefo pawb, i ladd dyn cymharol ifanc, addawol fatha chdi? 'Di'r peth ddim yn gneud unrhyw fath o synnwyr."

Ma 'nghalon i'n pwmpian achos dwi'n sylweddoli fod be mae'r basdad yn ddweud yn wir.

"Ti'n gweld, Irfon bach, ma be ddigwyddodd y diwrnod hwnnw yn yr ysgol yn gyfrinach rhyngtho ni'n dau yn dydi? 'Sa neb arall yn mynd i wbod dy fod ti wedi lladd gyrfa Capten Cadnant."

"Ma Mam yn gwbod."

"Irfon bach, twt twt. Ma mamau yn deud bob math o rwtsh pan ma'u plant bach nhw wedi marw'n sydyn. Ma'r heddlu wedi hen arfer. A do'dd dy enw di ddim yn yr adroddiada yn y papur newydd ar y pryd am dy fod mor ifanc."

Eto, dwi'n gwybod 'i fod o'n iawn.

Ac eto ma 'nghalon i'n curo'n wyllt…

"Ond… be am y bobol yn y swyddfa?" Ma'r geiria'n swnio'n desbryt. "Be am Duvka… a Hefin Llan… a Siân?"

Efo'i batshyn yn hongian rownd ei wddw fel mwclis anghynnes ac yn fflapio yn y gwynt ma Robat Cadnant unllygeidiog yn gwenu i lawr arna i.

"Pan a i nôl i'r swyddfa ar ôl y ddamwain erchyll yma mi fydd pawb yn galaru ac yn deud pa mor uffernol o'dd y drychineb a ballu ond, coelia fi 'ngwas i, yn syth ar ôl y cnebrwn mi fydd Duvka Llew ar y ffôn a fydd 'na hogan ifanc yn ffresh o'r coleg yn ista yn dy sêt di bore wedyn. A dyna fo. Ryw hen fyd felna ydi teledu sti. Îsi cym… îsi go."

Dwi wirioneddol yn meddwl fy mod i'n mynd i farw. Caf fy llusgo i fy nhraed ac wrth i mi godi mae fy llaw yn taro ar rwbath siarp a chaled ar y llawr. Carreg. Dwi'n cydio ynddi tra bod Robat Cadnant yn fy nhywys unwaith eto yn agos at ymyl y dibyn.

"Ty'd rŵan, Irfon. I ni ga'l gorffan â fo."

A dyna oedd ei eiriau olaf.

# Mr Macbeth

I fod yn hollol onest, 'nes i'm meddwl mod i wedi hitio'r hen ddyn mor galad â hynny hefo'r garreg, felly ges i fy synnu braidd pan a'th o i lawr fel buwch mewn lladd-dy.

"Robat?"

Cymerais gam yn agosach ato fo. Plygu i lawr. Ac wedyn ei droi drosodd yn ofalus fel oedd pobol yn wneud yn y ffilmiau.

"Robat?"

A dyna pryd 'nes i sylwi ar y gwaed. Mi oedd o'n pistyllio o'r briw ar ei dalcen.

"O blydi hel!"

Sefais i fyny yn syth ac, wrth wneud, dyma fi'n gweld fod y garreg finiog yn fy llaw fel cyllell greulon Macbeth. Hefo fy holl nerth taflais hi i lawr y dibyn a sefyll yn llonydd nes i mi ei chlywed hi'n taro'r gwaelod. Wedyn dyma fi'n ysgwyd yr hen ddyn mor galed ag y medrwn i.

"Robat! Robat! 'Dach chi'n iawn?"

Dim byd.

"Ffyc!"

Ffonio am ambiwlans.

Dwi ar fin pwyso 999 i'r Sony Ericsson ond, yn naturiol, does dim signal. A wedyn dwi'n meddwl am y peth. Mi fasa unrhyw alwad 999 yn siŵr o ddenu'r heddlu hefyd. A dyna fasa diwedd bob dim.

"Irfon Thomas, we are arresting you for the wilful murder of Robat Cadnant. You do not need to say anything but anything you do say will be taken down in evidence and –"

"O blydi hel!"

Dyma fi'n checio Robat eto. Oedd yna unrhyw arwydd o fywyd? Nag oedd. Dwi'n checio am bỳls.

Dim byd.

"Ffyc!"

Dwi'n cerdded rownd a rownd y Ford Granada gan gnoi fy ngwinadd. Lle oedd Michelle pan o'n i angen hi? Mi oedd Michelle wastad yn grêt mewn argyfwng. Oedd hi bob tro'n gwybod y peth iawn i'w wneud. Falla mai ffendio bocs ffôn cyhoeddus oedd y syniad gora? Neu ddarn o dir hefo signal?

* * * *

"Michelle?"

"Hei, ti'n iawn?"

"Yndw. Wel… nadw. Gwranda, dwi 'di lladd rhywun."

"Be?"

"Robat Cadnant. Y boi yn y gwaith. Dwi 'di ladd o. Hefo carreg. Jyst rŵan."

"Lle wyt ti?"

"Nunlla."

"Wyt ti'n chwara rhyw fath o jôc arna i, Irfon? Achos os wyt ti, gad i mi ddeud… tydi hi ddim yn ddoniol!"

"Na, go iawn, Michelle! Dwi'n ganol nunlla. Do's 'na ddim byd yma… Gwranda ar hyn… Glywes di rwbath jyst rŵan?"

"Dafad."

"Yn hollol."

"Ti'n siŵr fod o wedi marw?"

"Yndw."

"Ti wedi checio am bỳls?"

"Do."

"Wel checia eto!"

"Iawn. Dal y lein... Ych, ma 'na gymaint o waed... Na. Dim pỳls."

"O blydi hel!"

"Ia, dyna ddudis i hefyd."

"Be ddigwyddodd, Irfon?"

"Damwain o'dd hi. Nath o drio 'ngwthio i dros y dibyn 'ma."

"Dibyn? Ond... pam?"

"Mae'n stori hir."

"Ma'n rhaid i ti fynd at yr heddlu."

"Reit."

"Ma'n rhaid i ti ddeud wrthyn nhw'n union be sydd wedi digwydd... Dyna 'di'r peth calla. Do'dd dim rheswm gin ti dros 'i anafu fo, nago'dd? Prin bo ti'n 'i nabod o. Irfon, ti'n gwrando?"

"Yndw. Mynd at yr heddlu. Iawn."

"Gynta fyddi di wedi egluro bob dim, fydd hi'n amlwg i bawb yn yr achos llys mai damwain o'dd hi."

"Dal sownd am eiliad. Ddudist ti 'achos llys'?"

"Sy'm rhaid i ti boeni, Irfon. Dynladdiad o'dd hyn. Gei di – be? Pum mlynedd falla? Saith os wyt ti'n anlwcus."

"Reit."

"Dos at yr heddlu, Irfon."

"Reit. Diolch, Michelle."

Na... falla ddim.

* * * *

Dyma fi'n cerdded rownd a rownd. A rownd a rownd. A wedyn rownd a rownd yn y cyfeiriad arall. Trio meddwl. Trio cadw fy mhen. Ond bob tro o'n i'n edrych i lawr o'n i'n gweld corff sylweddol yn gorwedd ar y gwair efo un llygad yn syllu'n ddall tuag at y nefoedd a'r gwaed yn prysur sychu ar ei dalcen. Ia, damwain oedd hi… ond fasa'r heddlu'n fy nghoelio? Oeddwn i'n medru fforddio risgio hynny? Dynladdiad. A finna wedi ei daro? Achos llys. Carchar.

Tractor.

Yn y pellter.

Ond yn dod i'r cyfeiriad yma. Be os fasa nhw'n fy ngweld – efo'r corff – ac yn ffonio'r heddlu? Rhaid mynd o'ma. Rŵan!

Mewn chwinciad gwnes benderfyniad.

⋆ ⋆ ⋆ ⋆

Dwi'n llusgo corff Robat Cadnant tuag at y Ford Granada a – gan ddefnyddio fy holl nerth – ei godi i'r bŵt a chau'r caead fel petai ar arch. Ma'r injan yn dechrau'r tro cyntaf ac yn canu grwndi fel cath chwareus.

Dwi'n taro Radio Cymru ymlaen, slamio 'nhroed lawr yn galad ar y petrol a rhyddhau'r hand-brêc.

# PC Duw

Bob tro dwi'n troi cornel neu'n mynd dros dwll yn y lôn dwi'n clywed corff Robat Cadnant yn rowlio o gwmpas yn y bŵt fel casgen lawn o gwrw. Be dwi'n mynd i wneud hefo fo? Lle dwi'n mynd?

Lle dwi'n mynd?

Wedyn, yn sydyn, heb unrhyw rybudd, ma 'na gar heddlu tu ôl i mi yn y drych.

O blydi hel!

Mae o'n mynd ar dipyn o gyflymdra, felly dwi'n weddol siŵr fod o'n mynd i fy mhasio, ond na. Mae o'n arafu ac yn aros yn sownd tu ôl i mi. Yn y drych dwi'n sylwi ar ddau blisman. Does 'run ohonyn nhw'n gwisgo het. Ma un yn siarad i geg y radio.

O blydi hel!

Dwi'n checio'r sbido. Dwi'n gwneud pum deg milltir yr awr trwy ryw bentref bach cysglyd. Ma'r plismyn yn fy fflachio yn y drych. Ma'r un oedd yn siarad i geg y radio yn gwneud arwydd â'i law i mi dynnu i'r ochor. Dwi'n codi fy llaw a gwenu i drio edrych yn weddol normal.

O blydi hel!

Dwi'n brêcio mor ofalus ag y medra i ac yn parcio wrth ochor y ffordd. Ond ma'r gasgan o gwrw yn dal i rowlio yn y bŵt.

* * * *

"Dewch allan o'r car os gwelwch yn dda, syr."

"Iawn, offusyr."

"Ble chi'n mynd heddi, syr? Le Mans?"

"Adra, offusyr. I Gaerdydd, offusyr."

"Does dim angen gweud 'offusyr' ar ddiwedd bob brawddeg, syr."

"Iawn. Sori. Offusyr."

"Ble chi wedi bod?"

"'Dan ni 'di bod yn ffilmio. Ar gyfer *Trwy Lygaid Duvka*. Ar S4/C?"

"Ni?"

"Ym… *fi* o'n i'n feddwl. Sori."

"A ble yn gwmws oeddech chi'n ffilmo, syr?"

"Dwi'm yn gwbod."

"Ateb eitha annisgwyl i weud y gwir, syr."

"Dwi'm yn nabod yr ardal yn dda iawn, offusyr. Heblaw am y TomTom 'ma faswn i ar goll yn llwyr."

Mae o'n sbio i mewn i'r Ford Granada.

"Ond dyw'r TomTom ddim mlan 'da chi, syr."

"Na. Dwi'n gwbod y ffordd adra o fan hyn. Syth ar yr M4 a dyna ni, offusyr."

Mae o'n syllu arna i am eiliad.

"Chi'n teimlo'n iawn, syr?"

"Teimlo'n iawn? Yndw siŵr." Dwi'n trio chwerthin. "Pam 'dach chi'n gofyn?"

"Jest sylwi eich bod chi'n whysu, syr. A'ch bod chi'n symud o un droed i'r llall. A'ch bod chi'n edrych yn ôl ac ymlan at y bŵt."

"Dwi jyst yn awyddus i fynd adra, offusyr."

"Oes rhywbeth arbennig yn eich disgwyl chi gartre, syr?"

"Na, pam 'dach chi'n gofyn, offusyr?"

"O, jest sylwi wnaetho *ni* – hynny yw, y ddau ohonon ni – eich bod chi'n raso trwy'r pentre bach tawel a phert yma ar gyflymder o… gadewch i mi jeco… ie… ar gyflymder o bum deg tri milltir yr awr, syr. Beth sydd yn y bŵt?"

"Y bŵt?"

"Ie. Hwn fan hyn. Ar gefn y modur. Y bŵt wi'n credu ma'r arbenigwyr yn ei alw fe."

"Dwn i ddim, offusyr. Olwyn sbâr. Hen bâr o sgidia. Corff."

"Corff, syr?"

"Jôc, offusyr."

"Agorwch e."

"Iawn, wrth gwrs. Ar unwaith, offusyr."

Wrth i mi gerdded rownd yn araf at y bŵt dwi'n troi at yr Hen Ŵr am yr eildro. Duw, sori dy ddistyrbio di ond plis gwna i'r basdad yma ddiflannu. Mi wna i addo mynd i'r capel dair gwaith bob Sul am fis – wel, am bythefnos o leiaf – os 'nei di.

"Sdim trw'r dydd 'da fi, syr."

"Sori, offusyr."

Dwi'n gwthio'r botwm ac yn paratoi i godi'r bŵt pan ma Duw yn ateb fy nghri ac yn cynnig cymorth ar ffurf yr ail blisman.

"Hei," medda PC Duw wrth ei bartner, "ma rhaid ni fynd. Ni newydd ga'l galwad three-six-two newydd o Gaerfyrddin!"

Ma'r plisman cyntaf yn sbio arna i hefo'i lygaid miniog.

"Ewch â'ch trwydded yrru i'r orsaf heddlu agosa o fewn y tridie nesa, plis."

"Mi wna i, offusyr."

A dyma'r car yn gwibio'i ffwrdd efo'r seiren yn sgrechian fel cath.

Dwi'n edrych i fyny i'r nefoedd.

"Duw," medda fi, "ti'n blydi jîniys."

## oronation afé

Gynta dwi'n cyrraedd yr M4 ma'r signal yn dŵad yn ei ôl ac ma'r ffôn symudol yn crynu yn fy mhoced fel llygoden ofnus. Dwi'n ei estyn.

Michelle.

Dwi ar fin ei ateb ond wedyn dwi'n oedi. Dwi'n ystyried y sefyllfa. Sgen i ddim 'stori'. Dwi ddim wedi cael cyfle i feddwl am y peth yn iawn. Yn gall.

Shit! Dwi 'di lladd Robat Cadnant ac ma'r corff yn y bŵt! Ac i wneud petha'n waeth dwi newydd gael cyfle i ddweud wrth yr heddlu – a methu.

Ma'r ffôn yn stopio crynu.

Wedyn, ymhen ychydig eiliadau, mae o'n crynu eto. Dwi'n sbio i lawr.

Ash.

Dwi'n 'i anwybyddu. Y peth dwytha dwi angen rŵan ydi dyn camera blin yn sgrechian arna i a dweud fod o wedi bod yn sefyll yng nghanol cae hefo ffarmwr – a buwch o'r enw David Beckham – am awr a hanner yn disgwyl i ni gyrradd! Dwi'n gweld arwydd ar ochor y lôn yn dweud 'Café, Next Junction'. Dwi'n penderfynu troi.

Panad.

Dyna be dwi angen.

Amser i feddwl.

* * * *

Does 'na neb yn y maes parcio ac, i ddweud y gwir, ma'r lle yn edrych ar gau. O'n i wedi hanner disgwyl gwasanaethau go iawn hefo Burger King a WHSmiths a banciau a thoiledau newydd sbon a phlant yn sgrechian a theuluoedd yn dadlau, ond na. Be sy o mlaen i ydi lle cwbl wahanol. Lle tawel. Lle ma'r byd wedi ei anghofio.

Lle allan o *Psycho*.

Dwi'n stopio'r car tu allan i'r drws a chamu allan. Ma'r arwydd yn dweud 'oronation afé'. Mae o'n gam.

Ac ma'r ddwy 'C' wedi hen ddiflannu.

Wrth gerdded i mewn ma 'nhraed i'n swnio fel morthwyl ar y llawr pren. Un ystafell hefo lot o fyrddau ond does 'na neb o gwmpas. Tu ôl i'r cownter ma 'na beiriant coffi sy'n stemio, teciall a chasgliad o deisennau mewn jariau gwydr. Dwi'n sylwi fod 'na bry marw yn gorwedd ar dop un o'r darnau Fictoria sbynj.

Ma'r ffôn yn crynu yn fy mhoced i eto.

Duvka.

Dwi'n 'i anwybyddu. Wedyn dwi'n diffodd y ffôn. Dwi'n clywed rhywun yn rhedeg ar hyd y maes parcio.

"Mae'n ddrwg 'da fi," medda'r dyn gan gamu i mewn a thrio dal ei wynt, "weles i'r car ac fe wedes i wrthi hi fod 'na gwsmer a bod rhaid i mi fynd ond o'dd raid iddi ga'l ei dishgled."

"Dim problem."

"'Dyn ni ddim yn ca'l lot o gwsmeriaid bellach."

"Tewch â sôn."

"Dim ers i'r gwasanaethau newy' agor lawr y lôn. Dyna ble ma pawb yn mynd nawr."

"Gwasanaethau newydd?"

"Ie. Weloch chi ddim mo'r arwydd?"

Damia.

"Naddo."

"O wel, falle fod y gwynt wedi mynd â fe 'to. Tair gwaith

eleni. Wi'n ffono'r Cyngor Sir i ddweud bob tro ond falle dylen i beidio. Wedi'r cyfan, 'na'r unig amser ma hi, a fi, yn ca'l cwsmeriaid!" Mae o'n chwerthin. "Be alla i ga'l i chi?"

Wrth gwrs, dwi'n teimlo fel dweud "Na, anghofiwch o" ond, blydi hel, ma 'na uffar o olwg drychinebus ar y boi – ma'i ddillad o'n fratiog ac ma'i wallt o'n seimllyd ac mae'n gwbl amlwg fod y busnas a'i din yn y dŵr felly fasa gadael rŵan yn hen dric gwael.

"Ym, coffi plis."

"Alla i'ch temto chi â thamed o Fictoria sbynj?"

"Na fedrwch."

"Gyda llaw, o'n i'n paso'ch car chi nawr yn y maes parcio a 'nes i sylwi rwbeth od."

"O?"

"Yn y bŵt."

"Y... bŵt?"

"Ie. Wi'n siŵr mod i wedi clywed ffôn yn canu. Siwgir?"

"Siwgwr?"

"Ie. Yn y coffi?"

"O. Wela i. Un. Naci... dau. Ym, ffôn?"

"Ie. Un o'r ffôns symudol 'na. Do's 'da fi ddim un fy hun – er bod hi wedi bod yn swnan i ni ga'l un."

"Wel, do's 'na'm byd yn y bŵt heblaw hen sgidia ac olwyn sbâr. Dim byd o gwbl."

"Dyma chi."

Mae o'n rhoi'r coffi i lawr ar y cownter.

"Diolch."

Ma'r coffi yn edrych fel milc-shêc poeth. Mae o'n blasu fel llefrith brown.

"Neis," medda fi.

"Ble 'ych chi'n mynd heddi?"

"Adra. I Gaerdydd."

"A, Caerdydd. We'n i bob tro ishe mynd i Gaerdydd."

"'Dach chi'n ddeud o fel tasa fo'n bell i ffwr. Fatha Los Angeles neu rwla!"

Mae o'n plygu yn agosach ata i dros y cownter, sbio dros ei ysgwydd am eiliad a gostwng ei lais.

"Hi," medda fo.

"Hi?"

"Mami."

"Reit."

Mae o'n sbio dros ei ysgwydd eto.

"Yn y tŷ," medda fo. "Dyna ble ma 'ddi'n byw. Welwch chi e? Dewch draw fan hyn. 'Drychwch."

Dwi'n symud yn agosach ato a syllu trwy ffenest gefn yr 'oronation afé'. Ymhlith y coed a'r llwyni dwi'n gweld hen dŷ Fictorianaidd. Ma'r pren wedi rhydu ac ma'r rhan fwyaf o'r ffenestri wedi malu.

"Rhy ddanjerys," medda fo. "Dyna ma hi'n ddweud."

"Sori? Dwi'm yn dilyn."

"Caerdydd."

"O."

"Pan we'n i'n blentyn we'n i'n clywed bob math o bethe am Gaerdydd. Parc Ninian. HTV. Arfon Haines Davies."

"I gyd wedi mynd bellach."

"Trist."

"Heblaw am Arfon Haines Davies."

"Shwd ma'r coffi?"

"Perffaith. Felly... ma'ch mam yn byw i fyny yn y tŷ 'na?"

"Odi, druan."

"A chi sy'n rhedeg y caffi ar ben 'ych hun?"

"Ie, dyw hi ddim yn gallu symud. Arthreitis."

Mae o'n sbio arna i am eiliad neu ddwy.

"Rhaid i mi ddweud," medda fo, "mae'n braf cael sgwrs 'da chi… ym…"

"Irfon. Irfon Thomas."

Mae o'n estyn ei law.

"Norman."

Dwi'n ei hysgwyd hi.

"Dim 'Bates' gobeithio?"

"Rhyfedd," medda fo gan grafu ei ben, "ma pawb yn gofyn 'na. Na, Jenkins."

Dwi'n llyncu gweddill y coffi a tharo'r gwpan i lawr ar y cownter.

"Wel, diolch am y coffi. Faint s'arna i i chi?"

"O, anghofiwch e, Irfon. Do's fawr o bwynt cymryd 'ych arian chi yn y lle 'ma."

Mae o'n fy nilyn i allan i'r Ford Granada. Tu ôl iddo dwi'n gweld top y tŷ Fictorianaidd yn sbecian drwy'r coed. Ma un ffenest yn dal goleuni'r haul ac, am eiliad, dwi'n siŵr mod i wedi gweld hen ddynes yn sefyll yna.

Wedyn ma'r ffôn yn dechrau canu yn y bŵt.

Dwi'n neidio i mewn i'r Ford Granada a dechrau'r injan ond ma Norman Jenkins yn powndio'r ffenest.

"Odych chi'n 'i glywed e?" medda fo. "Yn y bŵt! Ffôn!"

"Sori, rhaid i mi fynd."

"Ond –"

Yn y drych dwi'n gweld Norman Jenkins yn rhedeg ar fy ôl yn chwifio ei freichiau.

"Y bŵt!" mae o'n bloeddio. "Y bŵt!"

Dwi'n troi Geraint Lloyd i fyny i ddeg. Ar ôl hynny, dwi ddim yn clywed Norman o gwbl.

Na'r ffôn.

# 9

Ma deg munud o Geraint Lloyd ar top foliwm yn ddigon i yrru unrhyw un yn nyts (i ddweud y gwir ma deg munud o Geraint Lloyd ar unrhyw fath o foliwm yn debygol o gael yr un effaith) felly, jyst tu allan i Ben-y-bont, dwi'n 'i ladd o hanner ffordd drwy Iona ac Andy.

Ma tawelwch yn llenwi'r car fel êrbag.

Wel, tawelwch heblaw am furmur cyson yr injan a rhuthr lleddfol y gwynt.

Am ychydig mi oedd y llonyddwch yma'n ddigon i fy nhwyllo fod bob dim yn hollol normal unwaith eto. Bob dim yn iawn. Wrth sbio allan drwy'r ffenest mi oedd y byd yn edrych yn union fel naeth o erioed. Mi oedd y defaid a'r gwartheg yn y caeau yn dal i bori ac, yn y pellter, mi oedd Môr Hafren yn dal i ddisgleirio fel dŵfe moethus o ddiamwntiau. Bob dim yn ei le. Bob dim yn iawn.

Ti'n iawn, Irfon.

Dyna oedd y byd yn ddweud wrtha i.

Ma bob dim yn iawn. Ymlacia.

Fe ymddangosodd Lexus mawr du yn y drych fel angel marwolaeth a thu fewn mi oedd 'na ddyn parchus mewn siwt a sbectols. Wrth iddo fo basio 'nes i ddigwydd dal 'i sylw am eiliad a chodi fy llaw. Gath o dipyn o syrpréis ond mi naeth o nodio yn ôl cyn slamio'i droed i lawr a diflannu mewn sibrwd pwerus.

Ti'n iawn, Irfon.

Dau foi normal yn cydnabod ei gilydd ar yr M4. Dyna'r cwbl. Un mewn Lexus crand du yn mynd i ryw gyfarfod pwysig yng Nghaerdydd falla – cyfarfod banc neu fusnes

– a'r llall mewn Ford Granada rhydlyd hefo corff yn y bŵt yn anelu tuag at... wel... *be* yn union?

Ma bob dim yn iawn... ymlacia...

Dwi'n troi oddi ar yr M4. Unwaith does 'na'm byd tu ôl i mi yn y drych dwi'n stopio mewn lay-by a diffodd yr injan i gael fy ngwynt. Wedyn dwi'n gwynebu'r ffaith fod raid i mi fyw yn y byd go iawn. Dwi'n codi'r ffôn a'i droi ymlaen.

"You have nine new messages."

Wrth glywed hyn ma 'nghalon i'n neidio. Naw. Blydi hel. Ma hyn yn fwy difrifol nag o'n i'n feddwl. Dwi 'rioed wedi cael naw neges o'r blaen! Y mwyaf ges i oedd pedair pan a'th cocker sbaniel Mam yn grempog dan juggernaut yn Llanrug.

Dwi'n pwyso'r botwm.

"First new message. Message received today at 2.06pm –"

"Haia cariad, fi sy 'ma. Michelle. Gwranda, dwi'n gwbod bod chdi'n sdyc yn nhwll din y byd yn rwla a mae'n siŵr do's 'na'm signal ond, wel, dwi jyst isho dybl-checio pryd ti'n dŵad adra heno achos ma Janine a Mike wedi deud bod nhw isho dŵad rownd am ddrinc. Gad i mi wbod iawn? Lyf iŵ."

Dwi'n pwyso 3 i ddileu'r neges.

"Message deleted. Next new message. Message received today at 2.35pm –"

"O, haia, fi eto. Jyst meddwl os oeddet ti wedi cael y neges. Rho ganiad pan gei di signal neu gyfla – p'run bynnag sy'n dŵad gynta."

Dwi'n pwyso 3.

"Message deleted. Next new message. Message received today at 2.43pm –"

"Hei, Irfon a Robat, Ash sy 'ma. Ni 'di cyrradd y ffarm ond sdim sôn amdanoch chi. Odych chi ar goll? Ma'r ffarmwr a'i fab yn fan hyn yn gweud bo nhw'n fodlon mynd mas i dreial ffindo chi ar y tractor os chi moyn. Ma signal fan hyn nawr – ma fe'n mynd a dod. Ta beth. Ffonwch ni."

Dwi'n pwyso 3.

"Message deleted. Next new message. Message received today at 3.04pm –"

"Ash sy 'ma to. Ni'n dal i ddishgwl fan hyn a –"

Dwi'n pwyso 3.

"Message deleted. Next new message. Message received today at 3.35pm –"

"Hai cariad. Michelle. Sut ma David Beckham? Gwranda, rho ganiad pan gei di hwn, iawn? Dwi dal isho cadarnhau hefo Mike a Janine fod bob dim yn iawn –"

Dwi'n pwyso 3.

"Message deleted. Next new message. Message received today at 3.45pm –"

"Helo Irfon, Duvka Llew yma. Wyt ti a Robat yn iawn, ie? Ni 'di ca'l nifer galwad gan Ash yn gofyn lle 'ych chi. Gad i mi wbod pan ti wedi derbyn hwn plis, ie?"

Dwi'n pwyso 3.

"Message deleted. Next new message. Message received today at 3.47pm –"

"Hello, Mr Thomas, have you ever wondered about the benefits of high-quality double-glazing? Here at Double-glazing Solutions we pride ourselves on –"

Dwi'n pwyso 3.

"Message deleted. Next new message. Message received today at 4.06pm –"

"Helo Irfon. Duvka, ie? Rho caniad i'r swyddfa plis?"

Dwi'n pwyso 3.

"Message deleted. Next new message. Message received today at 4.22pm –"

"Be ffwc sy'n digwydd, Irfon? Dwi newydd ga'l galwad gin y Duvka Llew yna yn gofyn o'dd 'na ddamwain neu rwbath 'di digwydd. Mae'n deud bod y boi camera wedi bod yn trio ca'l gafal arna chdi a Robat Cadnant ers oes ond do's 'na'm ateb ar 'run o'ch ffôns chi. Ffonia fi, Irfon! Rŵan! Ma hyn yn ffrîci!"

Dwi'n pwyso 3.

"Message deleted. End of messages."

Dwi'n taflu'r ffôn i lawr ar y sêt ffrynt ac yn ochneidio tra, tu allan, ma'r gwynt yn ysgwyd y bonat fel criw o hwligans anweledig.

Dwi'n meddwl am Michelle yn poeni o flaen ei chyfrifiadur yn y BBC ac am Duvka yn derbyn galwadau di-ri gin Ash.

Dwi'n meddwl am y plisman yna. Dwi'n meddwl am orfod mynd â fy nhrwydded gyrru i'r orsaf heddlu agosaf. Cyn diwedd yr wythnos.

Ac wedyn, wrth gwrs, dwi'n meddwl am Robat Cadnant yn gorwedd mor farw â Tutankhamun yn arch y bŵt.

Ma'r ffôn yn crynu. Dwi'n sbio arno fo.

Michelle.

Dwi'n anadlu'n ddwfn cyn ei ateb.

## Gwallgofddyn

"Haia."

"Lle uffar ti 'di bod, Irfon?! Dwi 'di gadal lôds o negeseuon i chdi. A tecsts!"

"Sori."

"Dwi 'di bod yn poeni!"

"Do, dwi'n gwbod. Sori. Ma 'na ddamwain wedi bod."

"Damwain? Be ti'n feddwl? Ti'n iawn, Irfon?"

"Yndw, paid â phoeni, *dwi'n* iawn. Ond ma Robat Cadnant wedi colapsio. Fel sach o datws."

"Be?"

Dwi'n dechra chwysu.

"Gwranda, cyn i ni gyrradd y ffarm nath Robat Cadnant ddeud fod o ddim yn teimlo'n rhy dda. 'Nes i stopio'r car ar ben y mynydd 'ma a dyna lle nath o... wel... colapsio. Fel sach o datws."

"Ti wedi deud hynna unwaith."

"Ydw i? Shit!"

"Lle mae o rŵan?"

"Fan hyn. Yn y Granada."

"Wel, ti'm yn meddwl basa hi'n syniad mynd â fo i'r ysbyty?"

Wrth gwrs. Syniad da.

"Dyna lle dwi'n mynd. I'r Heath yng Nghaerdydd. Ddyla ni fod yna mewn tua ugain munud os ydi'r M4 yn weddol glir. Wedyn a i â fo adra."

"Tisho i fi ddŵad hefo chdi?"

Ffyc!

"Na! Na... wir i chdi... fyddai'n iawn."

"Ti'n siŵr dy fod ti'n iawn? Ti'n swnio'n… wel… yn od."

Dwi'n trio chwerthin.

"Dwi'n iawn. Paid â phoeni."

"Mmmm. Os ti'n deud. O, ac Irfon?"

"Ia?"

"Paid â gneud dim byd gwirion."

* * * *

Dwn i ddim pam 'nes i ddweud celwydd wrth fy ngwraig. Yr unig beth fedra i gynnig fel unrhyw fath o esgus ydi mod i ddim isho achosi mwy o boen iddi. Os faswn i wedi dweud wrthi fod Robat Cadnant yn gorwedd yn farw yn y bŵt, 'sa hi wedi panicio go iawn a fasa hynna ddim o gymorth i neb. Prynu amser. Dyna o'n i'n 'i wneud. Prynu amser tra o'n i'n trio meddwl am rwbath. Mi fyswn i'n dweud y gwir wrthi hi yn y pen draw, wrth gwrs. Jyst dim eto. Dyna'r cwbl. Jyst dim eto.

Dwi ar fin ffonio Duvka i ddweud yr un stori gelwyddog wrthi hi pan dwi'n sylwi fod llyfr nodiadau Robat Cadnant yn gorwedd ar y sêt gefn. Am ryw reswm dwi'n 'i godi fo. Mae ei gyfeiriad o ar y dudalen flaen. A dyna pryd dwi'n cael Syniad. Syniad sut i ddŵad allan o'r twll yma. Syniad gwych!

Dwi'n teipio côd post cartref Robat Cadnant i mewn i'r TomTom a throi'r car rownd.

"Drive for three miles, then enter motorway."

"'Dan ni'n mynd â chi adra, Robat!" medda fi gan wenu… ac wedyn gan chwerthin.

Wrth sbio i fyny i'r drych dwi'n sylwi mod i'n edrych yn union fel gwallgofddyn.

# Sarjant Rowland Thomas, GC

Dim pawb sy'n medru brolio fod yna arwr yn y teulu. Ond mi oedd fy nhaid yn arwr.

Hefo medal.

* * * *

"Dad?"

"Ia, 'ngwas i?"

"Be 'di hwn?"

"Duw, lle ges ti hyd i hon da?"

"Yn yr atig. Mewn bocs wrth ymyl 'ych stwff pêl-droed chi. Mae o'n deud Sarjant Thomas ar y blaen. Be 'dio, Dad?"

"Wel, wel, wel. Dwi'm 'di gweld hon ers blynyddoedd. Coelia neu beidio, y George Cross ydi hon, un o'r medalau pwysica yn y wlad, ac mi wnath dy daid ei hennill hi."

"Siriys? Waw! Sut?"

"Wel, eistedda lawr ar fy nglin i fan hyn rŵan fatha hogyn da ac mi dduda i 'tha chdi. Ti'n gweld, mi o'dd dy daid, Sarjant Thomas, yn blisman yn Lerpwl yn ystod yr Ail Ryfel Byd. Yn Knotty Ash."

"Cartra Ken Dodd a'r Diddy Men!"

"Dyna chdi."

"O'dd Taid yn nabod Ken Dodd felly, Dad?"

"Na, dwi'm yn meddwl, 'ngwas i."

"O."

"Ti'n gweld, yn ystod y rhyfel gafodd Lerpwl ei bomio yn ddrwg gan y Jyrmans. O'dd yr awyrennau mawr yma'n llenwi'r awyr ac mi o'dd y bomia'n dŵad lawr ym mhobman ac yn ffrwydro ac yn dinistrio tai a siopa – a hefyd yn lladd pobol wrth gwrs. Pobol ddiniwad fatha chdi a fi."

"Nath Taid gwffio'r Jyrmans?"

"Wel, naddo, dim cweit. Plisman o'dd dy daid. O'dd o wedi trio mynd i'r nêfi achos o'dd o wrth ei fodd hefo llongau a ballu ond yn anffodus o'dd 'na rwbath o'i le hefo'i lygad ac o'dd raid iddo fo wisgo sbectol, fatha fi, felly dyma fo'n ca'l ei wrthod. Athro o'dd o pan nath y rhyfel ddechra ond hefo'r bomia 'ma'n disgyn – a hefo pawb yn diodda o'i gwmpas – dyma fo'n penderfynu fod rhaid iddo fo neud rwbath i helpu, felly dyma fo'n rhoi'r gora i'w waith a mynd yn blisman."

"Dyna sut gafodd o'r fedal yma, Dad? Wrth helpu pobol?"

"Ia, dyna chdi, 'ngwas i. Ti'n gweld, un noson dyma un o fomia'r Almaenwyr yn hitio siop gig yn Knotty Ash. O'dd 'na selar anfarth dan y siop yma a dyna lle o'dd llawer iawn o deuluoedd yr ardal yn mynd i guddiad gynta o'dd y seirans yn dechra canu. Wel, mi fedri di ddychmygu sut siâp o'dd ar y lle ar ôl i'r bom ffrwydro ma'n siŵr, medri? Y fflama mawr gwyllt 'na'n chwipio i bob cyfeiriad, y ffenestri'n deilchion ar hyd y stryd, brics a llechi a phren fel rwbath allan o geg draig ddieflig! Ac mi o'dd y sŵn yn erchyll – sŵn y bomia'n taranu a'r seirans yn sgrechian a'r awyrenna dychrynllyd 'na uwchben yn hymian yn undonog wrth iddyn nhw hedfan dros y ddinas fel angylion y diafol! Ond wyddost ti be, 'ngwas i? Yng nghanol hyn i gyd, yr unig beth nath dy daid glywed o'dd sŵn y plant bach yn sgrechian ac yn crio lawr yn selar y siop gig. Wel, o'dd o'n nabod rhan fwya ohonyn nhw yn doedd? O'dd o wedi bod yn eu dysgu nhw yn yr ysgol cyn y rhyfel. Ffwrdd â fo, felly, hefo'r bomia'n ffrwydro o'i gwmpas a'r fflama'n brathu ei goesau a'i freichiau."

"Ffwrdd i le felly, Dad?"

"Wel, i'r siop gig de? I achub y plant a'u teuluoedd. Wrth gwrs, o'dd pawb arall yn gweiddi arno fo i beidio â bod mor wirion ond mi o'dd dy daid yn benderfynol. Mi a'th o draw a, heb unrhyw fath o help gan neb, dyma fo'n clirio'r darnau mawr o bren o'dd wedi disgyn dros y drws i'r selar a symud y cerrig a'r brics. Erbyn hyn o'dd y tân mor boeth â chanol uffern ac mi o'dd 'na fwy o fomiau yn disgyn ar draws y stryd ond wyddost ti be? Mi lwyddodd dy daid i agor drws y selar. Dyma fo'n rhedeg lawr y grisiau a gafal yn y plentyn cynta nath o weld – hogan fach bedair oed o'r enw Mary. Dyma fo'n ei thaflu hi dros ei ysgwydd, cydio yn ei brawd a rhoi hwnnw dan ei fraich fel parsel a'u cario nhw allan drw'r tân a'r twrw i le diogel."

"A dyna sut gafodd Taid y fedal?"

"Wel, ia a naci. Ti'n gweld, 'ngwas i, mi o'dd dy daid yn ddyn dewr iawn, iawn. Mi o'dd o'n medru meddwl yn glir pan o'dd pawb arall yn colli eu penna. Dyna pam a'th o yn ôl ac achub bob un wan jac o'r plant erill hefyd. Gymerodd hi wyth siwrna drw'r tân a'r mwg a'r anhrefn llwyr ond mi lwyddodd o. Mi o'dd pob un plentyn – a'u mamau – yn saff. Dyna pam gafodd o'r George Cross gin y Brenin, ti'n gweld. Am 'i fod o'n ddewr. Ac am 'i fod o wedi cadw ei ben pan o'dd bob dim yn chwalu o'i gwmpas o."

★ ★ ★ ★

Wrth i'r milltiroedd hedfan heibio fel rwbath allan o *Grand Theft Auto* ac wrth i injan jeriatrig y Ford Granada glecian a rhuo, dwi'n meddwl am ddewrder fy nhaid. Y taid 'nes i erioed ei gyfarfod. Sarjant Rowland Thomas, George Cross. Be fasa fo'n ei ddweud rŵan? Dwi'n edrych i fyny i'r drych a dwi'n gweld ei wyneb yn y cefn. Mae o yn ei iwnifform a'i gap ac ma'i fwsdash fel wiwer dan ei drwyn. Mae o'n wincio arna i.

"Wel?" medda fi wrtho fo. "Sut dwi am achub 'y nghroen, Taid?"

Mae o'n syllu arna i gan wenu.

"Cadwa dy ben, was," medda fo gan wincio'r eildro, "gwna di hynny a fydd bob dim yn iawn. Ma raid i ti feddwl yn glir."

"Ond sut, Taid?" medda fi gan edrych ar y lôn am eiliad. "Dydi hi ddim mor hawdd â hynny achos ma –"

Ond wrth gwrs, pan dwi'n troi yn ôl at y drych ma Sarjant Rowland Thomas wedi diflannu.

# 1, Channel Terrace

"Continue for three hundred yards to destination."

Wrth i mi yrru yn araf ar hyd y trac troellog, llawn tyllau dwi'n dechrau meddwl falla fod 'na rwbath o'i le hefo'r TomTom. Ma pob llathen fel tasa hi'n mynd â fi'n agosach ac yn agosach at ganol nunlla. Ma'r goleuadau'n tollti ar draws y llwyni a'r ponciau coed ac, yng nghanol y diffeithwch, dwi'n hanner disgwyl gweld Bleidd-ddyn yn neidio allan o'r tywyllwch ac yn landio ar y bonet hefo'i gynffon yn ysgwyd a'i ddannadd miniog yn glafoerio am waed dyn ifanc hefo gradd yn y Saesneg a rhywfaint o brofiad o gyflwyno ar S4/C. Ers i ni adael cyrion Caerdydd a throi lawr tuag at lannau Môr Hafren, ma'r tai wedi diflannu fesul un a rŵan does 'na'm byd ond tywyllwch. Dwi'n teimlo fel tasa rhywun wedi taflu cwilt anferth dros y byd.

"Arriving at destination in one hundred yards..."

Dwi'n sbio'n euog ar y ffôn gyferbyn â mi ar y sêt. Faint o alwadau sydd 'na rŵan sgwn i? Michelle yn poeni amdana i. Duvka Llew hefyd. Ash yn ôl yn y swyddfa yn fy ngalw i'n bob enw dan haul!

Wrth i'r lôn fynd yn fwy cul byth (mor gul nes i grafangau milain y llwyni bob ochor sgrafellu yn erbyn y car) dwi'n dechrau colli ffydd yn y TomTom ac, i fod yn hollol onest, yn fy nghynllun cyfrwys hefyd. I ddweud y gwir, dwi'n poeni mod i wedi colli'r plot yn gyfan gwbl a falla mai gwynebu'r gwir am be ddigwyddodd ar y dibyn fyddai'r peth callaf o bell ffordd.

Dwi'n estyn y ffôn.

Basa, mi fasa gorfod rhannu cell yn Dartmoor am bum mlynedd hefo dau lofrudd o Lerpwl yn uffernol o beth ond o leiaf fasa fy nghydwybod i'n glir. Dwi'n pwyso 9. Wedyn 9 arall.

Ond wedyn dwi'n taflu'r ffôn i lawr ar y sêt.

"Arriving at destination on right…"

"Pa destination?" medda fi gan gydio yn olwyn y Ford Granada yn dynn. "Y cyfan dwi'n 'i weld ydi drain, brwyn a llwyni!"

Dwi'n rhwygo'r TomTom o'r ffenest ac estyn y ffôn ond wedyn, cyn i mi gael siawns arall i ddeialu 999 i gyfadda'r cyfan…

… rownd y gornel… ar y dde, yn ymddangos o nunlla…

… ma 'na dŷ.

1, Channel Terrace.

⋆ ⋆ ⋆ ⋆

Mi oedd y cyfeiriad yn ddisgrifiad hefyd achos mond un tŷ oedd yna ar Channel Terrace – tŷ tywyll Hansel a Gretelaidd ar ddiwedd y trac o fewn tafliad carreg i Fôr Hafren (oedd yn rhuo fel llew tu ôl i'r wal fawr). O'n i wedi clywed Robat yn sôn ei fod o wedi ystyried symud o'r tŷ, clamp o beth mewn man anghysbell. Byngalo fasa'n siwtio ac yntau ar ei ben ei hun, medda fo. Byngalo yng nghanol y dre yn agos at bawb a bob dim. Ond eto roedd rwbath yn ei ddal yn ôl. Roedd hi'n braf byw mewn cartref lle oedd hi'n bosib cadw'r goriad mewn potyn wrth y drws ffrynt heb boeni gormod am fyrglars.

Wrth i mi stopio'r injan, camu allan o'r Ford Granada a sbio ar y lleoliad, mi oedd hi'n hollol amlwg fod Robat Cadnant yn gredwr cryf mewn preifatrwydd! A diolch byth am hynny achos, rŵan mod i wedi sylweddoli fod y TomTom yn iawn wedi'r cyfan – a rŵan fod hi'n gwbl amlwg fod 'na ddim peryg o neb yn fy ngweld yn straffaglu i dynnu corff yr hen foi allan o'r bŵt – mi oedd Plan A yn ôl yn ei le a phob dim yn iawn yn y byd. O'n i ddim am fynd i Dartmoor wedi'r cyfan – doedd dim rhaid i mi gyfaddef y gwir wrth Michelle na'r heddlu!

Ond eto, serch hyn i gyd, wrth i mi stwffio'r ffôn i fy mhoced, ces rhyw deimlad fod rwbath ofnadwy'n mynd i ddigwydd. Rwbath dychrynllyd. Rwbath oedd yn debygol o chwalu bob dim.

Ond be?

Dyma fi'n sbio o 'nghwmpas eto. Doedd 'na neb yno. Neb o gwbl. Roedd hi'n rhesymol meddwl nad oedd person byw arall o fewn tair, pedair... falla pum milltir.

Na.

Paid â phoeni, Irfon.

Na...

... ma bob dim yn mynd i fod yn iawn.

## Plan A

Dwi'n agor y bŵt a, cyn i mi gael cyfle i ymateb, ma dwylo Robat Cadnant rownd fy ngwddw mor gadarn a chryf â chadwyn beic.

"Y basdad bach, oedda chdi'n meddwl mod i wedi marw yn doeddachd?"

Mae o'n neidio allan mor heini a chwim â bachgen yn ei arddegau ac, o fewn eiliadau, 'dan ni'n rowlio dros y gwair yn cwffio ac yn cicio fel dau gowboi. Am hen ŵr, ma Robat Cadnant yn gryfach nag y mae o'n edrych. Mae o ar fy mhen. Ma'r ffôn symudol yn ei law.

"Reit ta, washi. Ga ni weld be sgin yr heddlu i ddeud am hyn, ia? Attempted murder. Deg mlynedd faswn i'n deud! Pymthag falla!"

Dwi'n pledio arno fo i beidio. Dwi'n gweld y gell 'na yn Dartmoor a'r ddau thŷg o Lerpwl yn disgwyl amdana i. Dwi'n clywed Michelle yn crio yn yr ardal ymweld a'i diflastod yn atsain o gwmpas yr ystafell.

"Na, Robat," dwi'n pledio unwaith eto. "Plis!"

Basa. Mi fasa hynna wedi bod yn erchyll. Ond diolch byth wnaeth o'm digwydd.

Dyma be ddigwyddodd go iawn.

* * * *

Dwi'n agor y bŵt a thrio codi corff styfnig Robat Cadnant am bron iawn i awr. Hei, gwrandwch reit, tro nesa 'dach chi'n gweld un o'r ffilmia 'na – neu raglenni teledu – lle ma pobol yn tynnu corff o gefn car a'i daflu fo dros eu hysgwydda fel tasa fo fawr trymach na sach o datws… chwerthwch. Na, rîli. Chwerthwch lond 'ych bol a phwyntiwch at y sgrîn gan floeddio "Fysa hynna byth yn digwydd!", achos mae'n ddyletswydd arnoch chi i wneud yn siŵr fod pob agwedd o'r celfyddydau yn ffeithiol gywir, a'r gwir yn yr achos yma ydi fod corff marw yn drwm. Pa mor drwm? Wel, gadewch i mi roi o fel hyn.

Ffwcedig.

O.

Drwm.

Falla fasa Syr Isaac Newton wedi medru dweud pam oedd trio cael corff Robat Cadnant o'r bŵt yn llawer iawn anoddach nag oedd o i'w roi o mewn, ond i rywun fel fi – hefo Gradd Tri CSE mewn Ffiseg – mi oedd hi'n ddirgelwch llwyr ac yn debygol o aros felly.

Bob tro dwi'n cael rhyw fath o afael ar gorff yr hen fôr-leidr ma'r pwysa'n ormod i mi a dwi'n teimlo fod fy mhen yn mynd i ffrwydro hefo'r straen. A be sy'n gwneud petha'n waeth byth ydi fod un llygad gorad yr hen foi yn syllu'n gyhuddgar arna i trwy'r cyfan. Dwi'n trio ei gau efo fy llaw, fel ma nhw'n gwneud yn y ffilms, ond 'dio ddim yn gweithio. Na. Ma'r llygad yn agor yn sydyn fel Venetian blind. (Tra 'dan ni wrthi, dyna rwbath arall sydd mond yn gweithio yn Hollywood!)

Dwi'n trio ei godi fo eto a, tro yma – diolch byth – dwi'n cael rhyw fath o afael o dano fo. Yn dilyn un ymdrech olaf a goruwchddynol, dwi'n llwyddo i godi Robat Cadnant o'r bŵt a'i osod ar y gwair fel tasa fo'n ddyn anabl yn disgwyl am ei gadair olwyn. Sut ffwc dwi'n mynd i gario'r hen foi i'r tŷ? Ma 'na dylluan yn tw-whit tw-hwio tu ôl i mi. Dwi'n troi rownd.

A dyna pryd dwi'n gweld y ferfa.

* * * *

Wrth y drws ffrynt dwi'n stopio'r ferfa a thyllu tu fewn i siaced Robat Cadnant am y goriad. Ar ôl trio pedwar dwi'n llwyddiannus – ma'r drws mawr du yn gwichian ar agor a dwi'n dympio Robat Cadnant ar waelod y grisiau. Dwi'n stwffio'r llythyrau ar y mat i 'mhoced ac wedyn dwi'n rowlio'r ferfa allan a'i gadael yn union lle ges i hyd iddi. Dwi'n twtio'r gwair a'r cerrig ar hyd y llwybr i guddiad hoel yr olwynion. Wedyn, unwaith dwi nôl yn y tŷ eto, dwi'n cau'r drws a sgubo'r fynedfa hefo brwsh o'r twll dan grisiau. Dwi'n dallt y petha 'ma. Dwi ddim yn ffŵl. Dwi 'di gweld *Silent Witness.*

"Helo?"

Pam dwi'n gweiddi i fyny'r grisiau?

Sgen i ddim cliw. Oedd pawb yn y swyddfa yn gwybod fod Robat Cadnant yn byw ar ei ben ei hun ers blynyddoedd ar ôl i'w wraig farw o gancr.

Wrth gwrs, does dim ateb. (A diolch byth am hynny!)

Dwi'n clywed udo bleiddiol y gwynt tu allan a, tu fewn, tic toc soniarus yr hen gloc wrth ymyl y drws. Chwarter wedi wyth, medda fo. Oedd hi'n hwyrach nag o'n i'n feddwl. Cyn i gorff Robat Cadnant galedu ymhellach dwi'n 'i drefnu fo ar waelod y grisiau mewn ffordd sy'n gwneud iddi edrych i'r byd fel tasa'r hen foi wedi syrthio lawr o'r landing a tharo ei ben yn erbyn cornel y bwrdd. I wneud y sefyllfa yn fwy credadwy, dwi'n estyn hances bapur o 'mhoced a'i rhwbio hi yn erbyn talcen Robat Cadnant (lle oedd y gwaed o'r briw marwol wedi c'ledu dipyn) cyn ei chrafu hi yn erbyn cornel finiog y bwrdd. Does 'na ddim lot i'w weld ond dwi'n weddol sicir y bydd unrhyw berson fforensig gwerth ei halan yn siŵr o sylwi ar y gwaed a phenderfynu fod y dyn anffodus wedi baglu wrth ddod lawr y grisiau.

A dyna ni.

Y cwbl o'n i angen rŵan oedd cael y stori yn strêt yn fy mhen.

* * * *

"O'dd Robat Cadnant ddim yn teimlo'n rhy dda, ditectif, a cyn i fi ga'l cyfla i ffilmio David Beckham a'r ffermwr buddugol mi –"

"Dalwch sownd. David Beckham?"

"O, sori, ditectif. Buwch."

"Buwch?"

"Ma hi'n stori hir."

"Cariwch mlan."

"Reit, wel, mi lewygodd o."

"Pwy? David Beckham?"

"Na. Robat Cadnant. A mi ddudis i y byddwn i'n mynd ag o adra."

"Nid i'r ysbyty?"

"O'dd o'n gwrthod yn lân, ditectif. Ac a deud y gwir, mi o'dd o weld yn well. O'dd o isho mynd adra'n syth medda fo. A fo o'dd y bos felly –"

"Felly, chi'n cyrraedd ei gartre yn 1, Channel Terrace a chi'n helpu fe i'r gwely?"

"Wel, dim cweit."

"Dim... cweit?"

"Na, 'dach chi'n gweld, ditectif, do'dd dim golwg rhy dda arno pan 'nes i adal o yn y tŷ, ac mi o'dd o reit sigledig ar ei draed, ond o'dd o'n benderfynol o fynd i'r gwely ar ei ben ei hun heb unrhyw fath o help – ryw gymeriad eitha styfnig o'dd o erioed mae'n debyg – felly dyma fi'n 'i adal o. Dwi'n difaru'n enaid 'ŵan, wrth gwrs."

"Felly be chi'n feddwl ddigwyddodd iddo fe?"

"Dwi ddim yn siŵr, ditectif. Ar ôl i mi fynd mae'n rhaid bod o wedi codi i neud panad o de neu rwbath. Ma'n rhaid 'i fod o wedi baglu, disgyn lawr y grisiau a hitio'i ben yn erbyn y bwrdd. Trasiedi, ditectif. Damwain erchyll. A cholled fawr i'r genedl wrth gwrs."

⋆ ⋆ ⋆ ⋆

Yn sydyn mae'r ffôn yn y stafell ffrynt yn canu a dwi bron iawn â neidio allan o 'nghroen! Dwi nôl yn y byd go iawn.

"Shit!"

Ma'r ffôn ar fwrdd bach gyferbyn â hen soffa ledr ac, ar ôl pedwar caniad, ma'r peiriant ateb yn dod ymlaen a dwi'n cael sioc wrth glywed llais Robat Cadnant o'r tu hwnt i'r bedd –

"Helo, 'dach chi'n siarad â gwasanaeth ateb Robat Cadnant. Mae'n ddrwg iawn gen i 'mod i ddim yma ond, wrth gwrs, ma croeso i chi adael negas ar ôl y tôn."

Biiiiip.

Does 'na'm negas ond, o be dwi'n glywed, ma pwy bynnag sydd ar ochor arall y ffôn yn swnio fel eu bod nhw mewn car. Dwi'n clywed sŵn injan ac wedyn ma'r alwad yn cael ei difa.

Dwi'n sbio rownd yr ystafell. Mae'n reit drist gweld llyfr Agatha Christie yn gorwedd ar y bwrdd coffi hefo darn o gerdyn yn nodi'r ffaith fod Robat Cadnant druan wedi hanner ei ddarllen. Y cradur. Rŵan neith o byth ffendio allan pwy 'naeth.

Yn y cwpwrdd mawr wrth ymyl y teledu ma 'na res o hen

luniau. Y llun mwyaf ydi un du a gwyn o Gapten Cadnant yn ei wisg enwog hefo Ifan y parot ar ei ysgwydd. Llun cyhoeddusrwydd mae'n amlwg – wedi cael ei dynnu mewn stiwdio broffesiynol a hefo HTV yn talu. Ma'r llunia eraill yn fwy amaturaidd a chyffredin. Llun o Robat Cadnant a'i wraig ar eu gwylia yn rwla poeth. Sbaen falla? Majorca? Ma'r ddau'n gwisgo sbectol haul ac ma gen Robat Cadnant hances wedi ei lapio rownd ei ben. Wedyn llun o Mrs Cadnant yn yr ardd yn plygu dros drefniant lliwgar o flodau. O weld yr olwg syn ar ei hwyneb, dwi'n tybio falla fod Robat yn teimlo'n ddireidus ac wedi galw ei henw heb iddi fod yn ymwybodol fod y camera yno'n barod. Un hoff o driciau fu'r hen Gapten erioed.

Yn y llun olaf dwi'n gweld Robat Cadnant yn eithaf diweddar. Mae o'n eistedd hefo'i wraig ar fainc wrth ymyl y môr yn rwla ar ddiwrnod oer a gaeafol. Yn y llun trist yma ma Mrs Cadnant yn edrych yn dena ac yn wael ofnadwy – y cancr yn tyllu trwy ei chorff a hithau rŵan jyst yn disgwyl. Fo hefyd. Y ddau ohonyn nhw. Fatha 'sa nhw'n disgwyl am fws i rwla diflas.

Bethesda falla.

Dwi ar fin troi i fynd ond wedyn ma 'na rwbath yn dal fy sylw. Ma golau coch y peiriant ateb yn wincio.

Dwi'n pwyso'r bwtwm.

Wel, dyna be fasa hen gymeriad pedantig fatha Robat wedi ei wneud. Sâl neu beidio.

"One new message. Message received today at 7.45pm."

Biiiip –

"Helo Robat, Duvka sydd yma, ie? Mae gwraig Irfon wedi fy ffonio ac wedi gadael neges i ddweud 'i fod e wedi mynd â chi gitre achos 'ych bod yn wael, ie? Wel, dwi ar y ffordd i Gaerdydd heno a meddwl base hi'n syniad da i mi alw heibio gynte, ie? Jest i wneud yn siŵr fod bob dim yn iawn neu os chi angen rhywbeth, ie? Wi'n gwbod pa mor anghysbell y'ch chi yna yn Channel Terrace! Dyle fi fod 'na tua naw. Ffonwch fi, iawn, os chi ddim angen fi ddod cofiwch! Hwyl am y tro!"

"Shit!"

Ma'r cloc mawr yn y fynedfa newydd ddechrau taro. Mae'n naw o'r gloch!

"Shit!"

Tu allan, ma 'na sŵn car yn parcio. Dwi'n rhuthro at y ffenest ac wrth i mi sbecian trwy'r cyrtans dwi'n gweld Duvka Llew yn camu allan o'i MG glas. Dwi'n ei gweld hi'n sbio'n od ar y ffaith fod fy Ford Granada tu allan.

Ac ar y ffaith fod y bŵt yn agored.

Dwi'n cau'r llenni.

"Ffyc!"

Does 'na mond un peth i'w wneud.

# Plan B

Dwi dan y gwely. Gwely Robat Cadnant. Reit wrth ymyl pot piso hen ffasiwn. (Pot sy'n ddychrynllyd o llawn.) Wedyn, lawr grisiau, dwi'n clywed y drws mawr du yn gwichian ar agor. Sŵn sodlau uchel yn clecian. Ac yn stopio. Wedyn –

"Helo? Robat? Irfon?"

Irfon? Pam uffar ma Duvka Llew yn galw fy enw i? Ac wedyn dwi'n sylweddoli. Wrth gwrs, y ffŵl – y Ford Granada tu allan!

Ma Plan A yn dechrau chwalu.

Yn sydyn, sgrech a geiriau diarth yn yr iaith Bwyleg wrth i Duvka sylwi fod corff Robat Cadnant yn gorwedd ar waelod y grisiau. Ma'r sodlau uchel yn clopian drosodd ato fo.

"Robat! O mój Boże! Co się stało? 'Dach chi'n iawn? Robat?"

Wedyn sgrech arall wrth i Duvka Llew sylweddoli fod Robat Cadnant wedi marw. Dwi'n clywed ei bysedd yn tapio'r Blackberry dair gwaith –

999.

"Helo... ambiwlans plis. A'r heddlu... 1, Channel Terrace. Duvka. D-U-V-K-A. O mój Boże! Fedrwch chi frysio plis? Dwi'n meddwl fod o wedi marw, ie?!"

Wel, dyna ni. Ma Plan A yn deilchion. Amser i gysidro Plan B. Ond wrth gwrs, does ond un broblem hefo hynny.

Does 'na ddim Plan B!

Ac wedyn, i wneud petha'n waeth... ma'r ffôn yn canu yn fy mhoced.

Mor uchel â chloc larwm.

* * * *

Dwi ddim yn arbenigwr ar sgidia merched o gwbl ond mi fedra i ddweud – heb unrhyw amheuaeth – fod Duvka Llew yn gwisgo pâr o sodlau uchel du. Sodla uchel du hefo ryw fath o fwcl arian ar y top.

"Irfon?" mae'n galw, braidd yn ansicr. "Wyt ti yma?"

Ma'r sgidia sodla uchel du (hefo'r bwcl arian) yn clopian drosodd i ben draw'r ystafell ac ma dwylo anweledig Duvka yn agor y wardrob. Ma hi'n ochneidio. Ma hi'n cau'r drws ac yn troi i adael. Dwi ar fin diolch i Dduw unwaith eto mod i wedi llwyddo i ddiffodd y ffôn mewn pryd ond wedyn ma Duvka yn disgyn ar ei gliniau ac yn sbio dan y gwely.

"Irfon?" medda hi gan edrych arna i'n syn. "Be ti'n wneud dan y gwely, ie?"

Rŵan, ma 'na lot o bobol wedi gofyn cwestiyna eithaf anodd i mi yn ystod fy mywyd, cwestiyna sydd bron yn amhosib i'w hatab. "Pam 'dach chi isho'r job 'ma?" "Be ydi prifddinas Venezuela?" "Chocled ta fanila?" Ond, chwara teg, ma Duvka Llew newydd ofyn yr ora eto.

Dwi'n sleidio allan o dan y gwely fel mecanic.

"Irfon, ti'n gwbod fod Robat Cadnant yn gorwedd yn farw ar waelod y grisiau, ie?"

"Yndw."

"Ond, Irfon... sai'n deall."

O diar. Ma Duvka yn dechrau camu yn ôl rŵan ac ma 'na olwg ofnus ar ei hwyneb. Wedyn ma'r gwirionedd yn ei tharo fel macrell oer ar draws ei bochau.

"Ti!" medda hi. "I nie wierzę w to! Ti laddodd e, ontife?"

"Na, Duvka! Nid fi!"

"Ond... os nad ti... *pwy* te?"

Erbyn hyn mi rydan ni allan ar y landing ac ma Duvka Llew yn dal i gamu wysg ei chefn yn ôl tuag at y grisiau. Mae'n dal y Blackberry i fyny fel gwn. Ac ma hi ofn.

"Wi wedi galw'r heddlu, Irfon, ie?"

"Do, dwi'n gwbod."

"Ma nhw'n dod nawr."

"Glywish i."

Falla fod sgidia sodla uchel (hefo bwcl bach arian) yn grêt ar gyfer Milan neu Baris ond ma nhw'n bell o fod yn ddelfrydol mewn hen dŷ fel hwn. Ma 'na lot o dylla rhwng y planciau pren ar y llawr.

"Bydda'n ofalus, Duvka."

"Ti'n bygwth fi, Irfon?"

"Nachdw siŵr... jyst deud gwatshia dy hun."

"Gwatsho fy hunan?"

"Ia, rhag ofn i ti... ddisgyn."

"Be? Yn gwmws fel gwnaeth Robat Cadnant ddisgyn, ie? To jest straszne! Beth ddigwyddodd fan hyn, Irfon? O ddifri nawr!"

"Damwain, Duvka."

"Damwain?"

"Damwain, ia... Duvka... bydda'n ofalus... gwatshia dy hun achos ma –"

Ma be sy'n dilyn fel tasa fo'n digwydd yn slo-môshyn.

Ma Duvka Llew yn simsanu ar dop y grisiau, ma'i breichiau hi'n chwifio er mwyn trio cadw rhyw fath o gydbwysedd. Ma un o'r sgidia sodla uchel (hefo'r bwcl bach arian) wedi mynd yn sownd mewn twll rhwng dau o'r planciau pren...

... dwi'n ymestyn fy mraich i drio'i dal hi...

... ma Duvka'n sgrechian rwbath annealladwy yn yr iaith Bwyleg ac yn trio fy stopio rhag dŵad yn agosach...

... a dyna pryd dwi'n baglu a disgyn yn ei herbyn.

Ma Duvka Llew yn disgyn yn ôl lawr y grisiau â'i llygaid masgara panda yn syllu arna i mewn mynegiant o arswyd pur wrth iddi syrthio'n glatsh ar lawr caled y fynedfa – reit wrth ymyl Robat Cadnant.

Ma'r gwaed yn ffurfio yn araf fel coron goch o amgylch ei phen.

# Plan C

Yn ôl pob sôn, ma arbenigwyr seicoleg dros y byd – o Aberystwyth i Dimbyctŵ – i gyd yn cytuno mai'r peth gwaethaf fedar person ei wneud mewn argyfwng neu ar ôl unrhyw fath o ddamwain ydi ildio i'r llais bach yna yn y pen sy'n sgrechian "Rheda... rheda!"

Ia, wel. Y cyfan sgen i i'w ddweud i hynna ydi hyn. Ffyc off seicolegwyr.

Dwi'n rhedeg lawr y grisiau. Dwi'n rhedeg ar hyd y cyntedd. Dwi'n rhedeg allan o'r tŷ ar hyd y llwybr. Dwi'n rhedeg at y car.

Yn y pellter dwi'n gweld goleuadau'n fflachio fel mellt a seirans yn sgrechian fel cathod dieflig o uffern. Ma'r heddlu ar eu ffordd.

"O blydi hel!"

Dwi'n stryffaglu am oriad y Ford Granada yn fy mhocad ond y cwbl dwi'n ffendio ydi hanner paced o Halls Mentho-Lyptus Extra Strong, pelan galad o dishw, saith deg naw ceiniog mewn arian mân a thri phlectrwm. Erbyn hyn ma'r seirans yn agosach ac ma'r goleuadau'n fwy llachar. Ma ceir yr heddlu wedi troi am lôn gul Channel Terrace – yr unig ffordd i mewn. Tu ôl i mi ma Môr Hafren yn rhuo. I'r chwith... caeau. I'r dde... tylluan. Does 'na'm dihangfa.

Oni bai mod i'n ffansi nofio i Weston-super-Mare.

Wedyn dwi'n cofio fod y goriad yn y Ford Granada yn barod. Wrth gwrs 'i fod o! Y ffŵl! Dwi'n troi ac, am eiliad ddychrynllyd, dwi'n meddwl falla na fydd injan anwadal y Ford Granada yn cychwyn. Dyna be fasa wedi digwydd mewn ffilm Americanaidd ac, o weld y copars yn agosáu, mi faswn i wedi gwneud yr unig beth oedd yn bosib dan yr amgylchiadau –

Estyn y Colt o'r silff fenig a saethu pawb.

Ond, diolch byth, ma'r Ford Granada o 'mhlaid i.

"Paid â phoeni," mae o'n dweud, "dwi'n dallt dy fod ti mewn tipyn bach o bicil ar hyn o bryd ond dwi 'rioed wedi dy siomi di yn naddo? A dwi'm am ddechra rŵan. Ddim mewn argyfwng fel hyn. Dyna pam dwi wedi cychwyn tro cynta i chdi, ti'n gweld. A dyna pam ma fy injan i rŵan yn dy gario di ar hyd y trac 'ma tuag at adra. Dal dy afal ar yr olwyn yna, Irfon bach, a fydda ni yn hafan saff a chlyd Treganna cyn i chdi allu deud 'siriyl culyr'."

Yn y drych dwi'n sylwi fod Sarjant Rowland Thomas yn ei ôl. Mae o'n gwenu arna i. Ac yn wincio.

"Cadwa dy ben."

Wrth gwrs, dwi'n hynod o falch fod y Ford Granada yn ffrind ac yn barod i wneud ei ora i 'nhywys i adra ond, er ei fod o'n ffyddlon, mae o hefyd mor dwp â mul ar draeth Porthcawl achos rŵan dwi'n sylweddoli'n syth fod 'na broblem – 'dan ni'n teithio'n syth at yr heddlu ar hyd y trac!

Ma goleuadau'r ceir panda yn crafu'r llwyni fel ffyn. Ma'r ffordd o fy mlaen yn droellog, yn gul ac yn wyllt a dwi'n bownsio yn fy sedd fel gyrrwr rali. Os garia i mlaen, mewn dau gan llath mi fydda i'n syllu i wyneb blin y car panda cyntaf. Bydd 'na ddryswch o walkie-talkies a radios ac wedyn fydd 'na blisman yn gweiddi arna i i ddod allan o'r car. Fydda nhw bownd o ofyn cwestiyna anodd fatha "Be 'dach chi'n neud? Lle 'dach chi'n mynd?"

Ond wedyn, o nunlla… iachawdwriaeth!

Ma goleuadau'r Ford Granada yn taro ar giât agored sy'n

arwain i gae tywyll a chysegredig. Dwi'n troi oddi ar y lôn, diffodd yr injan a'r goleuadau a chrogi'r handbrêc. O fewn eiliadau ma'r ceir panda'n pasio gan lithro dros y mwd a'r cerrig mân – y walkie-talkies yn siffrwd ac yn bib-bibian…

… ac wedyn yn pylu.

"Da iawn chdi, Irfon," medda'r Sarjant yn y sêt gefn. "Ti 'di cadw dy ben yli."

A hefo hynna mae o'n toddi yn ôl i'r tywyllwch fel cysgod.

Dwi'n disgwyl am bum munud cyfan cyn dechrau'r injan.

"Ty'd," medda fi'n dawel gan redeg fy llaw ar hyd olwyn y Ford Granada, "amser mynd adra."

* * * *

Ma Michelle yn y cyntedd yn disgwyl amdana i.

"Lle ti 'di bod?"

"Sori, Michelle… stori hir."

"Dwi 'di gorfod canslo Mike a Janine a ma'r hogan Bwylaidd 'na – Duvka – wedi bod yn haslo fi ar y ffôn trw'r nos!"

"Ia, wel, fydd hi ddim ar y ffôn eto," medda fi dan fy ngwynt. Dwi'n gollwng y bagiau Tesco a thynnu fy siaced a'i hongian. Ma 'mhen i'n troi a dwi angen diod. Rwbath oer a hynod o gryf. Wrth glywed y poteli Stella yn tincial fel clychau wrth i mi eu gollwng ar lawr, dwi'n llyfu fy ngwefus. Ond cyn i mi gael siawns i symud ma Michelle o mlaen i fel aelod o'r SS.

"Wel? Ti am ddeud 'tha fi ta be?"

"Deud be?"

"Paid â malu, Irfon. Ti'n gwbod be!"

Dwi'n ochneidio'n ddwfn.

Dweud celwydd.

"Gwranda, Michelle, o'n i am fynd â Robat i'r ysbyty ond wedyn o'dd o'n teimlo'n well. O'dd o'n mynnu fod o isho mynd adra a phwy dwi i ddadla efo fo, iawn? Es i ar goll ar y ffordd yn ôl ond o'n i'n marw isho diod a… wel… rŵan dwi'n nacyrd."

Dwi'n sbio i fyny'n araf i weld os ydi hi wedi llyncu'r stori. Do. Ma hi'n gwenu. Wedyn, yn well byth, ma hi'n rhedeg ei llaw trwy fy ngwallt.

"Dim *rhy* nacyrd gobeithio. O, Irfon Thomas druan. Y Samariad Trugarog. Ty'd yma." Mae'n rhoi cusan dyner ac awgrymog ar ochor fy moch. "'Di hynna'n well?"

"Yndi. Diolch."

"Ty'd," medda hi gan gydio yn fy llaw, "gad i mi ddangos i chdi be ma hogia da yn gael."

Wrth i Michelle fy nhywys i fyny'r grisiau dwi'n digwydd sbio allan drwy'r ffenest. Ma'r glaw yn disgyn yn drwm. Mae Sarjant Rowland Thomas yn wincio arna i o sêt gefn y Ford Granada.

Ac ma'r bŵt yn dal ar agor.

Fel ceg hipopotamws.

# Ffrindiau

Pan gafodd angladd Duvka Llewelyn-Sion ei darlledu'n fyw o Eglwys Gadeiriol Llandaf ar S4/C fis yn ddiweddarach, mi fachodd y seremoni un o'r cynulleidfaoedd gora yn hanes y sianel. Dros wyth can mil! Oedd, mi oedd y siwts ym Mharc Tŷ Glas yn gwenu fel giatiau drwy eu dagrau. Yn sgil hyn, y jôc dywyll a di-chwaeth oedd yn cylchdroi yn y coridorau cyfryngol Cymreig oedd bod enwogion teledu'r genedl yn uffernol o nerfus achos bod S4/C rŵan yn awchu am angladd seleb arall er mwyn cynnal y ffigyrau hyn.

Be welodd yr wyth can mil yma ar fore Sadwrn llwm a glawog oedd gorymdaith drist ac araf drwy strydoedd Llandaf. Cafodd arch Duvka ei thywys i'r Eglwys Gadeiriol gan bedwar ceffyl gwyn ac urddasol hefo pluen fawr ddu yn codi o ben pob un ohonynt. Roedd yr arch ei hun yn anferthol ac roedd 'na flodau gwyn ar yr ochor yn sillafu'r enw 'D-U-V-K-A'. Ac wedyn, yn ei mamiaith, 'nasz piękny anioł' – 'ein hangel hyfryd' – mewn rhosod coch a gwyn. Oedd wir, mi oedd gwerthwyr blodau Caerdydd wedi gwneud ffortiwn achos roedd y bouquets yn glanio ym mhobman – o flaen yr orymdaith... ar ei hôl... oedd rhai hyd yn oed yn glanio ar y ceffylau a'r plismyn a'r trefnwyr angladdau. Roedd hi bron iawn fel angladd Diana.

Neu JFK.

Yn dilyn yr angladd mi oedd 'na gyfres o raglenni teyrnged ar S4/C a BBC Cymru yn clodfori'r angel fach Bwylaidd-Gymreig, ac ymhen diwrnodau roedd yna rifyn arbennig o *Golwg* wedi ei lunio yn ogystal â chyfrol gan y

Lolfa yn llawn teyrngedau a cherddi gan rai o fawrion y genedl.

Yn y cyfamser mi gafodd Robat Cadnant ei gladdu mewn seremoni dawel yng Nghapel yr Annibynwyr ger Llanfairfechan. Heblaw am griw bach ohonom ni o'r swyddfa, doedd 'na neb yna bron. Dim ond un dyn o'r *Daily Post*. Ac unig ddiddordeb hwnnw oedd holi Hefin Llan pa ddyfodol rŵan i *Trwy Lygaid Duvka*.

* * * *

Hunllefau.

Bob nos.

Ceffylau gwyllt yn fy nghipio o'r gwely ac yn fy nhywys drwy uffern. Robat Cadnant a Duvka Llew tu ôl i mi. Yn dal i fyny… yn dal i fyny…

"Na!!!"

Dwi'n saethu i fyny yn y gwely. Nesa ata i ma Michelle yn chwyrnu'n dawel. Dwi'n edrych ar y cloc.

3.20.

Dwi'n gorwedd yn ôl. Isho cysgu.

Fy llygaid ar agor.

Ofn cysgu.

* * * *

"Be sy'n bod arna chdi? Ffycin hel, ti 'di gweld dy lygaid? Dwi 'di gweld bagia llai yn ffenast John Lewis!"

Ma Michelle yn iawn. Dwi'n edrych yn y drych gyferbyn â'r oergell yn y gegin a dwi'n cael fy atgoffa o wynebau milwyr oedd newydd oroesi'r Somme.

"Ti 'di ffonio Kev?"

"Do," medda fi (er mod i heb), "mae o am ffonio nôl."

Ma Michelle yn nodio. Wedyn mae'n rhoi'r bowlen muesli i lawr ac yn dod ata i a 'nghofleidio i, gan redeg ei dwylo trwy fy ngwallt yn dyner.

"Hei," medda hi, "mae'n bwysig i chdi fynd allan hefo ffrindia a ballu. Dyna ddudodd y seiciatrydd yn de? I gael gwarad o'r breuddwydion cas 'na."

"Dwi'n gwbod."

"Nath Kev ddeud pryd fasa fo'n dy ffonio di?"

"Yn fuan," medda fi dros ei hysgwydd – a gan weld fy ngwyneb euog yn y drych. "Yn fuan."

★ ★ ★ ★

'Dach chi'n gwybod sut ma petha. Ma misoedd – a hyd yn oed blynyddoedd weithia – yn mynd heibio heb i chi weld hen ffrind ond, un noson, 'dach chi'n digwydd taro arno'n annisgwyl a, rywsut neu'i gilydd, ma fel tasa'r holl amser yna heb ei bresenoldeb yn diflannu mewn eiliad ac ma pob dim fel oedd hi ers talwm.

Wel, dyna be ddigwyddodd wrth i mi adael y Llew Du tua phythefnos ar ôl angladd Robat Cadnant. O'n i wedi bod allan yn gwatshiad Man U yn y Champions League ac wedi suddo sawl peint o Strongbow (fel oedd 'Doctor' Michelle wedi awgrymu i drio esmwytho dipyn ar be oedd hi wedi sylwi oedd fy 'anniddigrwydd' a fy 'mhryder cyffredinol' yn ddiweddar) ac mi o'n i jyst yn troi i mewn i Stryd Sneyd pan glywais i sŵn traed yn rhedeg ac yn agosáu tu ôl i mi. Rŵan, ma'r rhan yna o Bontcanna yn eithaf saff a moethus ac rydach chi'n fwy tebygol o gael eich taro gan sach o lentils o'r siop bwyd iach, neu gan stampîd o actorion Cymraeg ar y ffordd i wrandawiad *Pobol y Cwm*, na chan ymosodiad gan griw o hwdis unsill. Felly doeddwn i ddim yn *rhy* bryderus ond, serch hynny, ma raid i mi gyfadda mod i wedi dechra cyflymu tipyn bach. Wedi'r cyfan, does nunlla yn y brifddinas yn hollol saff a doeddwn i ddim yn ffansïo bod yn eitem ar *Crimewatch UK* y mis canlynol (dim ots pa mor desbryt ydi actorion Cymru am waith).

Yn sydyn ma 'na law ar fy ysgwydd a dyma fi'n stopio. Ac mi stopiodd fy nghalon hefyd.

"The wallet's in my top pocket," medda fi heb droi rownd, "but there's nothing much in it. Strongbow's three twenty a pint in the Black Lion."

Y peth nesaf dwi'n glywad ydi rhywun yn gwichian chwerthin fel hen ddyn. Ac wedyn llais cyfarwydd.

Yn siarad Cymraeg.

"Irfon," medda fo, yn swnio yn union fel fersiwn Deiniolen o Meic Stevens neu Shane MacGowan. "O'n i'n meddwl mai chdi o'dd o, man."

Dwi'n troi rownd. Wedyn yn araf bach – o dan y locsyn bratiog a'r het cossack – dwi'n 'i nabod o.

"Sdim!" medda fi, yn hanner balch mod i ddim am gael fy lladd yn y stryd am gynnwys fy walet (£6.41). "Hei, dwi'm 'di dy weld di ers oes! Lle ti 'di bod?"

Reit, mi ddudish i 'hanner balch', reit? Wel, y rheswm am yr 'hanner' oedd hyn – ocê, falla mod i ddim am gael fy mygio… ond rŵan o'n i'n styc hefo Sdim. O'n i'n desbryt i ffendio ffordd allan o'r sefyllfa mor sydyn ag oedd yn bosib. Mi oedd sgwrs hefo Sdim yn debygol o gymryd oria.

Dyddia.

Ac mi oedda nhw bob tro'n gorffan hefo fo'n pledio am rwla i aros.

"O, dwi 'di bod yma ac acw, man," medda fo gan danio rôli. "Beirut, Fietnam."

"Ti 'di meddwl trio Dinas Dinlla erioed?"

Mae o'n gwichian chwerthin eto.

"Ia, man. Un ffyni oeddat ti 'rioed. Ond na, man, rhan fwya o'r amsar dwi 'di bod yn aros hefo Buzbi – ti'n cofio Buzbi, man? Hen bydi i mi yn Llanelli. Ond mae o 'di ca'l y bŵt gin Housing Benefit, man, felly dyma fi ar y stryd eto. Yn y cach. I fod yn onast, ddo, dwi'n falch o fod o'r lle. Ma Llanelli'n gymaint o dymp, man."

Mae o'n tynnu'n galed ar y rôli a dwi'n cymryd mantais o'r seibiant i symud i ffwrdd mor urddasol ag y medra i.

"Hei, sori i glywad, Sdim. Gwranda, 'swn i'n licio helpu – ti'n gwbod hynna – ond... wel... sgin i'm lot o le yn y tŷ... yn enwedig hefo'r ci a bob dim."

Mae o'n edrych i fyny o'r rôli.

"Ma gen ti gi, man? Be 'di enw fo?"

"Ym..." Dwi'n trio dychmygu ci yn aros amdana i yn ôl yn y tŷ, clustia fel Batman, ei gynffon yn taro bît 4/4 ar y llawr. "Trefor."

Ma Sdim yn meddwl am y peth am eiliad. Mae o'n nodio. Be ffwc oedd ar fy meddwl i? Trefor?

"Licio fo, man. Trefor. Wel cŵl."

"Wel, ti'n gwbod," medda fi gan symud yn ôl dipyn bach eto a sbio ar fy wats. "Dwi'n trio bod yn... wahanol."

"Ie, man," medda Sdim gan chwerthin eto fel Harold Steptoe a rhoi ei fraich ar fy ysgwydd, "dwi'n cofio fel oedda chdi yn yr ysgol, dŵd."

"Cweit. Yli, Sdim, ma 'di bod yn grêt dy weld di a –"

"Ia, man, a ti ia?"

Mae o'n cydio yn fy llaw ac yn ei hysgwyd yn frwdfrydig. Lot rhy ffycin frwdfrydig. Ac wedyn mae o'n plygu mlaen ac yn cydio yndda i mewn man-hug ac ma'r agosatrwydd sydyn yn creu coctel dieflig o ogleuon sy'n taro fy nhrwyn fel tsunami o uffern – chwys, mwg, alcohol… a rwbath arall… o ia… ogla piso.

"Gwranda, man," medda fo gan edrych dros ei ysgwydd fel tasa 'na rywun ar ei ôl (ac, o nabod Sdim, mi *oedd* yna debyg iawn), "anrheg fach ia?"

Mae o'n rhoi bag bach plastig yn fy llaw ac yn wincio.

"Be 'di hwn?" medda fi. Dwi ar fin ei agor ond ma menig Sdim yn fy stopio.

"Dim rŵan, man," medda fo gan edrych dros ei ysgwydd eto. "Aros tan ei di adra. Jyst rwbath bach, man. Dwi'n sylwi bo chdi'n stressed out, ia? Ma 'na rwbath ar dy feddwl di, man – dwi'n nabod y signs. Trystia fi, man. Dwi 'di bod 'na fy hun."

"Dwi'n iawn, Sdim. O ddifri."

Ond ma Sdim yn gwybod. Mae o'n ddoeth fel Gandalf ac yn sydyn dwi'n dechra teimlo'n fach ac yn fregus.

Fel Hobbit.

Mae o'n gwenu ac yn tapio ochor ei drwyn.

"Rhywbeth bach i dy helpu di, man. 'Di'm yn iawn gweld dyn yn dod adra o'r dafarn ar ben ei hun. O, a cofia fi at Trefor, ia?"

Mae o'n wincio. Ac yn giglo.

"Trefor?"

"Dy ffycin gi, man!" medda fo gan roi dyrniad chwareus i 'mol. A hefo hynny ma Sdim yn croesi'r lôn ac yn camu lawr tuag at brif stryd Treganna gan chwibanu.

'Tocyn' dwi'n meddwl. Gan Brân.

⋆ ⋆ ⋆ ⋆

"Wel?"

"Wel be?"

"Sut o'dd Kev?"

Ma Michelle yn troi rownd o'r teciall yn y gegin ac yn gwthio Pushkin i'r llawr fel clwt.

"O... iawn," medda fi gan dynnu fy esgid, "llawn crap fel arfar."

"Nath o ddeud sut o'dd Dwynwen ar ôl ei thriniaeth?"

"Na," medda fi gan dynnu'r esgid arall, "nath o'm sôn."

"Dynion," medda Michelle gan rowlio ei llygaid yn chwareus, "am be uffar 'dach chi'n siarad 'dwch? Ond 'na fo. O feddwl am y peth, ella fod Kev isho brêc bach hefyd. Pwy enillodd?"

"O," medda fi wrth i'r gath bwdlyd weu ei ffordd rhwng fy nghoesau a mewian. "Man U. One-nil. Rooney. Penalti."

"Gormod o wybodaeth," medda Michelle, "ond o'n i'n meddwl os o'dd 'na extra time wedi bod. Am fod chdi'n hwyr."

Ma hi'n rhoi'r cwdyn te yn y sach ailgylchu ac yn estyn digestive siocled o'r cwpwrdd.

"'Nes i daro ar hen ffrind ar y ffordd adra. Dwi'm 'di weld o ers blynyddoedd. O'n i'n arfar bod yn yr ysgol hefo fo."

"O ia? Pwy 'lly?"

"Sdim."

Ma Michelle yn troi rownd.

"Sdim?"

"John Killen. Ond 'Sdim' o'dd pawb yn 'i alw fo."

"Pam Sdim?"

"Dwi'm yn gwbod. Sdim clem."

"Doniol iawn." Wedyn, ar ôl seibiant. "Wel? Nath o weithio?"

Dwi'n codi Pushkin ac yn rhoi mwytha iddo fo dan ei ên.

"Nath be weithio?"

Ma Michelle yn ochneidio yn ddifynadd.

"Mynd allan, Irfon. Mynd o'r ffycin tŷ 'ma er mwyn i chdi ga'l ymlacio dipyn! Dwn i ddim be sy'n bod arna chdi yn ddiweddar. Ti'n cerddad rownd y blydi lle 'ma fel zombie!"

"O," medda fi gan wenu. "Do. Do, mi nath o weithio."

"Falch o glywad," medda Michelle yn eitha amheus a cherdded heibio hefo'i phaned. Ma Pushkin yn neidio o fy mreichia a'i dilyn gan obeithio cael briwsionyn o fisged.

⋆ ⋆ ⋆ ⋆

Tra bod Michelle yn gwylio *Sex and the City* lawr grisia dwi'n ista yn y tŷ bach ac yn agor y bag bach plastig. Yn y gwaelod ma 'na becyn bach wedi ei lapio mewn papur brown. Dwi'n 'i agor o ac ma 'na lwch gwyn, blawdiog yn lliwio blaenau fy mysedd. Dwi'n 'i adnabod o'n syth.

Ma 'nghalon i'n dechra curo. Er mod i ar fy mhen fy hun (yn amlwg!) dwi'n edrych dros fy ysgwydd. Wedyn, dwi'n tynnu'r bleind i lawr a gwlychu blaen fy mys, ei ddabio yn y powdr… a'i flasu.

Dwi'n cau fy llygaid.

Mae o mor felys. Gwell na ffycin Strongbow. Gwell na chusan gan angel.

Wel helo, fy hen ffrind…

# Y cynnig

Wrth gwrs, roedd yr heddlu acw o fewn dyddia i'r drychineb yn gofyn cwestiyna i bawb yn swyddfeydd Cynyrchiadau Duvka. Ar ôl sefydlu canolfan archwilio dros dro tu fewn i un o'r stiwdios golygu, mi gafon ni ein galw fesul un yn nhrefn yr wyddor fel plant drwg mewn ysgol. Ceri oedd y gyntaf a thra oedd hi yno 'nes i 'ngora i edrych mor ddifater ag y medrwn i, ond doedd o ddim yn hawdd. Fi oedd y llofrudd wedi'r cyfan. Fi oedd yn euog. Fi oedd wedi lladd brenhines Cymru.

A Robat Cadnant.

Thomas o'n i. O'n i wedi astudio'r rhestr o enwau ar y drws ac wedi sylweddoli mai fi oedd y dwytha i gael fy ngalw. Oedd hi'n amhosib trio canolbwyntio ar fy ngwaith gan wybod fod y drws i'r stiwdio olygu'n mynd i agor cyn bo hir ac y byddai plisman yn fy ngalw.

"Fi sydd nesa sbo," medda Siân. "Wedyn ti."

"Ia."

"Ti'n teimlo'n iawn, Irfon?"

"Yndw. Grêt."

"Siân Rowlands," medda'r plisman o'r drws. "Ni'n barod nawr."

"Co ni," medda Siân, yn gwenu ato fo ac yn edrych mor bur a diniwed â Bambi. Ma hi'n codi i fynd. "Hei, Irfon, wi'n dishgwl galwad ffôn oddi wrth Dewi Pws. Ti'n fodlon cymryd neges?"

"Wrth gwrs. Dim problemo."

Ond gyntad ma Siân trwy'r drws dwi'n 'i heglu hi am y tŷ bach. Dwi'n agor y ciwbicl ac yn ei gloi. Yna dwi'n agor pecyn Sdim yn ofalus. Does 'na'm llawer ar ôl erbyn hyn. Briwsion. Ond ma 'na ddigon.

Am rŵan.

* * * *

"Hei, Siân, sut a'th hi ta?"

"Iawn sbo. Ffonodd Dewi Pws?"

Ma hi'n eistedd i lawr wrth y cyfrifiadur ac yn mynd trwy'r e-bost.

"Do," medda fi gan sbio ar y nodyn 'nes i sgriblo ar y darn papur o mlaen. "Ma pedwar o'r gloch fory yn Abertawe yn iawn medda fo."

"Grêt. Wna i sorto'r criw te."

Dwi'n gadael i eiliad neu ddwy basio. Wedyn...

"Be wnaetho nhw ofyn?"

Ma hi'n edrych i fyny am eiliad.

"Dim lot. A o'dd stalkers 'da Duvka. Math 'na o beth."

"O, a be ddudist ti?"

"Na. Sai'n credu ta beth."

Ma hi'n troi yn ôl at y sgrîn. Tu ôl i mi dwi'n ymwybodol o gysgod y plisman yn agosáu at ddrws y stiwdio olygu. Unrhyw eiliad rŵan mi fydd o'n agor ac mi fydd fy enw i yn cael ei alw.

"Wnaethon nhw ofyn rwbath arall, Siân?"

Ma hi'n meddwl.

"Wel, o'n nhw'n awyddus i wbod os o'dd rhywun wedi bod yn acto'n amheus."

"Amheus?"

"Ie. Yn y swyddfa."

"Yn y swyddfa? A be ddudist ti?"

"Wedes i na. Heblaw amdano ti."

"Fi?"

"Jôc, Irfon. Hei, ti'n jympi! Beth sy'n bod?"

"Dim byd," medda fi.

"Irfon Thomas," medda'r plisman. "Chi sydd nesa."

Dwi'n codi o'n sêt ond cyn i mi fedru troi rownd ma Hefin Llan yn sefyll o mlaen i. Mae o'n crymu ei ben ac yn gostwng ei lais.

"Gair sydyn."

"Dim rŵan, Hefin, dwi'n gorfod mynd i –"

Mae o'n sibrwd yn fy nghlust.

"Dwi'n gwbod y cyfan."

"Y... cyfan?"

Mae o'n gwenu'n slei.

"Ond paid â phoeni, ma dy gyfrinach di'n saff hefo fi."

"R-eit."

"Ar ôl i'r heddlu orffan hefo chdi ty'd ata i. Dwi'n awyddus i... sortio petha allan."

"Petha? Sut fath o betha?"

"Dwi'n siŵr fedrwn ni ddŵad i ryw... drefniant i siwtio ni'n dau. Ma gin i gynnig i ti."

"Be? An offer I can't refuse math o beth?"

Mae o'n gwenu ac yn rhoi ei law ar fy ysgwydd.

"Rwbath felna."

* * * *

Ma 'na ddau blisman yn eistedd wrth ymyl y ddesg gymysgu ac ma'r ddau yn eu chwedegau. Dwi'n dyfalu nad ydyn nhw erioed wedi delio hefo dim byd mwy difrifol na chi coll neu feic gafodd ei ddwyn yn ôl ym mil naw pump tri.

"Felly chi oedd y dwetha i weld Robat Cadnant, Mr Thomas?"

"Ia, offusyr. Oedda ni allan ar y ffordd i ffilmio eitem ac wedyn, yn sydyn, ddechreuodd o deimlo'n sâl. Yn naturiol, dan yr amgylchiada, naetho ni anghofio bob dim am ffilmio. Stopion ni am awyr iach. A lewygodd o – yn y fan a'r lle."

"Llew-wgu chi'n weud." Mae o'n clician ei feiro i sgwennu hyn i lawr yn ei lyfr poced. "Wi'n gwel'." Mae o'n troi at ei gyfaill. "Shwt chi'n sillafu 'llew-wgu'? Gydag 'u gwpan' ar y diwedd ynte 'i dot'?"

"U gwpan," medda'r plisman arall.

"Diolch. Felly athe chi â fe yn syth i'r ysbyty, Mr Thomas?"

"Wel, na. Ddoth o at 'i hun yn go handi. 'Lly, es i â fo adra."

"Gitre chi'n feddwl?"

"Gitre, ia. Dyna o'dd y peth gora i neud."

Ma'r plisman yn edrych arna i.

"Lle wnaetho chi drêno, Mr Thomas?"

"Trêno?"

"Fel meddyg."

"Dwi ddim yn feddyg, offusyr."

"A," medda'r plisman gan eistedd yn ôl a dad-glicio ei feiro mewn modd dramatig, Morse-aidd. "Wi'n gweld. Felly shwt y'ch chi'n gwbod mai mynd â Mr Cadnant gitre o'dd y peth gore i neud mewn gwirionedd?"

"Wel... o'n i jyst yn... meddwl... mai..."

Seibiant.

Ma'r geiriau yn hongian yn yr awyr fel adar bach tywyll, du... a dychrynllyd.

Wedyn ma'r plisman yn clicio ei feiro eto.

"Felly beth ddigwyddodd?"

Trwy lwc dwi wedi paratoi fel actor ar ei ffordd i wrandawiad.

"Wel, yn y car ar y ffordd yn ôl i Gaerdydd, nath o ddeud fod o isho mynd adra i'w wely felly, ar ôl i ni gyrradd, dyma fi'n helpu fo i'r drws. Wrth gwrs, 'nes i gynnig gneud panad iddo fo –"

"Dishgled chi'n feddwl?"

"Dishgled, ia. Sori." Ma'r plisman yn sgwennu hyn i lawr yn y llyfr poced. "Ond ro'dd o'n mynnu nad o'dd o angen dim byd. Dim asbrin, na ffisig. A'th o braidd yn flin a deud y gwir. Troi arna i a 'ngyrru i o'na... Be allwn i neud ond mynd?"

"Heb ffono ambiwlans, Mr Thomas?"

"O'dd o ddim isho achosi trafferth i neb medda fo."

"Wi'n gwel'. A wedyn beth?"

"Es i'n syth adra, offusyr."

"A weloch chi mo Duvka Llewelyn-Sion yn cyrraedd?"

"Naddo, offusyr."

Seibiant.

Ma'r geiriau'n cylchdroi yn yr awyr eto.

Yn araf...

Wedyn ma'r plisman yn clicio'i feiro.

"Dyna ni, Mr Thomas. Ni wedi cwpla. Chi'n rhydd i fynd." Mae o'n edrych arna i dros ei sbectol. "Os nag o's 'da chi rwbeth i ychwanegu i'ch datganiad, wrth gwrs."

Dwi mor hapus dwi bron â chwerthin.

"Nag oes, offusyr. Dim."

"Wel, diolch yn fowr."

"Ond..."

"Os rwbeth yn 'ych poeni chi, Mr Thomas?"

"Wel, na... ond... wel, o'n i'n meddwl ella fasa 'na... fforensics neu rwbath."

"Fforensics? Chi 'di bod yn gwylio gormod o deledu, Mr Thomas. So ni'n gallu fforddi fforensics. Dim nawr 'da'r toriade. A ma hwn yn open and shut case shwt bynnag. Dwy ddamwain drychinebus. Hen ŵr yn dishgyn lawr y stâr ac wedyn ffrind iddo'n cwmpo ar ôl i'w sowdl fynd yn sownd yn un o'r hen stylle 'na. Wi 'di weld e o'r bla'n. Sawl tro. Chi'n rhydd i fynd. Bore da, Mr Thomas."

"Grêt. Ym, be dwi'n feddwl ydi… bore da, offusyr."

⋆ ⋆ ⋆ ⋆

Ma Hefin Llan yn fy arwain i lawr y coridor ac i mewn i'w swyddfa sy'n edrych lawr dros faes parcio Cynyrchiadau Duvka. Mae o'n cau'r drws tu ôl iddo ac yn pwyso botwm ar ei ddesg i ddweud wrth Efa, ei ysgrifenyddes, atal bob galwad am yr hanner awr nesaf.

"Eistedda, Irfon."

Dwi'n ista. Mae o'n sbio arna i am eiliad. Wedyn mae o'n gwenu fel dyn drwg mewn ffilm James Bond.

"Dwi'n gwbod be sydd wedi digwydd hefo chdi, Irfon."

"O?" medda fi, fy llais yn cracio fel plisgyn wy.

"O yndw," medda Hefin Llan, a'i fysedd bellach yn driongl sinistr dan ei ên, "dwi'n gwbod y cyfan."

Ma fy ngheg mor sych â Death Valley.

"Reit."

"O'n i'n gwbod o'r munud cynta. Oedd hi mor amlwg. 'Nes i synnu fod neb arall wedi sylweddoli i ddeud y gwir."

Dwi'n crafu fy ngwddw ac yn pwyso ymlaen.

"A… b-be ti am neud am y peth? Wyt ti am ddeud wrth… yr heddlu?"

Yn sydyn ma 'na wên hollol wahanol yn taro gwyneb Hefin Llan, gwên ansicr.

"Yr heddlu? Iesgob, dwi'n siŵr fod 'na'm pwynt mynd i'r heddlu yn nago's? Dim hefo rwbath fel hyn."

"A reit," medda fi yn eistedd yn ôl rŵan ac yn nodio. "Dwi'n gweld. Blacmêl."

"Be?"

Dwi'n codi o'r sêt a symud at y drws.

"Wel, jyst i chdi ga'l gwbod, Hefin, sgin Michelle na fi ddim ffadan geiniog. Pam ti'n meddwl mod i'n styc yn y job goc yma? Felly os ti isho arian gynno ni ymuna â'r ciw. Ond jyst i chdi ga'l gwbod, ma Barclays a Lloyds TSB yna yn bell o dy flaen di."

Ma Hefin Llan wedi codi o'i sêt a dydi o ddim yn gwenu bellach.

"Dwi'm cweit yn dy... ddilyn... di, Irfon. Be ti'n drio ddeud?"

"Be dwi'n drio ddeud, chief, ydi bod ni'n skint. Capwt. Ffycd. Ma'n pocedi ni'n wag. Ma'r banc ar y ffôn. Sgynno ni ddim pres. Ti'n ffycin dallt rŵan? Fedra i neud o'n fwy clir i chdi?"

Ma Hefin Llan yn cerdded ata i. Mae o'n ysgwyd ei ben ac yn gwenu eto.

"Dwi'm ar ôl dy bres di, siŵr."

"Ti ddim? Wel... be *w't* ti isho ta?"

"Dwisho cynnig rwbath i chdi."

"Be?"

"Swydd."

"Swydd? Ond ma gin i swydd!"

"Oes," medda Hefin Llan gan roi ei law ar fy ysgwydd, "ond ddim y swydd wyt ti isho. O'n i'n gwbod o'r cychwyn. A dwi'n synnu fod neb arall wedi sylweddoli. Ma dy gyfla di wedi dŵad, Irfon. Y cyfla i neud y peth ddyla ti fod wedi neud o'r cychwyn cynta."

"O? Be felly?"

Ar hynny ma Hefin Llan yn agor drôr yn ei ddesg ac yn estyn tomen dew o bapura. Mae o'n eu gwthio nhw ata i dros y ddesg ac yn clicio ei feiro.

"Be 'di hwnna?" medda fi. "Paid â deud dy fod ti wedi bod yn sgwennu nofel yn dy oria gwaith? Gofalus rŵan. Ma hynna'n gross misconduct."

Mae o'n gwenu.

"Cytundeb ydi hwn."

"Cytundeb?"

"Ia, cytundeb wyth mis."

"Dwi'm yn dallt."

Ma Hefin Llan yn rhoi'r feiro yn fy llaw.

"Irfon, 'dan ni isho i chdi fod yn gyflwynydd newydd *Trwy Lygaid Duvka*."

## Sut i gael job fel cyflwynydd teledu

Does 'na ddim llwybr gyrfaol penodol ond, rhag ofn fod o'n rhywfaint o help, dyma i chi dri awgrym ar ddulliau sydd wedi bod yn llwyddiannus i mi'n bersonol dros y blynyddoedd.

1. Gweithiwch yn galed yn yr ysgol.
Sicrhewch gwpwl o lefelau A. Ewch i'r coleg (tu allan i Gymru yn ddelfrydol – ehangwch eich gorwelion). Gwnewch gwrs mewn rwbath heblaw Astudiaethau Cyfryngol. Ymgeisiwch am swydd hefo'r BBC neu un o'r cwmnïa annibynnol. Gweithiwch eich hun i fyny o fod yn gynorthwyydd yn y swyddfa i fod yn ymchwilydd. Yna croeswch eich bysedd a gobeithio – jyst gobeithio – fod y cynhyrchwyr yn mynd i sylwi arnoch chi pan ma nhw'n chwilio am gyflwynwyr newydd.

2. Treuliwch oria, dyddia, wythnosa yn creu CVs.
Gyrrwch nhw allan i gwmnïa ac wedyn, ar ôl tua pythefnos, rhowch ganiad jyst i ofyn oes 'na rywun wedi cael cyfle i'w ddarllen. 'Dach chi byth yn gwybod. Os oes gynno chi'r arian a'r adnoddau, be am greu showreel fach hefyd?

3. Gwnewch yn siŵr eich bod yn nabod rhywun.
Fedra i ddim pwysleisio yn ddigon cryf bwysigrwydd *nabod rhywun* yn y busnes. Dyna ydi un o'r ffyrdd gora i gael unrhyw swydd yn y byd cyfryngol. Os ydi'ch tad chi'n *nabod rhywun* gofynnwch iddo fo godi'r ffôn arnyn nhw. Rhan fwyaf o'r amser, dyna'r cyfan fydd angen. Wrth gwrs, mi

fydd 'na rigmarôl o orfod mynd i gyfweliad jyst i wneud petha edrych yn côshyr ond, i ddweud y gwir, os 'dach chi'n *nabod rhywun*, neu (yn fwy tebygol falla) os ydi'ch rhieni'n *nabod rhywun* hefo unrhyw fath o ddylanwad o fewn cwmni cyfryngau – 'dach chi fewn. Peidiwch â bod ofn defnyddio eich rhieni fel hyn. Dyna pam ma nhw yna. Ac ma nhw'n eich caru chi. Peidiwch byth ag anghofio hynny.

Wedyn, os nad ydi'r un o'r uchod yn gweithio, ma 'na un opsiwn arall. Opsiwn eithafol, ia, ond opsiwn hynod o effeithiol.

4. Lladdwch pwy bynnag sydd yna ar hyn o bryd a chymryd y job eich hun…

## Irfon, be 'di'r petha gora am fod yn gyflwynydd teledu?

Hawdd. Sdim rhaid i chi weithio.

Ia, dwi'n gwybod fod cyflwynwyr teledu yn 'dweud' fod cyflwyno yn waith calad ac yn gwneud iddi swnio fel tasa'r swydd yn gletach – ac yn bwysicach – na bod yn ddoctor neu'n wyddonydd rocedi, ond y gwir amdani ydi… a plis cadwch o'n weddol dawel neu fydd pawb o Ffostrasol i'r Fflint ar y ffôn yn fy haslo i am job… fod cyflwyno ar y teledu yn… *sssh*…

… hawdd.

A be sy'n dda hefyd, wrth gwrs, ydi nad oes rhaid i gyflwynwyr feddwl am Syniadau. Na, fel cyflwynydd, fedrwch chi fynd i gyfarfodydd Syniadau, bwyta llond plât o blyms a nodio'ch pen yn ddwys gan smalio 'ych bod chi'n meddwl am rwbath pwysig, tra bod pawb arall yn chwysu i drio plesio'r cynhyrchydd. Ac ar ôl y cyfarfod, fedrwch chi ddarllen y papur trw'r dydd, mynd allan i siopa, pori ar y we, sgwennu eich nofel – a neith neb 'ych stopio chi achos… 'dach chi'n gweld…

… *chi* ydi'r seren.

*Chi* ydi'r cyflwynydd.

*Chi* ydi'r rheswm ma pawb yn gwylio'r rhaglen.

*Chi* ydi'r person pwysica ar y tîm.

Dwi 'di sôn am y pres eto?

O ia. Y pres.

Faint o bres ma cyflwynwyr teledu yn gael? Wel…

… lot.

Gwrandwch, os fasa person gweddol gyffredin fel Mrs

Jones o Lannerch-y-medd neu Mr Probert o Bontypridd yn ffendio allan faint o arian mae'n bosib i rywun ennill jyst am siarad, gwenu a darllen yr ôto-ciw ar y teledu, fasa'r newyddion yn lledu o Lannerch-y-medd i Lanrug ac o Lanrug i lawr i Benclawdd ac mi fasa hunllef bob cyfryngi a chyflwynydd yn cael ei gwireddu – sef fod y werin datws yn sbarduno rhyw fath o Symudiad Chwyldroadol ac yn ymosod ar bob cwmni teledu yng Nghymru hefo crymanau ac arfau! Cyn i chi fedru dweud "meindiwch y Saab" fasa strydoedd Cymru fel Rwsia ar ddechrau'r ugeinfed ganrif!

Chwyldro! Newid! Gwaed!

Dyna pam 'dan ni'n cau ein cegau.

⋆ ⋆ ⋆ ⋆

Wyth mis cyfan ar ôl i mi gael y job cyflwyno ar *Trwy Lygaid Irfon* ac, wrth i mi gyrraedd adra ar ôl diwrnod calad arall o wenu, siarad a darllen yr ôto-ciw, dwi'n gweld fod bywyd yn grêt. Perffaith hyd yn oed.

Ma'r ffigyrau gwylio wedi cynyddu, ma S4/C wrth eu boddau ac ma pawb fel tasan nhw wedi anghofio'n llwyr am Duvka druan. Roedd y cyfnod byr yna o hysteria cenedlaethol yn debyg i'r un gydiodd ym Mhrydain gyfan yn sgil marwolaeth Diana, a rŵan ma pawb fel tasan nhw'n llawn embaras a lletchwithdod o feddwl yn ôl. Irfon Thomas ydi'r seren rŵan. Fo 'di'r boi hefo'r jôcs a'r winc i'r camera. Fo 'di'r boi hefo'r bersonoliaeth. Saith deg mil o wylwyr bob nos ar gyfartaledd. Pymtheg mil yn fwy nag oedd yn gwylio Duvka.

Wrth gwrs, roedd pethau braidd yn anodd ar y cychwyn ond, hei, ma hynna bob tro'n wir yn y busnas yma. Sbiwch be ddigwyddodd pan gymerodd Chris Evans yr awenau gan Wogan… am wythnosau, misoedd, roedd y llythyrau cwynfanllyd yn llifo i Radio 2 ond ar ôl ychydig fisoedd mi wnaeth yr amhosib ddigwydd ac mi lwyddodd y dewin pengoch i dawelu'r dyfroedd a hyd yn oed gwella ar ffigyrau gwrando'r hen Wogan! O ran *Trwy Lygaid Irfon*, roedd talcen caled o wylwyr wedi sefydlu mudiad bach i brotestio yn erbyn newid enw'r rhaglen gan awgrymu ei fod o'n sarhad i gyfraniad ac etifeddiaeth yr angel Bwylaidd. Ond erbyn hyn roedd pethau wedi tawelu ac mi oedd yna lawer mwy o lythyrau cadarnhaol a chanmoliaethus yn dod i swyddfa Cynyrchiadau Duvka na'r gwrthwyneb. A diolch byth am hynny. Yn ystod yr wythnos gyntaf, mi ddwedodd un hen ferch y dylai S4/C fy nghroeshoelio'n gyhoeddus ar sgwâr Tregaron.

Ac, erbyn hyn, ma'r hunllefau wedi tewi hefyd – wel, bron iawn wedi tewi beth bynnag.

Ar y cychwyn roeddwn i'n cael fy nhaflu i ddyfnderoedd uffern bob nos gan freuddwydion erchyll lle'r oedd Sarjant Rowland Thomas, GC yn rhedeg i adeilad fflamboeth ac, yn nosweithiol, yn achub bywydau Duvka Llewelyn-Sion a Robat Cadnant. Poenus dros ben oedd gorfod edrych i'w hwynebau cyhuddgar dro ar ôl tro. Wedyn, roedd yna gyffion ar fy ngarddyrnau ac mi oedd Sarjant Rowland Thomas, GC yn fy arestio ac yn fy nhywys i dywyllwch Gothig carchar Walton –

"Na!!! Na!!!"

Sawl gwaith oeddwn i wedi deffro yng nghanol y nos yn sgrechian felna ac yn chwys domen?

Sawl gwaith oeddwn i wedi dychryn Michelle?

Sawl gwaith oeddwn i wedi gorfod dweud celwydd wrthi gan smalio fod dim byd o'i le?

Lot o weithia.

Dyna oedd yr ateb.

Ond erbyn hyn roedd yr hunllefau ond yn fy mhoeni'n achlysurol, yn hytrach na'n nosweithiol. Wedi'r cyfan, roedd yr archwiliad drosodd ac mi oedd Duvka a Robat wedi eu claddu.

Oedd, mi oedd amser wedi tawelu'r nerfau.

Amser, a'r bagiau drudfawr o'r hen ffrind roeddwn i wedi bod yn eu prynu'n gyfrinachol gan Sdim bob nos Wener tu allan i'r Llew Du.

⋆ ⋆ ⋆ ⋆

Wrth i mi gamu i'r gegin ma Pushkin yn rhedeg ata i efo'r gloch fach aur newydd yn tincian rownd ei wddw. Ma Michelle ar ei ffordd allan hefo'i ffrindiau.

"Hei," medda fi, "ti'n edrach yn grêt!"

"Ddylwn i. Hon 'di'r ffrog Chanel 'nes di brynu i mi ym Mharis."

"Werth bob Euro."

"Tair mil ohonyn nhw?"

Sws. Wedyn, wrth dynnu yn ôl, ma Michelle yn chwarae hefo fy ngholer.

"Ti'm yn edrach yn rhy ddrwg dy hun, cofia. Lot gwell na'r hen sgryff na o'dd yn byw yma chydig fisoedd yn ôl!" Ma hi'n gwenu. "Lle a'th y cymeriad pathetig hwnnw sgwn i?"

"Ia, sori am hynna," medda fi. "Ond ma petha'n ocê dyddia yma yn dydi?"

Ma Michelle yn edrych yn ddifrifol am eiliad.

"Faint o'r gloch ma'r cyfarfod 'ma fory?"

"Pa gyfarfod?"

Ma hi'n cerdded i ffwrdd ac yn rhedeg ei llaw trwy ei

gwallt hir du. "Paid â gwamalu am y peth, Irfon. Dwi'm isho disgyn i lle oedda ni flwyddyn yn ôl! Dwi'n licio fy mywyd i fel hyn. Dwi'n licio chdi fel hyn. Yr Irfon bolshi. Yr Irfon 'nes i briodi." Ma hi'n troi ata i. "Dwi'n sôn am y cyfarfod 'na hefo Hefin Llan am dy gytundeb newydd di."

"O, hwnnw," medda fi wrth roi mwythau i Pushkin dan ei ên. "O gwmpas yr unarddeg 'ma."

"A be sy'n mynd i ddigwydd?"

Dwi'n ochneidio. I ddweud y gwir dwi ddim yn y mŵd am drafodaeth ddifrifol – dwi newydd gael llond trwyn o'r hen ffrind yn y Ford Granada ac ma 'mhen i'n dechra troi fel yr olwyn fwyaf a hyfrytaf welodd y byd erioed.

"Anodd deud," medda fi gan agor y ffrij a chlicio can o Grolsch ar agor, "ma'r ffigyrau i fyny. Ma S4/C yn hapus. Be fedrith Hefin neud heblaw cynnig cytundeb hirach i mi? Dwy flynadd y tro yma o leia."

"Wel, gobeithio," medda Michelle. "Dwi'm isho mynd yn ôl i lle oedda ni."

Ma'r tacsi yn y stryd yn bîpian ac ma Michelle yn tacluso'i lipstic cyn troi ata i.

"Sut dwi'n edrach?"

"Fel tair mil o Euros."

Ma hi allan trw'r drws a gynted ma'r tacsi wedi mynd dwi'n mwytho Pushkin unwaith eto ac yn troi fy sylw at y twmpath o lythyrau ar fwrdd y gegin.

Wrth gwrs, mi oedd yna gyfnod – ddim mor bell yn ôl – pan faswn i wedi cael fy arswydo i'm sodla wrth weld cymaint o lythyrau. Mwy na thebyg faswn i wedi tywallt y cyfan i fag plastig du a'u taflu i'r sied. Ond nid rŵan. Na, dyddia yma, dydan ni ddim yn cael llythyrau cas o'r banc. I ddweud y gwir ma Steve Mackeson, y Rheolwr Cyfrif, yn fy nhrin fel ffrind gora –

"Dewch i mewn, Mr Thomas, os 'na rywbeth arall alla i gynnig i chi? Fysech chi'n hoffi paned arall, Mr Thomas? 'Dan ni wedi rhedeg mas o bapur tŷ bach ond, plis, defnyddiwch yr hances yma o 'mhoced i, Mr Thomas. Llaeth, siwgr, Mr Thomas? Bisged? Penwythnos yn Prague 'da ngwraig i?"

Dwi fel y Brenin Canute ar y traeth a does 'na'm pwynt i mi drio stopio'r tonnau anferth o arian sy'n tollti i mewn bob dydd.

Dwi'n mynd â'r llythyrau hefo fi i'r ystafell ffrynt ac wrth agor yr un cyntaf dwi'n pwyso'r botwm ar y peiriant ateb. Naw negas gin Jean, fy asiant newydd:

"Helo Irfon, sori, 'nes i drio dy ffonio di ar y mobile ond o'dd o ffwrdd gen ti – am dy fod ar yr awyr ma'n siŵr – ond eniwe, gwranda, ma Radio Cymru yn gofyn os ti'n rhydd i gyflwyno cyfres iddyn nhw. Pre-record fydd hi. Diwrnod a hanner. Ma nhw'n cynnig mil ond dwi'n meddwl medrwn ni wthio nhw i fyny i ddwy. Wedyn, ma Morrisons yn Llandudno isho i chdi agor y superstore newydd yn yr haf. 'Nes i'm deud dy fod ti ym Mangor y dwrnod cynt yn gneud y fois-ôfyr 'na achos o'n i'n meddwl byswn i'n gallu gwasgu mwy o bres allan ohonyn nhw tasa nhw'n meddwl dy fod ti'n dŵad i fyny yn sbeshial. Beth bynnag, ma nhw wedi cynnig dwy fil a hanner ond dwi 'di gofyn am dair ac overnight. Fyddi di o'na mewn hanner awr. Wedyn ma –"

Does ryfedd fod y dyn o American Express wedi gyrru cerdyn pen-blwydd personol i mi. Ma'r cyfnod lle oedd Michelle a fi yn ffycd wedi diflannu fel niwl ar fora gaeafol a rŵan does dim byd ond awyr las glir, ddigwmwl i'w weld.

Wel, dim cweit.

Achos weithia fydda i'n sbio ar y drôr lle dwi wedi stwffio *The Sands of Rillentajara* ac yn teimlo'n euog. Ma'i fel tasa'r llyfr yn siarad hefo fi:

"Helo Irfon. Ti'n cofio fi? Fi o'dd y nofel 'na oedda ti'n sgwennu. Ar y laptop yn y gegin, ti'n cofio? O'dd gen ti ddim pres ac mi o'dd y banc yn brathu dy din di fatha Rottweiler – ac oedda ti ddim yn medru fforddio rhoi'r gwres ymlaen yn y gaeaf – ond ti'n gwbod be, Irfon? Oeddach chdi'n well person adeg hynny. Yn fwy gonest rywsut. Ac yn llai arwynebol. Ac, wrth gwrs, doedda ti heb ladd neb. Dynladdiad o'dd o. Cofio hynny sy'n dy gadw di'n gall."

Dwi'n agor y llythyrau.

Siec o ddwy fil a hanner gin yr archfarchnad 'nes i agor bythefnos yn ôl yng Nghasnewydd. Lot o hen ferchaid os dwi'n cofio'n iawn – i gyd isho llun, cusan a llofnod. Wrth gwrs, mi o'n i'n ddyn priod hapus ond weithia, jyst weithia, 'sa'i wedi bod yn neis cael grŵpis oedd dan saith deg pump, ond dyna ni. Dyna oedd cynulleidfa *Trwy Lygaid Irfon* yn bennaf, y neiniau a theidiau.

Dwi'n rhwygo llythyr arall ar agor.

"Annwyl Mr Thomas, dwi'n ffan mawr o *Trwy Lygaid Irfon* ac o'ch gwaith chi yn enwedig. Dwi'n awyddus iawn i fod yn gyflwynydd fy hunan. Rwyf yn y coleg yn astudio Astudiaethau Cyfryngol a –"

Dwi'n 'i daflu i'r bin fflip-top.

Wedyn dwi'n sylwi fod un o'r llythyrau wedi disgyn tu ôl i'r bwrdd. Dwi'n plygu lawr a sbio arno. Ma fy nghyfeiriad wedi ei sgwennu arno mewn beiro las. Llawysgrifen eithaf plentynnaidd. Twt. Ond plentynnaidd. Dwi'n 'i agor o. Ma'r llythyr yn yr un llawysgrifen, yn daclus ar ddarn o A4.

"Annwyl Mr Thomas, dim ond gair bach i ddiolch i chi am gytuno i gael eich cyfweld gennyf ar y deunawfed o'r mis hwn ar gyfer ein papur ysgol, *Y Glorian*. Fel y gwnaeth Mr Hopwood y prifathro egluro yn ei lythyr, rwyf yn dod yn wreiddiol o Flaenau Ffestiniog ac yn awr yn y chweched dosbarth yma ym Mhenbryn yn astudio Saesneg, Cymraeg a Ffrangeg ac yn awyddus iawn i ddilyn gyrfa yn y byd newyddiadurol. Mi rydw i'n ffan mawr o'ch steil cyflwyno chi ar *Trwy Lygaid Irfon* ac yn meddwl eich bod yn llwyddo i ddod ag arddull Americanaidd a ffraeth i'r byd teledu Cymraeg. Mae llawer wedi eich cymharu â Jonathan Ross, wrth gwrs, ond rwy'n credu eich bod chi'n fwy gwreiddiol nag o. Diolch eto am gytuno i gael eich cyfweld. Yn naturiol rwy'n edrych ymlaen at eich cyfarfod yn stiwdios Cynyrchiadau Duvka am ddeg o'r gloch ar y deunawfed.

Yr eiddoch yn gywir, Meurig Werritt."

Dwi'n sbio ar y calendr ar y wal. Y deunawfed. Damia.

Fory oedd hynny.

Roedd hi'n rhy hwyr i ganslo rŵan.

# Meurig Werritt

Pan dwi'n cerdded i mewn i'r swyddfa bora wedyn ma Siân, Mair, Ceri, Hefin Llan a llond llaw o'r golygyddion a'r criw technegol wedi ymgynnull yn y cyntedd. Ma nhw'n chwibanu ac yn clapio fel taswn i newydd wneud miliwn o ddoleri ar y Dow Jones. Ma Hefin Llan yn gwenu fel Archdderwydd yn cyfarch bardd y Gadair ar lwyfan y Genedlaethol. Mae o'n ysgwyd fy llaw.

"Llongyfarchiadau, Irfon."

"Am be?"

"Am hwn."

Mae o'n stwffio darn o bapur i'm llaw i.

"Bora 'ma gafon nhw eu cyhoeddi'n swyddogol," medda fo. "Ma hyn yn grêt i'r cwmni. Tydi o erioed wedi digwydd i ni o'r blaen."

Dwi'n darllen y geiria o mlaen i ar y llythyr.

"BAFTA," medda fi.

"Dyna chdi," medda Hefin Llan, "ti wedi cael dy enwebu yn y categori Cyflwynydd Gorau!"

Yn sydyn mae o'n gafael yndda i ac yn fy nghloi yn un o'r hygs dynol 'na. Ma pawb o 'nghwmpas i'n dechrau clapio a stampio a chwibanu eto. Dwi'n datgymalu fy hun o freichiau Hefin Llan ac yn gwenu a chodi fy llaw fel Cesar gan beri i bawb stopio clapio er mwyn gallu clywed be sydd gan yr Ymerawdwr Thomas i'w ddweud.

"Blydi hel," medda fi ar ôl eiliad neu ddwy. Wrth gwrs, ma pawb yn chwerthin. "Na, o ddifri rŵan," medda fi gan godi'r llythyr a'i hitio hefo fy mysedd, "os ga i fod o ddifri am chydig." Dwi'n gwneud y peth 'na oedd Tony Blair yn arfer ei wneud pan oedd o'n awyddus i roi'r argraff ei fod o'n ddiffuant ac yn cael cryn drafferth i fynegi ei hun achos yr emosiwn – dwi'n brathu fy ngwefus ac yn nodio. "Dwi'n siŵr fod pob un ohonoch chi yma'n gwbod be ma hyn yn ei olygu i mi. Mae o'n golygu fod pobol tu allan i swyddfeydd Cynyrchiadau Duvka yn nodi ac yn gwerthfawrogi'r gwaith caled 'dan ni'n neud yma." Ma pawb yn clapio. Ar ôl pum neu chwe eiliad dwi'n codi fy llaw ac ma nhw'n stopio. (Hei, dwi'n dechrau licio hyn. Dwi'n gwneud nodyn meddyliol i ymchwilio i yrfa wleidyddol rywbryd yn y dyfodol. Ma 'na rwbath am y pŵer sy'n swynol dros ben!) "Ma hyn hefyd, wrth gwrs, yn golygu rwbath hynod o bwysig i mi yn bersonol – a dwi'n siŵr fasa Hefin Llan yn cytuno hefo fi..."

"Byswn tad," medda Hefin Llan hefo gwên.

Y ffŵl. Mae o wedi cerdded yn syth i mewn iddi...

"Ma hyn," medda fi, "yn golygu fod y drafodaeth bore 'ma ynglŷn â thelerau fy nghytundeb newydd yn mynd i fod yn... hynod ddiddorol."

Ma Siân, Mair, Ceri a'r golygyddion a'r technegwyr yn chwerthin, er bod Hefin Llan yn edrych braidd yn nerfus am gwpwl o eiliadau – fel tasa fo ddim cweit yn siŵr os o'n i'n jocio neu beidio. "Rŵan," medda fi, "o ddifri calon... sgynno chi'm ffycin gwaith i neud?"

Pan dwi'n llwyddo i gyrraedd fy nesg o'r diwedd ma Siân yn rhuthro ata i ac yn plannu clamp o gusan ar fy moch.

"O Irfon, wi mor ecseited... BAFTA... pwy 'se'n credu'r peth? Nawr fydd dou yn y tŷ!"

"Dau?"

"Un 'da ti ac un 'da dy wraig."

"Ia, wel, dim cweit, Siân. Ma 'na wahaniaeth."

"Ond enwebiad BAFTA Cymru, Irfon! So ni 'di ca'l un o'r bla'n! Ma fe mor gyffrous!"

"Siân, gwranda, dwi'm isho rhoi dampnar ar betha ond ti'n gyfarwydd â'r hen ddywediad reit siŵr – 'sa mond rhaid i ti *feddwl* am neud rhaglen yr ochor yma i Glawdd Offa a ti'n ca'l enwebiad BAFTA Cymru."

Wedyn dwi'n sylwi fod rhywun yn eistedd yn fy nghadair. Bachgen ifanc blêr mewn jîns sy'n hongian o'i ben-ôl. Mae o'n edrych fel aelod o grŵp indie Cymraeg fel Y Dafydd Iwans Niwcliar neu Ddy Hetar Smwddios hefo'i jympyr streips a'i wallt seimllyd hir a syth. Ar ei draed mae o'n gwisgo hen bâr o Reeboks ac yn ei law ma 'na lyfr bach.

Wedyn dwi'n cofio.

Wrth gwrs. Y llythyr. Hwn oedd y bachgen oedd wedi bod yn awyddus i gynnal cyfweliad ar gyfer papur yr ysgol! Be oedd 'i enw fo? Meilir?

Meical??

"Haia mêt," medda fi gan ysgwyd ei law a chan obeithio ei fod am gyflwyno ei hun, "neis cyfarfod â chdi."

"Diolch," medda fo gan godi hefo'r cyfuniad 'na o swildod a lletchwithdod sy'n effeithio ar hogia yn eu harddegau hwyr.

Seibiant annifyr.

Dwi'n clapio fy nwylo i drio cael gwared o'r tensiwn ac – os dwi'n bod yn hollol onast – er mwyn i ni gael gorffan cyn gynted ag sy'n bosib. Wedi'r cyfan, ma 'na lai nag awr i fynd tan y cyfarfod tyngedfennol – a hynod ddiddorol – hefo Hefin Llan.

"Reit ta, mêt, be am i ni ddechra? Tisho mynd i'r cantîn? Gawn ni banad neu rwbath."

"O, iawn. Cŵl."

* * * *

Wrth i ni gerdded tuag at y cantîn, heibio'r llunia o Duvka hefo rhai o enwogion y genedl – Rhodri Morgan, Bryn Terfel… Ifan Gruffydd – dwi'n cael fy synnu braidd pa mor dawel a digynnwrf ydi'r bachgen yma. Be oedd ei enw fo eto? Mathias?

Mihangel??

O'n i wedi hanner disgwyl iddo fo fyhafio'r un fath â'r rhan fwyaf o'r bobol ifanc oedd yn ymweld â stiwdios Cynyrchiadau Duvka – sef gwirioni ar yr awyrgylch a phwyntio at y camerâu a'r lluniau…

… ond nid y boi yma.

Od iawn. Doedd o ddim hyd yn oed wedi gofyn am lofnod eto. Ond dyna fo. Weithia oedd hi'n anodd cael mesur cywir o bersonoliaeth rhywun o'r llythyrau oedda nhw'n sgwennu. Mi oedd hynny'n gwbl amlwg.

"Llongyfarchiadau gyda llaw, Mr Thomas," medda fo o'r diwedd pan oedda ni bron iawn wedi cyrraedd y cantîn.

"Hei, dyna ddigon ar y busnas 'Mr Thomas' 'na. Irfon. Plis."

"O, reit. Llongyfarchiadau… Irfon."

"Am be 'da?"

Ond, wrth gwrs, dwi'n gwybod yn iawn am be mae o'n sôn.

"Y… BAFTA."

"O, reit. Ia, diolch."

"'Dach chi 'rioed wedi ennill rwbath o'r blaen… Irfon?"

Be uffar oedd 'i enw fo eto? Mabon?

Meredydd??

Dwi'n clirio fy ngwddw ac yn symud i'r ochor i adael i

Ash a Steve basio hefo'r offer. Ar eu ffordd allan i ffilmio eitem hefo Cerys, un o'r gohebwyr newydd, dwi'n tybio.

"Wel," medda fi, "nôl yn yr ysgol ges i fathodyn am rowlio dros y carpad yn y gampfa mewn pâr o siorts."

'Dan ni'n cyrraedd y cantîn.

"Be tisho? Te? Coffi?"

"Sgynno chi Fanta?"

"Fanta?"

"Yn y peiriant yn fan 'cw."

Mae o'n nodio ato ac ma'r ddau ohonom yn cerdded at y peiriant a dwi'n estyn darn punt newydd sbon o 'mhoced. Ma'r botal blastig iasoer yn rholio allan a dwi'n 'i thaflu ato fo.

"Diolch," medda'r bachgen gan agor y botel a sugno'n frwd.

"Hei," medda fi gan drio rhoi'r argraff mod innau'n frwdfrydig, "dwi 'di ca'l syniad gwell. Ti isho gweld y stiwdio?"

"Cŵl."

Ocê, falla mod i ddim yn disgwyl iddo fo neidio i fyny ac i lawr ar ben un o'r byrddau a gweiddi "Yipî" ond o'n i wedi disgwyl dipyn bach mwy o gyffro gan fachgen oedd wedi dangos cymaint o ddiddordeb yn y cyfryngau yn ei lythyr! Be oedd ei enw fo eto? Morgan?

Martin??

Ond dyna fo. Falla mai fi sy'n colli gafael. Falla mai trio rheoli teimlada a pheidio ecseitio oedd y ffordd o wneud petha dyddia yma.

Yn y stiwdio ma Meic a'r criw goleuo yn trio rhoi trefn ar betha ar gyfer rhyw fand o Gaernarfon oedd yn dod i mewn i wneud pre-record am ddau.

"Hei, llongyfarchiadau, Irfon."

"Diolch, Meic," medda fi gan drio rhoi'r argraff mod i heb sylwi ar yr ogla chwys uffernol oedd o'i gwmpas, fora tan nos, fel rhech ddieflig a thragwyddol o ddyfnderoedd Hades. "Grêt."

'Dan ni'n camu'n frysiog tuag at ochor arall y stiwdio.

"Dyma ni," medda fi, "dyma'r soffa enwog lle dwi'n ista i gyflwyno *Trwy Lygaid Irfon.*"

Ma'r llanc yn cymryd llond ceg arall o Fanta ac yn nodio.

"O, reit."

O, reit? O ffycin reit? Be sy'n bod arnat ti, mêt? Wrth weld y soffa enwog ac eiconig yma ma'r rhan fwyaf o'r plant ysgol sy'n ymweld â'r stiwdio yn dweud pethau fel "Waw!" neu "Gaf i ishte 'na?" ac wedyn yn cymryd llwyth o lunia ar eu ffôns symudol tan iddyn nhw sylwi fod 'na ddrewdod dychrynllyd yn drifftio drosodd o ochor draw'r stiwdio. Be oedd enw'r boi yma eto? Matholwch?

Manawydan??

"Wel?" medda fi.

"Wel?" medda fo, ddim cweit yn siŵr be dwi'n feddwl.

"Tisho ista arni?"

"O," medda fo gan roi'r botel Fanta ar y bwrdd, "iawn."

Don't blydi ffors iorselff bydi! Mae o'n ista i lawr fel person mewn siop sy'n meddwl prynu soffa ar gyfer y lownj. Mae o'n bownsio arni'n boléit ac yn teimlo'r cwshin hefo'i law.

"Neis," medda fo.

"Tri chant. Interest free credit. Fedrwn ni ddilifro fory."

"Be?"

"Jôc."

"O. Reit."

Ffyc's sêc! Dwi'n sbio ar fy Rolex. Hanner awr wedi deg. Chwarter awr arall o'r bolycs yma a fedra i ddweud bod rhaid i fi fynd. Oedd gen i gyfarfod pwysig.

"Gwranda... ym... mêt, fydd raid i ni orffan mewn chwartar –"

"Ers faint 'dach chi yma, Irfon?"

Ma'r cwestiwn mor annisgwyl â llewpart mewn peiriant golchi llestri. Ma'r bachgen yn codi o'r soffa, yn estyn ei Fanta ac agor ei lyfryn bach coch. Anarferol, ond o leiaf ma'r cyfweliad wedi dechrau.

"Dim ond blwyddyn. Mwy neu lai. Pam?"

"A sut oeddach chi'n dŵad ymlaen hefo... hi?"

"Hefo... hi?"

Mae o'n edrych i fyny o'r llyfryn bach coch yn syn.

"Duvka Llewelyn-Sion."

"Iawn," medda fi. "O'n i'n dŵad ymlaen yn grêt hefo... hi. Pam?"

Ond 'dio'm yn atab. Mae o jyst yn sugno ei botel Fanta unwaith eto ac yn sgriblo rwbath yn sydyn yn ei lyfryn coch.

"O'dd hi'n golled fawr i'r genedl," medda fi, "colled fawr iawn." Dwi'n clapio 'nwylo er mwyn trio newid yr awyrgylch rhyfedd sydd wedi disgyn fel blanced dros y sgwrs. "Hei mêt. Ti 'di gweld rhein?"

Dwi'n pwyntio at y camerâu digidol diweddaraf.

"Cŵl," medda fo heb edrych i fyny.

"Ma gynno ni bump o'r rhein ac ma nhw i gyd wedi eu gneud yn arbennig i ni yn Siapan gan Sony. Rhein 'di'r unig rai ym Mhrydain."

"Ffab," medda fo gan sgwennu eto heb edrych i fyny. I fod yn onest mi oedd diffyg brwdfrydedd y bachgen wedi fy nhaflu i braidd. Pam ffwc oedd o mor benderfynol o gael cyfweliad os oedd ganddo fo cyn lleiad o ddiddordeb yn y byd teledu?

"Tisho gweld y galeri?"

"Pam lai?" medda fo gan stwffio'r llyfryn coch yn ei boced.

"Cŵl," medda fi.

* * * *

Dwi'n gwthio'r drws lledar trwm ac ma'r ddau ohonom yn camu i mewn i'r galeri. Ma'r drws yn sibrwd ar gau ac wedyn ma'i mor dawel ag Eglwys Gadeiriol. O'n blaena ni, fel rhyw fath o allor, ma 'na ddesg gymysgu hefo rhesi o fotymau bach sgwâr sy'n fflachio'n dawel ac yn ddirgel ac ambell i lîfyr sydd wedi ei dynnu yn ôl ac sy'n barod i sbarduno'r wal gyfan o sgrîns yn hwyrach ymlaen.

"Anodd credu yn tydi," medda fi gan droi at y bachgen, "jyst pa mor brysur ma'r ystafell yma'n gallu bod. Os fasa ti'n dŵad yma yn ystod darllediad byw, fasa ti'n gweld pawb yn mynd o gwmpas y lle yn panicio ac yn mynd yn nyts!"

"Pwy 'di honna?"

"Pwy 'di pwy?"

Dwi'n dilyn bys y bachgen ac mae o'n pwyntio at un o'r sgrîns lle ma Edna o'r dderbynfa yn dod lawr y coridor gan dywys bachgen mewn gwisg ysgol daclus. Dwi'n ysgwyd fy mhen ac yn tyt-tytian.

"Ma rhaglenni S4/C yn ystod y dydd wedi mynd yn waeth," medda fi hefo gwên fach sardonig. "Ond hei, o leia mae o'n well na *Wedi 3*."

Ond, wrth gwrs, does 'na'm ymateb.

Dwi'n clirio fy ngwddw.

"Na," medda fi gan sylweddoli fod 'na fawr o bwynt

trio dweud jôcs, "be 'di hwnna ydi camera diogelwch. Mae o ymlaen trw'r dydd jyst rhag ofn i ni ga'l nytars yn torri mewn. Neu, yn waeth byth, beirniaid teledu."

Ia, dwi'n gwybod. 'Nes i addo peidio'u dweud nhw ond fedrai'm helpu o rywsut. Pan dwi'n nerfus dwi'n dweud jôcs. A dwi'n dechra teimlo'n nerfus *iawn* rŵan. Ma 'na rwbath ddim cweit yn iawn am y bachgen yma. Morty?

Macsen??

"Nytyrs?" medda fo. "Be? Pobol beryg 'dach chi'n feddwl?"

"Ia."

"Y math o bobol fasa'n gallu... achosi niwed i rywun?"

"Ia."

"A lladd rhywun?"

"Ia, gwranda, tisho gweld y –"

"Diddorol," medda'r bachgen gan sgwennu rwbath i lawr yn ei lyfr bach coch. "A 'dach chi wedi ca'l nytyrs yma'n ddiweddar o gwbl, Irfon?"

"Wel, naddo. Dwi ddim yn meddwl. Pam w't ti isho gwbod?"

"Neb wedi gyrru llythyra cas na dim byd felna?"

"Naddo. Pam?"

"E-byst?"

"Naddo." Dwi'n symud yn agosach at y drws. "Hei, gwranda, falla 'sai'n syniad i ni fynd yn ôl i'r cantîn i gynnal y cyfweliad 'ma, be ti'n feddwl? Fedri di ga'l Fanta bach arall o'r peiriant. Ond fydd raid i ni fod yn eitha chwim ma arna i ofn. Ma gin i gyfarfod pwysig am unarddeg."

"O ia," medda'r bachgen gan gau ei lyfr bach coch, "y cyfarfod hefo Hefin Llan i drafod eich cytundeb newydd."

Dwi'n sbio i fyw ei lygaid o.

"Sut ffwc ti'n gwbod hynna?"

"Siân."

Mae o'n sbio arna i ac, ar ôl cwpwl o eiliadau, mae o'n gwenu ac yn stwffio'r llyfr i mewn i boced cefn ei jîns. Yna mae'n snwffian ei drwyn a'i sychu ar ei lawes tra dwi'n gwneud nodyn bach meddyliol i anwybyddu unrhyw lythyr cais gan blentyn ysgol yn y dyfodol – ac i beidio dweud uffar o ddim byd wrth Siân.

"Ty'd," medda fi, "well i ni fynd."

Dwi'n camu allan o'r galeri i'r coridor a be dwi'n weld ydi Edna'n rhuthro ata i.

"O, Irfon bach," medda hi, "wi 'di bod yn whilo amdanat ym mhobman!"

"Be sy'n bod?"

Ma Edna'n cymryd cam bach i'r dde a, tu ôl iddi, dwi'n gweld yr un bachgen ysgol twt, taclus a pharchus welish i'n cerdded tu ôl iddi ar y sgrîn ddiogelwch yn y galeri.

"Irfon," medda hi, "gadewch i mi eich cyflwyno chi. Dyma Meurig Werritt. Mae e yma i'ch cyfweld ar gyfer y cylchgrawn ysgol."

Meurig… wrth gwrs!

Ond wedyn ma 'na deimlad drwg yn fy stumog, fel taswn i newydd gael cic gan ebol.

"Ond…" medda fi gan bwyntio at y bachgen bach taclus tu ôl i Edna, "… os mai chdi ydi Meurig…" Dwi'n troi at y bachgen blêr a dihiwmor dwi wedi bod yn ei dywys o gwmpas y stiwdios am yr ugain munud dwytha. "Pwy ffwc wyt… ti?"

Mae o'n gwenu ac yn ymestyn ei law – y llaw hefo'r llawes snotlyd.

"Kidd," medda fo gan wenu.

"Kid?"

"Ia. Ditectif Inspector Kidd."

# Y cytundeb

Ma Hefin Llan yn eistedd yn ei swyddfa hefo'i Hush Puppies seis neins ar y ddesg a'i ddwylo ynghlwm tu ôl i'w ben.

"Wel, 'rhen Irfon," medda fo gan gynnig gwên mor llydan â'r M4, "pwy fasa wedi dychmygu'r peth? Ar ôl diodda'r fath drychineb hefo Duvka – a hefo Robat wrth gwrs – dyma ni ar fin ennill BAFTA. A dyma ti, seren fwya Cymru yn ôl *Golwg*."

"Ma raid fod o'n wir felly."

Mae o'n estyn y rhifyn diweddara ac yn ei daflu ata i. Dwi'n sbio ar y llun ohona i ar y clawr, llun ohona i'n chwerthin yn fy siwt Armani dan oleuni llachar y stiwdio. Llun a gafodd ei dynnu bythefnos yn gynharach pan o'n i newydd sugno llinell hael a drudfawr o ffrwyth hudolus Colombia i fyny fy nhrwyn yn y tŷ bach, a phan oedd gen i ddim byd i 'mhoeni. Oedd, mi oedd yr haul wedi tywynnu'r diwrnod hwnnw. 'IRFON THOMAS,' medda'r pennawd, 'GOBAITH MAWR Y GANRIF.'

"Ia wel," medda fi, "ma bywyd yn llawn syrpreisus."

Dwi'n taflu'r cylchgrawn ac mae o'n glanio'n berffaith yn y bin. Wedyn dwi'n symud at y ffenest a sbio i lawr dros y maes parcio. Tu ôl i mi, dwi'n synhwyro gwên Hefin Llan yn diflannu. Ma 'na rwbath bach yn poeni pawb, fel ddwedodd y bardd. A dwi'n gwybod yn union be sy'n poeni Hefin Llan.

Mae o'n crafu ei wddw'n betrusgar.

"Ym... gwranda... ydi *nhw* mewn cysylltiad hefo chdi eto, Irfon?"

"Pwy ti'n feddwl?"

"Paid â malu, Irfon. Dwi'm yn blydi ffŵl. A dwi'm yn chwara gêms chwaith. Ti'n gwbod yn iawn pwy dwi'n feddwl. Y bobol *One Show* 'na."

Dwi'n trio swnio'n ddifater.

"Ma cwpwl o alwadau 'di bod mae'n debyg. Ti'n gwbod fel ma petha yn y busnas yma."

"Y basdads!"

Ma Hush Puppies Hefin Llan yn chwipio i lawr o'r ddesg ac yn ei gario fo draw ata i wrth ymyl y ffenest. Mae o mor agos rŵan dwi'n gallu arogli ei afftyrshêf. Old Spice. Blydi hel, oedd dynion yn dal i ddefnyddio Old Spice?

"Felly be ti 'di ddeud wrthyn nhw, Irfon?"

"Busnas ydi o, Hef. Does dim rhaid i chdi gymyd petha mor bersonol."

"Personol?" medda fo, ei lais yn cracio dan y straen. "Sut fedra i beidio?" Mae o'n rhedeg ei law trwy ei wallt. "'Dio'm yn deg. Blydi hel, Irfon, 'dan ni'n darganfod dy ddawn di, 'dan ni'n ei datblygu hi'n ofalus, rhoi cyfla i chdi serennu – ac wedyn ma 'na ryw fasdad o Lundain yn sylwi ac yn sticio'i ffycin drwyn i mewn!" Mae o'n dynwared Cocni yn siarad. "'Allo, Irfon, me old china, how do you fancy being a presenter on *The One Show*, eh?"

"Da iawn, Hefin. Ti wedi ystyried rhan yn *EastEnders* erioed?"

Mae o'n dod ata i. Closio ata i. Rhy agos braidd, i ddweud y gwir. Dwi'n medru arogli'r mouthwash.

Listerine.

"Falla fod hyn yn jôc i chdi, Irfon, ond gad i mi ddeud 'tha chdi, pal, yn y byd go iawn lawr fan hyn lle ma'r rhan fwya ohona ni'n byw, tydi pethau ddim cweit mor ffycin rôsi, ti'n dallt? Ti'n gwbod faint ydi fy morgais i?"

Dwi'n syllu arno fo'n syn.

"Dy forgais?"

"Ia. Dyfala."

"Saith gant y mis?"

"Cyncoed, Irfon bach. Agosach at fil a hannar."

"Reit."

"Wedyn ma gin ti'r plant – tripia ysgol a ballu, bwyd, dillad. Treth cyngor, trydan, nwy –"

"Hefin, dal sownd, be ffwc sgin hyn i gyd i'w neud hefo'r *One Show*?"

Mae o'n ysgwyd ei ben.

"Ti'm yn 'i gweld hi, nagw't?"

"Gweld be?"

"Yn y byd mawr Irfonaidd 'na lle ti'n byw rŵan, ti'm yn sylwi fod bywyd lawr fan hyn lle ma'r rhan fwya ohona ni'n byw yn llawn poendod ac ansicrwydd."

"Ansicrwydd? Ia, reit. Ti ar ninety grand. Ddudist ti dy hun!"

"A fasa fo'n medru diflannu fory os fasa Es ffycin Pedwar Ec yn tynnu'r plwg. Faint ma'r *One Show* wedi cynnig i chdi?"

Mae o'n cydio yn y cytundeb newydd hefo *Trwy Lygaid Irfon* – y cytundeb dwi heb ei arwyddo eto – ac mae o'n ei dapio hefo beiro. "Mwy na be fedrwn ni gynnig, reit siŵr!"

"Ia wel, nid arian ydi bob dim."

Dwi'n edrych trwy'r ffenest ac ma fy nghalon i'n suddo i 'nhraed achos dwi'n gweld DI Kidd yn cerdded i mewn i'r maes parcio. Ma'r llyfr bach coch yn ei law ac mae o'n checio rhifau'r ceir. Mae o'n stopio wrth ymyl y Ford Granada ac yn stwffio'r llyfr bach coch i'w boced.

"Be 'di'r diweddara ta?" medda Hefin Llan.

"Y diweddara?"

"Y ffycin *One Show*!"

"Ma 'na alwad wedi dŵad at yr asiant, dyna'r cwbl."

Allan yn y maes parcio ma Kidd yn plygu i lawr ac yn sbio drwy ffenest y Ford Granada. Ma Hefin Llan wrth fy ysgwydd rŵan ac ma'r ddau ohona ni'n sbio ar DI Kidd wrth iddo gerdded rownd y Ford Granada a'i astudio fel rhywun oedd yn awyddus i'w brynu.

"Hei," medda Hefin Llan, "pwy ydi hwnna?"

"Ditectif Inspector Kidd," medda fi.

"Ditectif?" medda Hefin Llan gan ysgwyd ei ben. "Pwy 'sa'n credu fod llipryn blêr felna yn dditectif yn de? Ond dyna fo. Ma nhw'n deud fod hynna'n arwydd pendant dy fod yn mynd yn hen yn dydi? Plismyn yn mynd yn fengach?"

Dwi'n clicio fy mysedd yn ddiamynedd.

"Sgin ti feiro?"

"Beiro?" medda Hefin Llan. "I be tisho beiro?"

Dwi'n troi ato fo.

"I mi ga'l arwyddo'r ffycin cytundeb 'na."

# Archwilio pob posibilrwydd

Syniad Jean oedd y busnas *One Show* yma.

"Jyst cau dy geg a phaid â deud dim byd wrth Hefin Llan. Gad iddyn nhw chwysu dipyn bach. Os 'dyn nhw'n gofyn a fu 'na ddiddordab – duda 'oes' a dim byd arall. Ti'n dallt?"

Wel, doeddwn i ddim yn dweud celwydd yn nago'n? Dim go iawn. Achos mi oedd yna alwad wedi bod. Un alwad yn gofyn a fasa gen i ddiddordeb gwneud eitem fach i'r *One Show* fel insert. Eitem eithaf byr am y rhesi o siopau coffi newydd oedd wedi agor yng Nghaerdydd ac a oedd hyn yn golygu ein bod ni Gymry bellach yn fwy hoff o espresso na phanad draddodiadol o de.

Ond roedd Jean wedi gweld mwy ynddi na hyn.

"Meddylia am y peth, Irfon, ers i Duvka farw ma'r sioe wedi ca'l rhyw fath o atgyfodiad gwyrthiol. Ma'r ffigyrau gwylio trwy'r to! A ti'n gwbod pam yn dwyt? Chdi. Dyna pam ma'r *One Show* yn snwffian o gwmpas siŵr iawn! Ma nhw'n bownd o fod wedi sylwi fod *Trwy Lygaid Irfon* yn brathu i mewn i'w cynulleidfa nhw yng Nghymru a rŵan ma nhw'n gneud y symudiad cynta mewn gêm fach o wyddbwyll i dy ddwyn di."

O'n i wedi bod braidd yn ddrwgdybus i ddweud y gwir a – fel oedd pethau'n y diwedd – nath y cynhyrchydd o'r *One Show* fyth ffonio eto ond, wrth gwrs, dyna pam ges i'r gorchymyn gin Jean i "gadw'n ddistaw". Oedd hi'n gwybod yn iawn fod Cynyrchiadau Duvka yn awyddus i mi arwyddo cytundeb newydd, ond *pa* mor awyddus? Dyna be oedd hi isho gwybod. A'r ateb oedd…

… awyddus iawn.

"Irfon? Jean sydd yma. Gwranda, ma Hefin Llan newydd fod ar y ffôn ac ma Cynyrchiadau Duvka wedi dyblu'r arian. Dwi'n deud wrtha ti, ma nhw'n cachu brics dros y busnas *One Show* 'ma. Nes di'm deud dim byd wrthyn nhw yn naddo? Da iawn. Ma nhw wedi cynnig mwy o wylia, gwell dîl hefo'r dillad... a, ti'n ista lawr? Jaguar convertible newydd sbon. O'r diwedd fedri di ga'l gwared â'r hen blydi jalopi gwirion 'na sgin ti!"

★ ★ ★ ★

"Hei, gwatshia'i! Neu wna i ffonio plisman!"

Wrth glywed fy llais ma DI Kidd yn troi rownd ac yn gwenu'n wan. Mae o'n gwisgo un o'r hetiau picsi gwirion 'na hefo cynffonnau a pom-poms lawr at ei ganol.

"Dy gar di ydi hwn, Irfon?"

Am ryw reswm dwi'n ffendio'r ffaith fod o'n fy ngalw i'n 'Irfon' yn hytrach na 'Mr Thomas' yn galondid rywsut (ac yn 'chdi' yn hytrach na 'chi' erbyn hyn). Dwi'n cerdded rownd yr hen Ford Granada. Ma'r rhwd wedi ymestyn fel pla ar draws ei gorff ac ma'r beipan ecsôst bron iawn yn cyffwrdd y llawr.

"Ia, yn anffodus."

"Ers faint mae o gin ti?"

"Mae o yn y teulu ers dyddia Fictoria."

Ma Kidd yn sbio i mewn drwy'r ffenest.

"Ond eto dim ond deugain mil sydd ar y cloc – o be wela i beth bynnag."

"Ia, wel, mae o wedi mynd rownd o leia ddwywaith yn barod."

"Oes yna rywun arall yn ddefnyddio fo?"

"Michelle, weithia."

"Michelle?"

"Fy ngwraig. Ond fi sy'n ddefnyddio fo fwya."

Ma Kidd yn edrych arna i am eiliad cyn symud at y drws a'i agor. Mae o'n troi ata i mewn syndod.

"Ti ddim wedi gloi o?"

"Be 'di'r pwynt? Pwy fasa'n dwyn hwn?"

"Ti wedi meddwl newid o o gwbl? I rwbath mwy... wel... cyfoes?"

"Do, sawl tro. Ond i fod yn onast, sgin i ddim lot o fynadd mewn mynd rownd blydi garijis a ballu a cael fy haslo gin hogia mewn siwts a gormod o jel yn eu gwallt. A, beth bynnag, ma'r insiwrans yn rhad."

"Be sy'n y bŵt?"

"Corff."

"Sori?"

"Jôc. Tisho gweld?"

Dwi'n agor y bŵt ac ma DI Kidd yn sticio'i ben i mewn a chwibanu ei edmygedd.

"Hei," medda fo, yn atseinio rhywfaint, "ma 'na lot o le tu fewn i'r hen geir yma yn does? Mwy na fasa rhywun yn feddwl."

"Handi wrth siopa."

Ma Kidd yn trio cau y bŵt ond dydi o ddim yn llwyddo.

"Paid â poeni," medda fi gan gymryd drosodd a rhoi slam iawn iddo fo, "ma'r bŵt wedi bod fel hyn ers tro. Wnes i adal o'n gorad trw'r nos. Anghofio'i gau ar ôl bod yn Tesco. Noson es i â Robat adra o'dd hi dwi'n siŵr."

"Peth gwirion i neud."

"Dwi'n gwbod. O'dd hi'n glawio'n drwm hefyd. Dwn i ddim pam 'nes i'm mynd allan a'i gau o. Diwrnod hir ma raid. Do'n i ddim yn meddwl yn strêt rwsut."

"Yn naturiol. Oeddat ti'n poeni am Robat. Meddwl os oeddat ti 'di neud y peth iawn yn mynd ag o adra –"

"Fynnodd o."

"Do."

Ma DI Kidd yn sbio arna i ac yn brathu ei wefus yn feddylgar. Wedyn mae o'n nodio'i ben yn araf.

"Biti hefyd cofia."

"Wel, 'dio'm wedi gneud lot o wahaniath i fod yn onast. O'dd y car yn ffycd beth bynnag."

"Na, nid am y car."

"O?"

"Am y fforensics."

Ma'r gair 'fforensics' yn achosi i'r ddrudwy fflapio'n wyllt unwaith eto yn erbyn cawell fy mron.

"Fforensics?" medda fi gan sylwi'n flin bod fy llais twyllodrus wedi cracio wrth ei ddweud o.

"Ia. Ti wedi gweld nhw ar y teledu mae'n siŵr. *Silent Witness* a ballu. Siwts gwyn fel astronots. Y 'whizz kids', dyna be yda ni'n eu galw nhw."

"Ond..."

Ma DI Kidd fel tasa fo'n synhwyro'r tensiwn yn fy llais a fedar o ddim peidio â sylwi ar y feiro ffelt-tip o bryder oedd newydd greu llinellau dwfn a hir ar hyd fy nhalcen.

"Ti'n ocê, Irfon? Rwbath yn dy boeni di?"

"Be? Na. Nago's... ond... wel, ddudodd y plisman wrtha i na fydda 'na'm fforensics yn rhan o hyn."

Ma DI Kidd yn cau ei lyfr bach nodiadau ac yn ei stwffio i boced cefn ei jîns bratiog.

"Ia wel, ti'n gwbod sut ma'r plismyn 'ma mewn llefydd bach fel hyn, Irfon. Ma nhw'n iawn i arwain y traffig ac i ddeud faint o'r gloch ydi hi neu i ddangos y ffordd i B&Q. Ta waeth, o'dd 'na bwysa mawr o'r top arnyn nhw i gau'r busnas yma mor sydyn ag o'dd yn bosib gan 'i fod o mor hai proffail. Y peth dwytha oedda nhw isho o'dd haid o newyddiadurwyr yn sticio'u trwyna i mewn. Ond rŵan fod petha wedi tawelu dipyn, 'dan ni wedi ca'l cyfla i ailedrych. Dim bai y plismyn lleol o'dd hyn cofia. O'dd gynno nhw ddim syniad sut i ddelio hefo llofruddiaeth."

"Llofruddiaeth?" Damia... ma'n llais i wedi cracio eto. "Ond, llofruddiaeth... pwy?"

Ma DI Kidd yn sbio arna i fel taswn i'n hollol dwp. Wedyn, wrth ei weld yn tynnu tiwb o Smarties o boced ei siaced fraith, ma'r ddrudwy yn fy mron yn syrthio'n farw fel clwt.

"Tisho un, Irfon?"

"Na, dim diolch."

Mae o'n popian y tiwb ac yn cymryd llond llaw o'r pils amryliw.

"Rhyfadd," medda fo drwy lond ceg o siocled, "dwi'm wedi gweld Smarties ers oes ond welish i nhw yn y siop heddiw a dyma fi'n penderfynu prynu tiwbyn. Ti'n siŵr bod chdi ddim isho un? Ma 'na rei glas rŵan."

"Na, wir i chdi," medda fi gan lyncu fy mhoer unwaith eto, "dwi'n iawn. Oeddat ti'n sôn am... lofruddiaeth?"

"O ia. Llofruddiaeth Robat Cadnant a Duvka Llewelyn-Sion."

"Ond damwain o'dd hynny! Nath o ddisgyn a wedyn dyma hi'n dal ei sawdl yn y gap rhwng y plancia pren ar y landing!"

Ma Kidd wedi hanner troi ffwrdd ond wrth glywed dwyster fy mhrotest mae o'n stopio ac yn edrych arna i.

"Ia wel, dyna be ma pawb yn ddeud, Irfon. A hei, dwi'n siŵr fod hynny'n wir ond ma gin i ordors i jyst checio'r petha 'ma. Jyst er mwyn bod yn saff. Dwi jyst yn credu mewn... archwilio pob posibilrwydd."

Yn sydyn ma 'na lori hefo craen anferth arni yn gyrru

i fewn i'r maes parcio ac, wrth sylwi arni, ma DI Kidd yn edrych ar ei wats.

"Ma nhw'n hwyr."

"Nhw?" medda fi gan ddechrau teimlo fod fy mywyd wedi suro'n rhyfeddol o gyflym rywsut. "Pwy 'di *nhw*?"

Ma'r lori'n stopio gyferbyn â'r Ford Granada ac ma dau ddyn cyhyrog yn neidio allan. Ar ôl ymddiheuro i DI Kidd yn Saesneg am fod yn hwyr ma nhw'n mynd ati i glymu rhaffau tew o gwmpas y Ford Granada.

"Hei," medda fi, "be sy'n digwydd?"

Ma Kidd yn rhoi darn o bapur i mi.

"O, sori," medda fo gan sychu siocled o ochor ei geg hefo cefn ei law, "nesh i anghofio deud. 'Dan ni'n impowndio'r car. Jyst rwtîn. Dim byd i boeni amdano fo. Ma'r gawod 'na wedi difetha bob dim reit siŵr ond, ti'n gwbod, ma'i werth archwilio pob posibilrwydd... jyst rhag ofn."

"Ond sut dwi am fynd adra rŵan?"

Ar hynny ma Hefin Llan yn cyrraedd yn fy Jaguar convertible newydd sbon. Mae o'n canu'r corn ddwywaith ac yn chwifio ei freichiau.

"Yn dy gar newydd," medda DI Kidd hefo winc.

## Gwahoddiad annisgwyl

"Irfon?"

"Helo Mam."

"O'n i jyst isho ffonio i ddiolch am y gôt."

"Nath hi gyrradd yn iawn felly?"

"Minc."

"Ia, o Harrods."

"I be tisho gwario cymaint da?"

"'Dach chi'n 'i haeddu o, Mam."

"A be ma Tegwen o'r RSPCA yn mynd i ddeud?"

"Dudwch na un ffug ydi hi."

"Ia wel, dwi'm yn licio deud celwydd rwsut."

"Fedrwch chi wisgo hi i'r BAFTAs."

"O, Irfon, dwi wedi ecseitio'n lân cofia! Dwi 'rioed wedi bod mewn rwbath felna o'r blaen! Wel, esh i i noson wobrwyo Merched y Wawr yn Felinheli unwaith ond tydi hynny ddim cweit yr un fath yn nac'di?"

"'Sa chi'n synnu."

"Faint sydd 'na i fynd rŵan da?"

"Wsnos."

"A wyt ti am ennill ti'n meddwl?"

"Gawn ni weld."

"Irfon? Ti 'di dal annwyd?"

"Naddo, pam?"

"Dy glywad ti'n snwffian."

Dwi'n teimlo'r powdr gwyn hyfryd yn toddi yn fy nhrwyn ac yn llithro'n araf fel mêl drygionus lawr fy ngwddw. Dwi'n edrych i fyny at Sdim a chodi fy mawd. Mae o'n gwenu ac yn mesur gwerth dau gant i mi ar fwrdd y gegin a'i lapio mewn bagia bach plastig.

"Na, dwi'n iawn, Mam. Sut ma Dad yn licio'r bwr' snwcer?"

"Wrth ei fodd. Mae o lawr yn y selar trw'r dydd. Mae o wedi gneud byd o les iddo fo. Tisho gair?"

"Na, dim rŵan."

"Ti'n siŵr? Fedra i weiddi arno fo os ti'n licio. Ma Huw wedi dŵad drosodd am gêm."

"Na, peidiwch â'i ddistyrbio fo."

"O, 'na ni ta."

Ma Sdim – sy'n lot fwy smart y dyddia yma yn ei siwt ac efo'i fodrwy glust aur – yn cymryd ei arian ac yn nodio. Wrth iddo adael mae o'n meimio fod o am gysylltu ar y ffôn a dwi'n wincio yn ôl ac yn cuddiad y bagia bach ym mhoced fy siaced cyn i Michelle ddod adra.

"Felly 'na i nôl chi'ch dau o'r steshion nos Iau nesa?"

"Wel, 'dan ni ddim isho bod yn niwsans."

"Mam, am y canfed tro, 'dach chi *ddim* yn niwsans, iawn?"

"Fedra ni ga'l tacsi yn iawn, yda ni ddim isho i chdi neud ffŷs."

"Gewch chi reid yn y Jaguar."

"O, dwi mor prowd cofia, Irfon!"

"Peidiwch â crio eto, Mam, plis!"

"Fedra i mo'i helpu fo, Irfon bach. Ar ôl yr holl draffarth ti a Michelle wedi ga'l hefo arian a ballu!"

"Mam… plis…"

"Sori… ond ma jyst yn braf gweld petha'n gweithio i chdi o'r diwadd. Sy'm raid i dy dad boeni eto. A mae o *wedi* bod yn poeni, y criadur."

"Dwi'n gwbod."

"Ond dyna ni. Gad i mi chwthu fy nhrwyn… o diar, lle ma'n hancas i da? Dyma hi. Wela ni chdi wsnos nesa cariad."

"A cofiwch ddŵad â'r gôt minc hefo chi."

"Mi wna i. Hwyl cariad."

"Hwyl."

Dwi'n rhoi'r ffôn i lawr ac yn cerdded draw at yr oergell newydd Americanaidd sy'n rhuo fel Harley-Davidson yng nghornel y gegin. Ma Pushkin yn fy nilyn ac yn rhwbio'i gynffon yn erbyn fy nghoesau gan obeithio falla fod 'na ddarn o gig neu bysgodyn ar gael.

"Sori, boi. Dim byd heddiw."

Dwi'n agor can o Carlsberg hefo snap a dwi ar fin cymryd llond ceg pan ma'r ffôn yn canu eto. Dwi'n 'i godi fo gan rowlio fy llygaid.

"Helo Mam... be 'dach chi 'di anghofio tro 'ma?"

Ond nid Mam sydd yna.

"Irfon?"

"Kidd?"

"Ti'n iawn, Irfon? Ti'n swnio'n... nyrfys rwsut."

"Nyrfys?" Dwi'n trio chwerthin ond yn anffodus dwi'n swnio mor naturiol ag actor ar *Pobol y Cwm*. "Dwi'm yn nyrfys siŵr iawn."

"O, reit."

Dwi'n gafael yn fy siaced.

"Be sy'n neud i chdi feddwl mod i'n nyrfys?"

Dwi'n symud i'r stafell gefn lle dwi'n cadw fy nghasgliad enfawr o lyfrau a CDs. Dyma lle fydda i'n cadw fy stash. Rwla saff. Rwla lle fasa 'na neb byth yn mynd. Tu ôl i gopi clawr meddal o'r Beibl.

"Be ti'n neud, Irfon?"

"Wel... o'n i ar fin ca'l Carlsberg bach fel mae'n digwydd."

"Syniad da. Ma'i fatha 'sa ti 'di darllan fy meddwl i."

Dwi'n gwneud yn siŵr fod y bagia wedi eu cuddiad.

"Sori?"

"Dwi'n sefyll tu allan i'r Cameo jyst i lawr y stryd. Bryna i beint i ti. Fydd hi yn dy ddisgwl di ar y bar mewn pump. Iawn?"

"Iawn," medda fi, "wela i di tu allan rŵan."

Dwi'n rhoi'r ffôn – a'r Carlsberg – i lawr. Dwi'n symud y Beibl ac yn tollti lein berffaith o fy hen ffrind ar hyd y silff ben tân. Ar ôl ei falu'n fân hefo fy ngherdyn Coutts dwi'n ei sugno mewn un symudiad chwim ac ecstatig. Wedyn, ar ôl ailguddio'r bag tu ôl i'r Beibl clawr meddal, dwi'n estyn fy siaced ledar ac yn camu allan trwy'r drws hefo fy mhen yn dechrau craclo fel weiran drydan.

Gwell fasa aros adra.

Ond mae'n amhosib dweud 'na' wrth blisman rywsut.

## Y bennod Chapter

Ma Ditectif Inspector Kidd yn gwisgo ei het bicsi eto.

"Hei, Irfon," medda fo hefo gwên lydan, fel tasa fo'n hen ffrind, "licio'r siaced ledar man! Cŵl!"

Faswn i'n licio medru dweud rwbath tebyg am ei ddillad o. Ond fedra i ddim. Wrth iddo ysgwyd fy llaw mae'n amhosib peidio sylwi fod o mewn rhyw fath o siaced amryliw sydd yn gwneud iddo edrych yn union fel Joseph. Hynny yw, Joseph ar ôl iddo gael ei daro gan lori a'i lusgo lawr y stryd am hanner awr. Ac wedyn ei larpio gan Alsatian gwyllt. Ac wedyn ei baentio gan Rolf Harris. Dydi o heb shafio ac mae o'n drewi o sigaréts. Fel ma pethau, ma gynno fo gystal siawns o gael ei dderbyn trwy borth sanctaidd y Cameo â sgen camel o gael ei stwffio drwy flwch post rhif deg Stryd Downing.

"Sori syr, dim trainers."

Ma llaw gadarn y bownsar mor fawr â rhaw ar draws corff llipa'r ditectif. Ma Kidd yn codi ei droed.

"Converse 'di rhein, bos. Dim trainers."

Ma'r bownser yn gwenu'n gas gan ddangos dant aur pur ac, am eiliad uffernol, dwi'n meddwl falla fod Kidd am dynnu ei fathodyn heddlu allan.

"Ty'd," medda fi gan ymestyn braich frawdol am ysgwydd y plisman, "anghofia'r Cameo. Dwi'n gwbod am yr union le."

* * * *

Ma canolfan gelfyddydau y Chapter newydd wario ffortiwn ar ailwampio tu mewn i'r adeilad a chanlyniad yr holl wario yma ydi bar mwyaf Cymru. I ddweud y gwir mae o mor fawr rŵan mae o fel bol morfil. Mae'n amhosib osgoi'r casgliad fod yna bentrefi cyfan ar Ynys Môn neu yn Sir Benfro fasa'n gallu ffitio i fewn iddo hefo digon o le i dri capal sbâr. A festri yr un.

"Waw," medda Kidd gan gerdded drwy'r drws gwydr a chwibanu.

"Ia," medda fi, "o'n i'n meddwl 'sa ti'n licio fo rwsut."

Ac mae'n hawdd gweld pam achos ma bron pawb yma mewn siacedi lliwgar rhacsaidd a hetiau picsi o Oxfam. Efo'i farf ysgafn ac yn ei jîns gwe pry copyn ma Ditectif Inspector Kidd yn ffitio i fewn yn syth.

"Hei," medda fo gan roi ei law ar fy ysgwydd eto, "ma'r lle 'ma'n grêt, Irfon!"

"Yndi," medda fi wrth i ni gyrraedd y bar, "os ti'm yn meindio yfad mewn rwla hefo awyrgylch fatha Terminal Un yn Heathrow."

"Be chi moyn bois?" medda'r dyn tu ôl i'r bar.

"Dau beint o Starbrechen plis," medda fi gan deimlo'r wad o dennars oedd yn fy mhoced.

"Ga i hon," medda Kidd.

Mae o'n tynnu ei walad ledar allan o bocad cefn ei jîns. I ddweud y gwir dwi'n synnu bod hi heb ddisgyn allan trw'r tylla. Ma ganddo fo un tennar.

"Ti'n siŵr?" medda fi.

"Fi estynnodd y gwahoddiad felly yndw, Irfon, dwi'n mynnu."

"Wel ocê," medda fi gan snwffian a mwynhau'r ffaith bod fy mhen i'n siarp fel cyllell. "Os ti'n mynnu."

"Nain ffiffti, plis," medda'r barman.

"Nain ffiffti?" medda Kidd. "Dim ond dau beint 'nes i ordro!"

"Starbrechen," medda'r barman gan fyseddu'r pwmp o'i flaen. "Ffôr sefnti ffaif y peint. Dim fi sy'n gneud y rheola. Gei di air hefo'r bos os tisho."

"Grêt," medda Kidd gan blicio'r tennar unig allan o'i walad, "ma hynna'n daylight robyri."

"Ti am 'i arestio fo?" medda fi gan nodio i gyfeiriad y barman (sydd bellach yn gweini ar ferch hefo gwallt oren a dyngarîs pinc).

"Paid â 'nhemtio i," medda Kidd hefo gwên. "Ty'd, a'n ni ista."

'Dan ni'n ffendio bwrdd gwag wrth ymyl y drws cefn.

"Iechyd da," medda Kidd gan godi ei wydryn.

"Top banana," medda fi gan godi fy un i.

'Dan ni'n cymryd llond ceg o'r Starbrechen.

"Gwerth bob ceiniog," medda fi.

"Os ti'n deud," medda Kidd.

'Dan ni'n ista am ychydig funudau yn gwrando ar y cannoedd o leisia o'n cwmpas yn trafod ffilmiau, llyfrau, celf a phwy sy'n cysgu hefo pwy. Am unwaith, ma hi'n braf cael mynd allan heb i rywun ddŵad ata i am lofnod neu lun. Dyna 'di'r peth da am Chapter. Does neb yno'n gwylio S4/C.

"Ti'n dŵad o'r gogledd," medda fi.

Ma Kidd yn codi ei wydryn eto mewn teyrnged eironig.

"Ew, ac o'n i'n meddwl mai fi o'dd y ditectif."

Dwi'n gwenu fy ngwerthfawrogiad ac yn cymryd llond ceg arall o'r cwrw drudfawr.

"Dwi inna 'di bod yn gneud fy ngwaith cartra..." medda Kidd.

"O? A be 'nes di ddarganfod?"

"Wel, lot i ddeud y gwir. Es ti'n syth o'r ysgol i Brifysgol Sussex yn Brighton. Es di mor bell â phosib o adra achos dy fod yn awyddus i osgoi'r holl bolycs Cymreig 'na yn Bangor a Aber. 'Nes di radd mewn Saesneg a Ffilm – ges ti gynta hefyd... dwi'n iawn?"

"Carry on, ditectif."

"Trwy ryw fath o hap a damwain ddes ti yma i Gaerdydd. Oeddat ti ddim wedi planio dŵad yn ôl i Gymru, wrth gwrs – oeddat ti'n hollol hapus yn Brighton – ond 'nes di ffraeo hefo dy gariad ac mi a'th hi i ffwr hefo dy ffrind gora felly dyma chdi'n mynd am job hefo'r BBC fel ymchwilydd a – syrpréis syrpréis – mi ges di hi."

"Trwyadl iawn. Fel arfar."

Dwi'n cymryd llond ceg arall o gwrw gan drio peidio edrych yn ofnus. Faint goblyn ma hwn yn wybod amdana i?

"'Nes di weithio dy hun i fyny i fod yn gynhyrchydd, wedyn ges di job fel cyflwynydd ac, am sbel, chdi o'dd gwynab y mis. Oedda chdi'n bob man. Ar glawr pob cylchgrawn ac o flaen pob camera."

"O flaen dy amsar di hefyd."

"Dwi 'di gweld y tapia."

"O? A be oedda ti'n feddwl?"

"Wel, Irfon, paid â cham-ddallt, ond... wel, mi oeddach chdi'n ddelach. Ac yn deneuach."

Dwi'n tapio fy mol.

"Gormod o gwrw."

Ma'r ditectif yn gwenu ac yn cymryd cegiad gofalus o'r Starbrechen cyn rhoi'r gwydr yn daclus ar y mat cardfwrdd.

"Ond mi o'dd yna ryw deimlad o... dwn i ddim... rhyw dristwch yn perthyn i chdi hefyd rwsut, Irfon."

"O dyma ni," medda fi gan rowlio fy llygaid, "paid â deud dy fod ti'n saicaiatrist hefyd!"

Sut ffwc ma'r coc oen bach yma yn gwybod gymaint amdana i? A pam mae o wedi mynd i'r holl draffarth?

"Dwi'n iawn hyd yn hyn, Irfon?"

"Am y tristwch? Wyt. O'n i isho sgwennu."

Ma DI Kidd yn nodio ei ben.

"Yn hollol. Oedda chdi'n gweld hen ffrindia llai talentog na chdi o'r coleg yn cyhoeddi nofelau o'dd yn ca'l eu trafod yn yr *Observer* ac ar Radio Four yn doeddat, Irfon? Tra oedda chdi – y boi hefo tair gradd 'A', a seren y cwrs yn ôl y darlithwyr – yn cyflwyno rhaglenni dwl ar S4/C ar gyfer cynulleidfa o'dd dros eu saithdegau ac yn chwyrnu ar eu soffas."

Dwi'n cymryd sip bach arall o Starbrechen a'i lyncu yn ansicr. Oedd o hyd yn oed yn dechra swnio fatha fi rŵan!

"Wel," medda Kidd gan bwyso ymlaen, "rywbryd yn ystod y cyfnod yma 'nes di bishio lot o bobol off hefo dy agwedd – agwedd negyddol a gwawdlyd. Felly, dyma chdi'n rhoi gora i gyflwyno a chymyd job yn y BBC fel cynhyrchydd. Falla dy fod ti'n meddwl fod hon yn job o'dd yn mynd i adal digon o amsar i chdi sgwennu dy nofel heb i neb sylwi. Ond, wrth gwrs, mi nath pobol sylwi. Ac mi nath pobol ddechra cwyno. Cyn bo hir oedda chdi'n ca'l rhybudd ar ôl rhybudd ond, serch hyn i gyd, oedda chdi'n cario mlaen i sgwennu yn y swyddfa, lle ddyla chdi fod wedi bod yn gweithio, achos o'dd dy hen ffrindia di o'r coleg – fel 'dda chdi'n gweld petha – yn camu mlaen hefo'u nofelau a'u sgripts a'u ffilmia tra 'dda chdi'n styc yn y BBC. Yn y diwedd, dyma chdi'n gneud penderfyniad. Un dwrnod ti'n ca'l y llythyr calonogol 'ma gin y ddynas 'ma o Random House –"

"Kelly Wannamaker."

"Ma hi'n licio dy lyfr di ac isho gweld mwy. Ti'n teimlo

fod y foment fawr wedi cyrradd o'r diwedd, felly mewn eiliad o wallgofrwydd ti'n deud wrth dy fos dy fod am adal y BBC a chanolbwyntio ar ennill y Booker Prize hefo dy nofel *The Sands of… of…*"

Mae o'n clicio ei fysadd i drio cofio.

"*Rillentajara*," medda fi.

"Ond yn anffodus gafodd y ddynas 'ma o Random House ei lladd ar Flight 306 o Heathrow."

"O, taw â sôn. A ti'm yn digwydd gwbod be o'dd enw mam y peilot siawns?"

Ma DI Kidd yn gwenu. Mae o'n eistedd yn ôl yn ei gadair.

"Cheryl," medda fo.

"Be?"

"Na, sori. Jyst tynnu dy goes di."

"Diolch byth am hynna. O'n i'n dechra meddwl dy fod ti'n gwbod bob dim!"

Ma Kidd yn gwenu eto ac yn sipian ei Starbrechen.

"Jane."

"Sori?"

"Mam y peilot," medda Kidd. "Jane o'dd 'i henw hi, nid Cheryl. Jane Rourke. Saith deg pump oed. Yn wreiddiol o Efrog. Yn byw yn Stepney rŵan."

Ma Kidd yn rhoi'r Starbrechen i lawr ac yn sychu ei geg hefo llawes ei siaced liwgar.

"Aeth petha i'r wal. Oedda chdi a Michelle yn stryglo. Wrth gwrs, o'dd hi'n iawn yn y BBC ac yn ennill BAFTAs a'r holl glod a ballu ond o'dd arian yn brin ac o'dd 'na neb arall ar wynab y ddaear yn licio *The Sands of… of…*"

"*Rillentajara*."

"Tri deg wyth cyhoeddwr wedi ei gwrthod erbyn hyn."

"Ha ha, Sherlock, dyna lle ti'n rong yli. Tri deg naw!"

"Beth bynnag, o'dd raid i ti ga'l job a felly dyma chdi'n troi fyny fel ymchwilydd yn Cynyrchiadau Duvka. O'dd o ddim be oedda chdi isho neud o gwbl ond mi o'dd o'n talu'r bilia ac yn cadw'r banc yn weddol hapus. Ond wedyn, wrth gwrs, nath bob dim newid. Bu farw Robat Cadnant a Duvka Llewelyn-Sion."

Mae o'n stopio ac yn eistedd yn ôl yn y gadair ddychrynllyd o anghyfforddus a sbio o'i gwmpas fel tasa fo'n ymlacio ar fwrdd llong hwylio.

"Wel?" medda fi ar ôl ychydig eiliadau.

Ma 'na olwg o syrpréis ar wyneb y ditectif.

"Wel be?"

"Be ddigwyddodd wedyn?"

Mae o'n sbio i fyw fy llygaid.

"Ti'n bysgotwr, Irfon?"

"Pysgotwr?"

"Ia. Ma 'na ddarn bach da o afon bysgota tu allan i Sain Ffagan hefo llwyth o frithyll. Ma gin i wialan sbâr os tisho menthyg un."

"Dwi'n da i ddim byd am bysgota."

"Rhag cywilydd i ti a chdi yn hogyn o'r wlad! Do's 'na'm byd tebyg, gei di weld. Awn ni ddydd Sadwrn. Ro i ganiad i chdi."

"A ti'm am ddeud?"

Mae o'n edrych arna i yn syn.

"Deud be?"

"Be ddigwyddodd hefo Robat a Duvka."

Mae o'n gorffan y Starbrechen mewn un llwnc a slamio'r gwydr i lawr ar y bwrdd.

"Dyna ydi'r pwynt," medda fo gan godi. "Dwi ddim yn *gwbod* be ddigwyddodd."

"Wel, wel, wel," medda fi hefo rhywfaint o ryddhad. "Rwbath dydi'r ditectif mawr *ddim* yn wbod!"

Dwi'n codi'r cwrw a pharatoi i'w orffan mewn un llwnc hefyd.

"Ond fydda i'n gwbod mwy ar ôl fory," medda fo.

Ma'r gwydryn tua modfedd i ffwrdd o fy ngheg. Ma'n llygaid i'n culhau. Rywsut neu'i gilydd dwi'n dallt 'sai'n well i mi beidio gofyn y cwestiwn… ond fedrai'm helpu fy hun.

"Pam? Be sy'n digwydd fory?"

Ma DI Kidd yn gwenu.

"'Dan ni'n codi'r cyrff."

# Pysgota

"Iesgob, Irfon, ti'n edrych yn union fel Twm y Bwgan Brain ar y teledu!"

"Ia, ha ha, Michelle," medda fi yn flin, "ond dyma'r union fath o ddillad ma pobol yn wisgo i fynd allan i bysgota."

"Be? Dillad shit? Ac ers pryd ti'n bysgotwr beth bynnag?"

"Dwi 'di bod ar y we yn gneud ymchwil yn do? A wedyn dwi 'di bod yn y siop 'na ym Mhenarth."

"Pa 'run? Scarecrows R Us?"

Ma 'ngwyneb i'n cyfleu'r geiria "ffyc" ac "off" er bod gen i mo'r gyts i acshiyli dweud nhw.

"Country Supplies. Dyna lle ges i'r wialen 'ma hefyd. Chwe troedfadd. Sbia."

"Wel, ma raid i mi gyfadda, mae'n lot mwy trawiadol na'r wialen arall 'na sgin ti!"

"Bwm ffycin bwm."

Ma 'na gnoc ar y drws.

"O," medda Michelle, fel tasa hi'n gyflwynydd ar *Cyw*, "ma ffrind bach Irfon wedi cyrradd i fynd â fo i bysgota."

Ma hi'n agor y drws.

"Helo," medda Ditectif Inspector Kidd gan siglo llaw Michelle, "ydi Irfon yn dŵad allan i chwara?"

"Dyma fo," medda Michelle gan gyfeirio ata i, "y pysgotwr… yn ei holl ogoniant."

Ma Kidd yn piso chwerthin. Wedyn ma Michelle yn piso chwerthin hefyd.

I ddweud y gwir ma nhw'n piso chwerthin am hir.

Rhy hir.

"Sori, Irfon," medda Kidd. "Ond y gwir amdani ydi… ti'n edrach yn union fel Twm y Bwgan Brain."

"Dyna be ddudish *i*!" medda Michelle.

Wrth gwrs, ma nhw'n piso chwerthin eto fatha dau blentyn ar iard ysgol. Dwi'n troi at y drych a dwi'n gweld Twm y Bwgan Brain yn sbio nôl arna i.

Twm y Bwgan Brain blin.

"Well i ni fynd," medda Kidd.

⋆ ⋆ ⋆ ⋆

Allan yn y stryd dwi'n agor bŵt y Jag ac yn taflu fy mocs pysgota i mewn pan ma 'na rywun yn fy nhapio i ar fy nghefn. Dwi'n troi rownd i weld hen ddynas â llyfr llofnodion.

"'Dach chi'n meindio?" medda hi gan wenu'n glên a chynnig beiro i mi.

Dwi'n troi at Kidd ac yn codi fy aeliau cystal â dweud, "Dyma'r teip o beth sy'n digwydd trwy'r amser."

"Pwy ddylwn i enwi?"

"I fy wyres fach i. Mali," medda'r hen ddynas. "Mae'n dwli arnoch chi ar y teledu."

"O," medda fi yn fy llais mwyaf poléit, "neis i glywed hynny wir."

"Ia. Sgwennwch rwbath fel 'I Mali, cariad mawr – Twm y Bwgan Brain'."

Tu ôl i mi dwi'n clywed Kidd yn chwerthin yn dawel.

⋆ ⋆ ⋆ ⋆

Ma'r tri ohonom yn eistedd ar lan yr afon tu allan i Sain Ffagan – fi, Kidd… a'r eliffant.

Ma'r eliffant yn un anferth – y fersiwn Affricanaidd yn

hytrach na'r un o'r India (ma'r clustiau'n fwy) – ond, er 'i fod o mor fawr tydi o ddim yn gwneud unrhyw sŵn o gwbl, chwara teg iddo fo. I ddweud y gwir dydi o ddim yn symud chwaith. Tydi o ddim yn amharu ar yr adar yn y coed na'r pryfaid yn yr awyr – na'r pysgod yn y dŵr o be wela i.

Hwn ydi'r eliffant sydd wedi bod hefo ni ers i ni eistedd yn y Jag a chychwyn ar y trip pysgota. Oedd o yn y sêt gefn yn syllu arna i. Eto, wnaeth o ddim smic ac ar ôl i ni barcio ddoth o allan o'r cefn heb lol a'n dilyn ni ar hyd y llwybr nes i ni gyrraedd glan yr afon.

Oedd Ditectif Inspector Kidd yn medru gweld yr eliffant yma hefyd? Anodd dweud. Oedd Kidd jyst yn syllu lawr at y dŵr ac yn rowlio ffag fel tasa 'na'm eliffant yna o gwbl.

"Hei, Kidd," medda fi o'r diwedd gan drio anwybyddu'r anghenfil wrth fy ochor unwaith eto, "gad i mi weld os ydw i 'di dallt y busnas pysgota 'ma'n iawn. 'Dan ni wedi rhoi'r pry genwar ar y bachyn."

Ma Kidd yn nodio, yn llyfu ei Rizla ac yn gwenu.

"Do."

"'Dan ni wedi rhoi'r wialen yn yr afon."

"Do."

"'Dan ni wedi ista i lawr ar y stolia anghyfforddus 'ma wrth ymyl y lan."

"Do."

"'Dan ni 'di yfad panad o'r fflasg."

"Do."

"'Dan ni'n wlyb socian achos mae'n bwrw."

"Yndan."

"A do's 'na'm byd wedi digwydd am dros hannar awr."

"Nago's."

Dwi'n sbio ar yr afon. Wedyn dwi'n troi nôl at Kidd.

"'Dio'm yn be fasa rhywun yn 'i alw'n gyffrous nadi?"

Ma DI Kidd yn gwenu eto ac yn tanio'r sigarét.

"Mae'n rhaid i ti fod yn amyneddgar, Irfon," medda fo, a'r mwg yn byrlymu o'i geg fel geiriau mewn ffilm gartŵn, "dyna 'di'r peth hefo pysgota. 'Sa'm pwynt mynd i mewn yn fyrbwyll ac yn wirion achos wnei di byth ddal rwbath felna. Ma raid i chdi fod yn gyfrwys. Ma raid i ti feddwl yr un ffordd â be ti'n drio'i ddal."

"Ti'n swnio fel y boi Grasshopper 'na o'r rhaglen *Kung Fu* ers talwm!"

"Yli," medda Kidd gan eistedd ymlaen ychydig ar y stôl, "gad i mi egluro. Os ti'n trio dal brithyll er enghraifft – fel yda ni heddiw – ma raid i ti drio mynd i fewn i ben y pysgodyn. Ti'n dilyn? Dyna be ma'r pysgotwyr gora i gyd yn neud. Ma'n rhaid i ti drio dyfalu be fasa'r cradur yma yn neud nesa, i lle fasa fo'n trio mynd? I ba gyfeiriad? Dan ba garreg? Os wnei di hyn yn llwyddiannus mi wnei di ddal dy bysgodyn bob tro. Yn y diwadd."

"Reit," medda fi, ychydig yn amheus, "felly y syniad ydi trio… meddwl fel brithyll?"

"Yn hollol."

"Ydi brithyll weithia'n meddwl 'Be am roi'r gora i hyn a mynd i'r dafarn?'"

Ma'r ditectif yn gwenu.

"Mynadd," medda fo. "Dyna 'di'r gyfrinach." Wedyn mae o'n wincio. "Grasshopper."

* * * *

Ma hanner awr arall yn mynd heibio heb i ddim byd ddigwydd. Ma'r gwynt yn cribo'r coed, ma'r adar yn crawcian fel môr-ladron, ma'r afon yn byrlymu dros y cerrig…

… ac ma'r eliffant yn berffaith dawel wrth fy ochor.

Dwi'n crafu fy ngwddw ac yn trio anwybyddu'r anghenfil unwaith eto.

"O'dd hwnna'n dric da noson o'r blaen," medda fi gan droi at y ditectif. Mae o'n edrych arna i braidd yn syn.

"Noson o'r blaen?"

"Ia, yn Chapter. Pan es di drwy fy holl hanas i – ti'n gwbod."

"O, reit," medda fo gan dynnu ar ei wialen i wneud yn siŵr fod y tensiwn yn iawn, "wel, dyna ydi 'ngwaith i yn de? Ditectif."

"Ti'n meindio 'swn i'n trio?"

"Be? Trio deud fy hanas *i*?"

"Pam lai?" medda fi gan gyfeirio at yr afon. "Wedi'r cwbl, 'sa ffyc ôl yn digwydd yn fan hyn yn nago's?"

"Iawn," medda Kidd gan edrych arna i'n graff. "Pan ti'n barod."

"Reit," medda fi gan symud dipyn ar y stôl i wneud fy hun yn fwy cyfforddus, "faswn i'n deud dy fod ti'n dŵad o deulu dosbarth canol parchus ym Mangor – doctoriaid ella, neu athrawon. Oedda chdi fod i fynd i'r coleg ond, yn lle hynny, benderfynais di fynd yn dditectif ar ôl gweld *Morse* ar y teli. 'Nes di greu dipyn o stŵr yn y Coleg Heddlu – lle bynnag o'dd hwnnw – achos oedda chdi'n hollol wahanol i bawb arall hefo dy ddillad rhyfadd a ballu ond, er hyn i gyd, chdi o'dd un o'r myfyrwyr mwya disglair oedda nhw erioed wedi gael felly o'dd yr awdurdoda yn eitha cŵl hefo chdi. Ges di'r marcia ucha erioed yn dy arholiada a ges di dy swydd yn syth hefo Heddlu De Cymru a dy ffast-tracio i fod yn Dditectif Inspector. Dwi'n iawn?"

Ma Ditectif Inspector Kidd yn gwenu.

"Da iawn, Irfon," medda fo.

"O'n i'n iawn felly?"

"Oeddat. Heblaw am un neu ddau o fanion betha."

"O? Fel be?"

"Wel, i ddechra, o'dd 'y nhad i'n alcoholic, o'dd Mam yn llnau'r lloria yn Boots a ges i 'nwyn i fyny ar stâd Maesgeirchen, felly o'dd o ddim be 'sa ti'n alw'n ddosbarth canol parchus. A wedyn, *Columbo*."

"*Columbo*?"

"Ia," medda Kidd. "O'dd Mam wrth ei bodd hefo fo ers talwm. Ti'n 'i gofio fo? Y ditectif 'na hefo hen gôt a hen jalopi? O'dd pawb yn meddwl fod o braidd yn dwp achos y ffordd o'dd o'n edrych, ond o'dd o bob tro'n dal y dynion drwg yn y diwedd. Wel, o'dd gan Mam lwyth o hen fideos a dwi'n siŵr 'i bod hi wedi recordio'r blydi lot. Hollol anghyfreithlon, wrth gwrs."

"'Nes di arestio hi?"

"Felly, ti'n gweld, *Columbo* o'dd y sbardun i mi fod yn dditectif. Nid *Morse*. Wedyn y busnas coleg yna."

"Paid â deud 'y mod i'n rong am hynny hefyd?"

Ma Kidd yn diffodd ei sigarét ar waelod ei welington.

"Fi o'dd y stiwdant gwaetha oedda nhw 'rioed wedi gael," medda fo. "O'n i bob tro mewn trwbwl a, mwy nag unwaith, ges i fy rhybuddio mod i ar fin ca'l fy hel allan os na fyswn i'n ailgydio yn y gwaith a gwella fy agwedd negyddol sinicaidd. O'n i hefyd yn uffernol o flêr dyddia hynny."

"O? Taw â sôn."

"Ac yn ola, ches i ddim fy... ffast-tracio. I ddeud y gwir o'dd neb yn awyddus i roi job i mi, ond yn y diwedd 'nes i lwyddo i ga'l fy nerbyn gan Heddlu Gogledd Cymru a wedyn cael fy nhrosglwyddo lawr i'r de achos fod yna brinder ditectifs. Wedyn dyma'r cês yma'n codi a dyma nhw'n 'i roi o i mi."

"Reit," medda fi gan ochneidio. "O'n i'n hollol rong felly."

Ma DI Kidd yn gwenu ac yn rhoi ei law ar fy ysgwydd.

"Hei," medda fo. "Oeddat ti'n iawn am Bangor."

★ ★ ★ ★

Ma 'na chwarter awr arall yn cropian heibio fel cath ofnus sy'n ceisio osgoi anffawd ac, yn y diwedd, dwi'n penderfynu fod rhaid cael gwared ar y ffycin eliffant unwaith ac am byth. Felly dwi'n troi at Ditectif Inspector Kidd a gofyn y cwestiwn yn strêt.

"Be ddigwyddodd hefo codi'r cyrff?"

Mae o'n tynnu ar ei wialen bysgota.

"Be? Cyrff Cadnant a Duvka ti'n feddwl?"

"Naci, Waldo Williams a Kate Roberts. Wrth gwrs, Robat Cadnant a Duvka... ffyc's sêc!"

Ma Kidd yn rhoi'r wialen i lawr am eiliad ac yn llnau ei ddwylo ar ddarn o dywel wrth ei ochor.

"Mae'n siŵr dy fod ti wedi'i weld o ar *Wales Today* neithiwr?"

"Welish i be welodd pawb arall," medda fi, "y babell, a'r dynion fforensics... a'r plisman parchus yn deud fod 'na ddim byd am gael ei ddatgelu eto tan iddyn nhw neud ymchwiliad llawn i'r mater. Wedyn yn ôl i Jamie Owen yn y stiwdio."

"Wel," medda Kidd yn ddifater gan ailgydio yn y wialen bysgota, "ti'n gwbod y cyfan felly."

"Paid â malu, Kidd! Ma raid fod gen ti rwbath. Rhyw fath o... syniad?"

Yn sydyn ma gwialen bysgota Kidd yn symud ac ma'r ditectif yn eistedd ymlaen ar ei stôl.

"Dwi 'di dal un," medda fo, "un mawr hefyd!"

Am ychydig eiliadau dwi'n sbio arno fo'n chwifio'r wialen

i'r chwith ac i'r dde wrth i beth bynnag mae o wedi ei ddal ymladd am ei fywyd dan ddyfroedd byrlymus yr afon.

"Dyma," medda fo, ei lais dan dipyn o straen wrth iddo fo dynnu, "*dwi'n* feddwl – nath Robat Cadnant… ddim… marw yn ei dŷ."

Ma 'nghalon i'n ffrwydro fel grenâd.

"A be sy'n neud i chdi feddwl hynna?"

"Sialc," medda'r ditectif yn bendant.

"Dwi'm yn dilyn."

Ma DI Kidd yn dechrau weindio'r rîl mor galad â fedar o wrth i'r pysgodyn druan geisio osgoi ei ffawd anochel.

"Ti'n gweld, Irfon, ma'r criw fforensics wedi ffendio darnau bach o sialc yn y briw ar dalcen Robat Cadnant ac ma'r sialc yna… yn ôl pob sôn… yn unigryw i un gornel fach o orllewin Cymru, sef hen chwarel Plas y Gwynt. Ma'r hen chwarel yma yn agos i'r fferm oedda chdi a Robat i fod i fynd iddi… i ffilmio'r fuwch 'na hefo'r enw od. Be o'dd o eto? Tony Adams?"

"David Beckham," medda fi gan deimlo cysgod trwm y cymylau uwchben yn dwysáu rywsut.

"O ia," medda DI Kidd, "wrth gwrs. Beckham." Wedyn mae o'n tynnu ar y wialen. "Ty'd yma'r basdad bach… dwi 'di dy ddal di rŵan!"

Mae o'n weindio eto wrth i'r brithyll dewr geisio gwneud un ymdrech olaf i ddianc am byth lawr yr afon i fan tawel a diogel.

"Dwi'n meddwl," medda Kidd, "fod yna ryw fath o… ffrwgwd wedi bod. Wedyn… a falla fod hyn yn hollol ddamweiniol… dwi'n meddwl fod Robat Cadnant wedi cael ei daro ar ei ben hefo carreg o'r chwarel yma – carreg o'dd yn cynnwys darnau bach o'r sialc unigryw yma. A mi o'dd 'na ddarnau o sialc ar siaced yr hen foi hefyd, fel mae'n digwydd. Od iawn. Ti'm yn meddwl, Irfon? A, Mistar Brithyll… dyma ni!"

Ma Ditectif Inspector Kidd yn rîlio yn fwy sydyn byth, mor sydyn nes bod ei ddwylo fel olwynion bach.

"A… wedyn?"

"Wedyn," medda Kidd wrth gipio'r brithyll styfnig o'r dŵr o'r diwedd, "wnaeth y llofrudd roi'r corff ym mŵt ei gar – bŵt eitha mawr faswn i'n dyfalu – dyma fo'n cael cyfeiriad Robat Cadnant o'i ddyddiadur neu ei waled… dyma fo'n llwytho'r cyfeiriad i'r TomTom… gyrru'r hen foi adra… a rhoi'r corff ar waelod y grisia gan obeithio fod y plismyn twp yn mynd i goelio fod yr hen ŵr wedi cael codwm. Dyma fo… dwi 'di ga'l o…"

Ma'r pysgotwr yn cydio yn y brithyll, sydd erbyn hyn yn hongian yn ddiymadferth ar ddiwedd lein y wialen. Hefo un symudiad slic mae o'n tynnu'r bachyn o'i geg.

"Ond be am Duvka?" medda fi, yn falch fod Kidd yn brysur efo'r pysgodyn rhag iddo sylwi mor nerfus a chwyslyd oeddwn i.

"Duvka?" medda Kidd wrth i'r brithyll fflapio yn ei law, "tywysoges answyddogol Cymru? Gath hi ei lladd gin yr un person laddodd Robat Cadnant. Ond y tro yma yng nghartra'r hen foi."

Dwi'n ysgwyd fy mhen.

"Sut ffwc ti'n gwbod hynna?"

"Syml," medda Kidd, "nath hi syrthio yn ei hôl, sy'n awgrymu iddi gael ei gwthio lawr y grisia."

"O? A sut ti'n gallu bod mor siŵr 'i bod hi wedi disgyn yn ôl?"

"Am fod yna dwll tua 'run maint â dwrn babi ar gefn ei phen. Ma fforensics yn deud wrtha i fod hynny bron byth yn digwydd mewn damwain. Ti'n gweld, disgyn ymlaen neu i'r ochor ma rhan fwya o bobol sy'n disgyn lawr grisia mewn damwain – nid yn ôl." Mae o'n troi at y pysgodyn. "Dwi 'di dy ddal di 'ngwas i!" Mae o'n taro pen y brithyll yn erbyn carreg ac ma'r pysgodyn yn marw'n syth. "Ti'n gweld," medda fo gan ddal y pysgodyn anffodus i fyny. "Mae'n hawdd dal pysgodyn pan ti'n gwbod sut i feddwl fel un."

Ma Ditectif Inspector Kidd yn taflu'r brithyll i fewn i'r fasged wrth ei ochor ac yn paratoi i roi'r wialen yn ôl yn y dŵr.

"Ond fedra i ddim profi hyn wrth gwrs," medda fo gan edrych arna i am eiliad hefo hanner gwên gyfrwys. "Dim eto o leia."

"Ti'n meddwl na fi nath yn dwyt?"

"Hei, Irfon," medda fo, "dyna chdi eto... yn nyrfys i gyd!"

Dwi'n codi o fy stôl ac yn taflu carreg i mewn i'r dŵr.

"Ti'n gwbod yn iawn na fi o'dd y person dwytha i weld Robat Cadnant yn fyw. A ti'n gwbod hefyd na fi nath yrru fo adra!"

"Ia," medda Kidd gan rwbio'i ên yn feddylgar, "ma 'na rwbath reit od am hynny hefyd i ddeud y gwir. Ti'n gweld, ma'r adroddiadau yn dangos dy fod ti wedi ca'l dy stopio gan yr heddlu ar dy ffordd yn ôl i Gaerdydd. Oedda chdi'n gyrru'n wirion neu rwbath mae'n debyg."

Ffyc!

"A?"

"Wel," medda'r ditectif, "wnaeth y plisman ofyn i chdi fynd â dy drwydded yrru i dy orsaf leol o fewn tri diwrnod. Ond es ti ddim."

"'Nes i anghofio yn do? Ma pobol yn anghofio petha trw'r amsar!"

Ma Ditectif Inspector Kidd yn ochneidio.

"I fod yn hollol onast hefo chdi, Irfon," medda fo, "sdim ots gen i os oeddat ti'n gyrru'n wirion. A dwi'n cytuno hefo chdi hefyd fod pobol yn anghofio petha." Mae o'n sefyll i fyny. "Ond ti'n gweld, be dwi'n ffendio'n od ydi'r ffaith fod y plisman yma yn mynnu na jyst *un* person o'dd yn y Ford Granada y diwrnod hwnnw – chdi. Do'dd dim sôn am Robat Cadnant."

Ffyc!

"Wedyn ma'r busnas yna hefo'r Coronation Café."

"Sori?"

"Gyferbyn â'r M4," medda Kidd. "Faswn i'n licio deud 'fedri di ddim 'i fethu o' ond, yn anffodus i Norman Jenkins, y boi sy'n rhedag y lle, ma pawb bron *yn* methu'r lle. Ond 'nes di ddim. A ma'r boi Norman Jenkins yma'n dy gofio di'n iawn. Tydi o ddim yn cofio gweld neb arall hefo chdi chwaith ond mae o yn cofio un peth rhyfadd iawn – mae o'n cofio clywed ffôn symudol yn canu yn bŵt y Ford Granada. Mae o'n deud 'i fod o wedi rhedag lawr y lôn ar dy ôl di'n chwifio'i freichia ac yn trio tynnu dy sylw di at y peth ond, yn ôl Norman, 'nes di ei anwybyddu o a gyrru i ffwrdd."

"A ti am gymyd gair nytyr fatha Norman Jenkins fod 'na ffôn symudol yn canu yn y bŵt?"

"Wel," medda'r ditectif gan ysgwyd ei ben, "mi o'dd o yn gymeriad reit od, ma'n rhaid i mi gyfadda hynny."

Dwi'n codi, plygu'r stôl dan fy mraich a chydio yn fy ngwialen bysgota newydd sbon.

Ma Ditectif Inspector Kidd yn sbio arna i'n syn.

"Lle ti'n mynd, Irfon?"

"Adra. Dwi wedi ca'l digon."

"Ond 'dan ni mond 'di bod yma am awr – a ti'm wedi dal dim byd eto!" Mae o'n rhoi ei fraich yn frawdol ar fy ysgwydd unwaith eto. "Ty'd, ma 'na fan reit dda i fyny fan hyn." Mae o'n pwyntio at dro yn yr afon ac ma'r glaw yn chwipio fy ngwyneb. "A, wedi'r cwbl, ti wedi gwario'r holl arian yna ar y gêr… a'r dillad."

"Ia, wel," medda fi'n bwdlyd, "ar ôl meddwl am y peth dwi'm yn meddwl mod i'n bysgotwr rwsut. Caria di mlaen, a i am dro a mi biga i di fyny wedyn. Dwi'n teimlo fel cerddad chydig beth bynnag… er mwyn clirio 'mhen."

Ac i gael amsar i feddwl sut i ddŵad allan o'r ffycin twll 'ma. *Columbo* wir! Digon hawdd gweld sut oedd mam y coc oen yma wedi bod yn ffan o *Columbo*. Dwi'n troi i fynd… ond wedyn –

"Ym… un peth arall," medda Kidd tu ôl i mi.

Dwi'n troi rownd yn araf ac yn rowlio fy llygaid.

"Be rŵan?"

"Ti'n meindio helpu fi hefo hyn, Irfon?"

Ma Ditectif Inspector Kidd yn estyn bocs bach allan o'i fag pysgota a'i agor. Tu fewn ma 'na sgwâr du o inc a sgwâr bach glân o bapur gwyn gyferbyn â fo.

"Bocs hoel bys," medda Kidd. "Ti'n meindio?"

Dwi'n cerdded i fyny yn flin a pwyso fy mys i lawr ar y sgwâr du ac wedyn ar y darn bach o bapur gan sbio i fyw llygaid Kidd.

"Hapus rŵan? Columbo?"

"Diolch."

Ma Kidd yn cau'r bocs a'i stwffio yn ôl yn y bag.

"Ond ti'n gwbod fod hynna ddim yn mynd i brofi dim byd yn dwyt?" medda fi yn ddiffuant. "Mae'n hollol naturiol dy fod ti'n mynd i ffendio hoel fy mysadd i ar y drws achos fi helpodd Robat i mewn i'r tŷ."

"'Dan ni'n gwbod hynny, Irfon," medda'r ditectif yn dawel. "Sdim ots gynno ni gymaint am yr olion yna."

Dwi'n llyncu fy mhoer.

"O?"

"Ma gynno ni fwy o ddiddordeb yn y peiriant atab."

"Y... peiriant atab?"

"Ia," medda Kidd gan blygu ei stôl, "ti'n gweld, 'dan ni'n gwbod fod Duvka wedi gadal neges i Robat Cadnant am chwarter i wyth. Erbyn hynny, yn ôl fforensics, mi o'dd Robat Cadnant wedi bod yn farw am bedair awr neu fwy, ond eto mi nath rhywun bwyso'r botwm ar y peiriant atab i wrando ar neges Duvka. Ti'n gweld, Irfon, ma 'na awgrym reit glir fod 'na rywun yn y tŷ yn barod pan nath Duvka gyrraedd, a pwy bynnag o'dd y person hwnnw, ma 'na awgrym clir arall mai fo – rwsut neu'i gilydd – o'dd yn gyfrifol am ei marwolaeth hi a, mwy na thebyg, am farwolaeth Robat Cadnant hefyd."

Ffyc!

"Ond," medda Kidd gan gydio yn ei fasged a thynhau'r caead ar y brithyll druan, "mi wnaeth y person yna glamp o gamgymeriad. Mi wnaeth o adal hoel bys perffaith ar fotwm y peiriant atab. Blêr iawn 'sa ti'n gofyn i mi. Ond dyna fo – diolch i'r drefn am gamgymeriadau, achos rŵan 'dan ni'n bownd o'i ffendio fo. 'Dan ni'n mynd trwy'r olion bysadd fesul un. Mater o amser ydi hi rŵan."

"Amser?"

"Ia," medda Kidd gan edrych yn syth i mewn i fy llygaid. "Tan gawn ni fatsh perffaith."

## Wel, Irfon, sut deimlad ydi hi i fod yn enwog ta?

Fasa chi'n synnu. 'Dach chi'n gweld, y peth ydi, ma pawb yn meddwl fod enwogrwydd yn rwbath *ffan*-ffycin-*tastig* a bod statws 'seleb' yn mynd i agor bob math o ddrysa i chi.

Rong.

Y gwir ydi fod enwogrwydd yn cau mwy o ddrysa na mae'n agor ac os na 'dach chi'n fy nghoelio i triwch hyn:

Lle bynnag 'dach chi'n darllen hwn, smaliwch 'ych bod chi'n wyneb cyfarwydd ar y teledu. Ocê? Reit, cerddwch drwy rwla lle ma 'na lwyth o bobol a sbiwch pa mor bell fedrwch chi fynd nes ma 'na rywun yn 'ych nabod chi. Mae'n ddigon hawdd sylwi pan ma hyn wedi digwydd achos ma pobol yn rhoi'r gora i siarad hefo'u ffrindiau ac ma nhw'n dechra sibrwd a phwyntio atoch chi. Wrth gwrs, ma cael 'ych nabod yn iawn a fasa bob dim yn ffein a hynci-dôri os fasa petha'n stopio hefo'r pwyntio a'r sibrwd, ond y broblem ydi nad ydi petha byth yn stopio yn fan'na! O na. Ma'n rhaid i'r sawl sydd wedi eich nabod chi ddŵad draw. A siarad. A chymryd llun. A chymryd llun arall hefo'u ffrindiau. A chael llofnod. A chusan.

Ac ma'r merched yn waeth byth.

Ma bod yn enwog fel bod yn blentyn del mewn ystafell sy'n llawn o oedolion – ma pawb yn sylwi arnoch chi ond eto does 'na neb yn sylwi arnoch chi.

Ma pawb yn gallu gweld eich bod chi yna, ond does neb yn gweld os 'dach chi'n anniddig neu'n anhapus hefo'r holl sylw a'r ffŷs 'dach chi'n gael. Ma fel 'sa chi'n ddoli neu ryw fath o ffrîc. A dyma'r bobol sydd wedi'ch creu chi – nhw sydd wedi penderfynu eich croesawu chi i grombil eu cartrefi bob nos ac, ers hynny, ma 'na ran fawr o'u psyche pathetig nhw sy'n argyhoeddedig mai rhyw fath o ffenomenon dau ddimensiwn ydach chi, hyd yn oed pan ma nhw'n eich cyfarfod chi ar y stryd neu ar faes y Steddfod.

Cyfarfod â'r cyhoedd.

Brrrrr! Dwi'n dweud wrtha chi, mae o'n ddigon i yrru ias lawr fy nghefn. Y pwniad 'na yn eich cefn ac wedyn 'dach chi'n troi i weld gwyneb hollol anadnabyddus yn gwenu fel giât o'ch blaen chi.

"Helo Irfon, ti'm yn fy nghofio i ma'n siŵr yn nagw't? Naetho ni gyfarfod yn Llandudno ddwy flynadd yn ôl pan 'ddach chi'n gneud OB a dwi'n cofio i ni sgwrsio am dîm pêl-droed Bangor..."

Ma'r ffrîcs yma isho creu rhyw fath o berthynas hefo chi, rhyw fath o gysylltiad. Ond, wrth gwrs, be ma nhw'n anghofio'n llwyr ydi'r ffaith eich bod chi'n berson go iawn a falla – jyst falla – 'ych bod chi ar y ffordd i'r tŷ bach... neu'n hwyr i gyfarfod eich gwraig... neu ddim yn teimlo fel sgwrs hefo person cwbl ddiarth ar y stryd, achos, cym on, 'dan ni gyd yn cofio be ddigwyddodd i Jill ffycin Dando!

Sut ma osgoi'r crap yma felly? Wel... dyma syniad neu ddau.

1. Sbectol haul.

Lle bynnag 'dach chi'n mynd – i'r siop bwtchar bob bora Sadwrn, i Tesco, i'r dref, i weld gem bêl-droed, i gigs, i'r offi rownd y gornel. Bob man. Gwisgwch sbectol haul. Dim ots os ydi hi'n piso bwrw. Gwisgwch nhw. Dwi'n dweud 'tha chi, os faswn i'n credu mewn Duw 'swn i hyd yn oed yn gwisgo sbectol haul i'r capal. Does 'na'm byd yn dweud 'ffyc off' cystal â phâr o shêds.

Wel, heblaw am Wayne Rooney falla.

2. Hedffôns.
Prynwch y rhai mwyaf fedrwch chi fforddio. Clampiwch nhw rownd eich pen bob tro 'dach chi'n gadael y tŷ neu bob tro 'dach chi'n debygol o gael 'ych stopio gin aelod o'r WFfD (y Werin Ffycin Datws) a smaliwch 'ych bod chi'n gwrando ar Gorky's Super Furry Myncis beth-bynnags ar dop foliwm.

Ma hyn yn fwy effeithiol byth os 'dach chi hefyd yn gwisgo sbectol haul.

A het.

O ia...

3. Het.
Gwisgwch het.

4. Ewch i rwla lle ma PAWB yn enwog.
Rwla fel seremoni'r BAFTAs er enghraifft. Wneith neb 'ych poeni chi yn fanno.

Heblaw am selebs eraill, hynny yw...

# Yr atgyfodiad

Jyst ar ôl y pwdin yn seremoni BAFTA Cymru, tu mewn i'r chwilen efydd anferth ym Mae Caerdydd, ma 'na dap bach ysgafn ar fy ysgwydd. Dwi'n troi rownd a gweld gwyneb cyfarwydd.

"Irfon," medda'r gwyneb gan wenu a dangos rhes o ddannedd perlaidd perffaith. "Hei... sut wyt ti?"

"Blydi hel," medda finnau gan ei adnabod yn syth a gan ysgwyd ei law yn gynnes, "Ioan Gruffudd! Neis dy weld di. Sut ma LA?"

"Poeth."

"Reit."

"Ac yn llawn o Fecsicans. Sy'n handi os ti angen glanhau'r pwll nofio."

Dwi'n symud fy nghadair i wneud mwy o le.

"Ti am ista?"

"Na, well i mi beido, wi'n rhannu bwrdd 'da Matthew heno."

"Matthew?"

"Matthew Rhys."

"O. Wrth gwrs."

Ma'r seren ffilm yn pwyso'n agosach ac yn gostwng ei lais yn gynllwyniol.

"Gwranda nawr, Irfon," medda fo, "fi fydd yn agor yr amlen am y wobr ar gyfer y Cyflwynydd Gorau heno." Mae o'n edrych yn gyflym dros ei ysgwydd cyn plygu i lawr unwaith eto a gostwng ei lais yn is byth. "Ac, o be wi wedi ddeall... ti yw'r ffefryn."

"Wel..." medda fi gan sipian fy Chablis i drio cuddio'r

ffaith mod i wedi cochi dipyn reit siŵr, "dwn i'm am hynny."

Ma Ioan Gruffudd yn tapio ochor ei drwyn ac yn wincian cyn gwibio i ffwrdd fel stalwyn.

Dwi'n gorffen y Chablis mewn un ac yn teimlo fy mhoced am y pecyn lledr wnes i brynu gen Sdim dair awr yn gynharach. Roedd hwn, medda fo, yn stwff da o ochrau Putumayo-Caquetá ger yr Amazon. Dyma fi'n edrych ar y Rolex. Deg munud i fynd cyn dechrau'r seremoni ac mi oedd y toiledau agosaf drwy'r allanfa gyferbyn â mi i'r chwith. Y ffordd oeddwn i'n dallt pethau roedd gen i jyst digon o amser i redeg allan, cloi fy hun i mewn yn un o'r ciwbicls a –

"Pam 'nes di ddim fy nghyflwyno i?" medda Michelle gan fy mhwnio yn egnïol a siarad rhwng ei dannedd fel ventriloquist rhag ofn i neb arall o griw *Trwy Lygaid Irfon* weld. "O'n i ddim yn gwbod dy fod ti'n nabod Ioan Gruffudd!"

"Dydw i ddim," medda fi gan siarad fel ventriloquist hefyd – a gan ddweud y gwir. "Dyna'r tro cynta i mi gyfarfod o!"

Ma Mam yn pwyso ymlaen.

"Hei, Irfon," medda hi gan gyfeirio at y seren ffilm, "dim fo o'dd yr hogyn bach 'na ar *Pobol y Cwm* ers talwm?"

"Ia, Mam," medda fi gan deimlo'r pecyn lledr yn fy mhoced yn eiddgar.

"Ew," medda hi, "mae o wedi tyfu i fod yn beth del yn dydi? Be mae o'n neud rŵan da?"

"Plymar yn Ffostrasol."

"Wel, ma merchaid Ffostrasol yn lwcus iawn. Dyna'r cyfan fedra i ddeud."

"Gofalus hefo'r gwin yna rŵan, Mam."

Ond wedyn ma Michelle yn fy mhwnio i eto.

"Gad lonydd iddi hi, Irfon," medda hi dan ei gwynt, "dydi hi ddim yn ca'l mynd allan yn amal a ma heno'n noson fawr iddi. Dim bob nos ma hi'n cael y cyfla i weld ei hogyn bach annwyl yn ennill BAFTA!"

Dwi'n ochneidio ac yn edrych ar Mam yn sipian y Chablis yn ei chôt minc ac yn gwenu ar Philip Madoc ar y bwrdd nesaf. Ma Michelle yn iawn wrth gwrs – fel arfar. Hefo Dad mor flinedig (heno, er enghraifft, mae o wedi penderfynu aros yn y gwesty a gwylio'r seremoni'n fyw ar y teledu) tydi'r graduras ddim yn cael llawer iawn o gyfleoedd i fynd allan a chael sbort ac ma noson fel hon – noson wobrwyo BAFTA Cymru – yn sicir o fod y math o beth sy'n mynd i aros yn ei chof am byth. Felly dwi'n anwybyddu'r ffaith 'i bod hi ar ei thrydydd gwydriad o win a'i bod hi erbyn hyn wedi pwyso ymlaen a gofyn i Philip Madoc arwyddo ei rhaglen. Ma Philip, chwara teg, yn clician ei feiro cyn wincian arna i a meimio "Pob lwc heno."

Wedyn, wrth gwrs, ma 'na bwniad arall yn fy ochor.

"Ti'n nabod Philip Madoc hefyd?" medda Michelle trwy ei dannedd.

"'Rioed wedi g'farfod o," medda fi heb symud fy ngwefusau.

Ar hynny ma'r goleuadau'n gostwng ac ma'r miwsig yn dechrau. Wedyn, llais y cyhoeddwr yn bloeddio drwy'r system sain –

"Foneddigion a boneddigesau, croeso i seremoni wobrwyo BAFTA Cymru… wrth gwrs, y nod heno yw dathlu talent a sgiliau'r diwydiant ffilm a theledu yma yng Nghymru ond, eleni, cyn mynd ymlaen i wobrwyo ac i fwynhau, mae'n ddyletswydd arnom ni i gyd yn y diwydiant i gydnabod ein bod ni wedi diodde colled drasig eleni."

Ma 'na sgrîn yn llithro i lawr o'r to ac ma gwyneb Duvka

Llewelyn-Sion yn ei llenwi. Ma'r gynulleidfa yn codi ar ei thraed ac yn cymeradwyo'n frwdfrydig.

"Irfon," medda Michelle yn siarp gan fy mhwnio unwaith eto, "cod ar dy draed y ffŵl!"

Wrth godi dwi'n gweld fod Philip Madoc yn sychu ei foch hefo hances o boced flaen ei duxedo tra bod y dagrau'n llifo'n Niagraidd i lawr wynebau Ioan Gruffudd a Matthew Rhys. Wrth imi edrych yn ôl ar y sgrîn enfawr ma llygaid Duvka Llewelyn-Sion yn tyllu'n ddidrugaredd i mewn i fy nghydwybod.

"Ti," mae'n dweud, "ti laddodd fi, Irfon. Ti yw'r llofrudd, ie? Ti. TI... TI!"

Dwi'n tollti gwydriad newydd o Chablis o'r botel ar y bwrdd ac yn ei lowcio fo i lawr mewn un. Wedyn dwi'n gwthio 'nghadair yn ôl.

"Lle ti'n mynd?" medda Michelle.

"Am bisiad."

* * * *

Wrth i mi gamu allan o'r awditoriwm tuag at yr allanfa ma'r goleuadau'n diffodd ac ma'r gynulleidfa ddisglair ac anrhydeddus yn gwylio ffilm deyrnged ddagreuol sydd wedi ei chynhyrchu yn arbennig ar gyfer y noson – ffilm sy'n cofnodi rhai o uchafbwyntiau gyrfa ddisglair, gwyrthiol... a byr... Duvka Llew. Ma'r ffilm yn dechrau efo detholiad o glips ond, wrth i mi glywed ei llais unwaith eto (yn llifo o bedair cornel yr ystafell trwy'r system sain), dwi'n dechrau chwysu. Ma hi yn union fel tasa Duvka Llewelyn-Sion wedi atgyfodi er mwyn fy nhywys i'n ddiurddas tuag at ddrysau didrugaredd gwallgofrwydd! Dwi'n gwthio'r drws ac, allan yn y coridor, dwi'n pwyso yn erbyn y wal, cau fy llygaid...

ac ochneidio. Ma fy nghalon yn carlamu. Fy mhen yn powndio.

Dwi'n gwthio drws y Gents ac yn cerdded i mewn. Dyma'r un ystafell yn yr adeilad cyfan lle fedar Duvka Llewelyn-Sion mo 'nilyn i.

"Helo?" medda fi, fy llais yn atseinio'n ofnus o gwmpas y teils a'r porslen. "Oes yna rywun yma?"

Nag oes. Diolch byth. Yr unig ateb ydi tinclan tyner y dŵr wrth iddo fo sisial ganu drwy'r peipiau dirgel.

Does neb arall yma.

Dwi'n camu i un o'r ciwbicls, cau'r drws, tynnu'r cwdyn lledr allan o 'mhoced a'i falu'n sydyn i bowdr mân ar dop y toilet hefo ochor fain fy ngherdyn Coutts. Ma'r lein bur, denau dwi'n ei gweld o mlaen fel llwybr sicir i fan cysegredig a thawel.

Helo fy hen ffrind...

Dwi'n pwyso i lawr ac yn sugno'r lein mewn un.

O yndi. Ma hwn yn stwff da.

Wrth iddo fo lithro lawr fy ngwddw dwi'n teimlo purdeb y coca yn toddi'n syth i fy ngwaed. Mewn fflach ma Duvka Llewelyn-Sion wedi diflannu. Ma fy nghalon yn dal i garlamu ond rŵan, yn hytrach na phoen ac anesmwythder, ma'r gwaed yn afon bwerus, falch a thrahaus. Dwi'n stwffio Marlboro Light i gornel fy ngheg ac ymbalfalu am fy leitar. Ar ôl gwneud yn siŵr fod yna ddim larwm mwg uwch fy mhen dwi'n paratoi i danio, ond cyn i mi gael cyfle dwi'n clywed drws y Gents yn cael ei wthio ar agor a sŵn sgidiau'n clacio ar draws y teils. Ma nhw'n swnio fel sgidiau merch.

Fel sgidia Duvka y noson honno ar y llawr yng nghartref Robat Cadnant.

Ydi hi wedi atgyfodi go wir?

Ydi hi wedi dod yn ôl i fy mhoeni a fy arteithio? Heno o bob nos… yma… yn y BAFTAs?!

Ma'r sgidiau'n clecian tuag at ddrws y ciwbicl lle dwi'n cuddiad. Dwi'n pwyso yn erbyn y drws ac yn dal fy ngwynt. Wedyn ma'n nhw'n stopio. Yn y gofod rhwng gwaelod y drws a'r llawr dwi'n gweld cysgod dwy droed a dwi'n trio peidio anadlu. Wedyn ma rhywun yn cnocio ar ddrws y ciwbicl.

"Hei, Irfon? Ti'n iawn?"

Wrth gwrs, dwi'n nabod y llais yn syth.

Kidd.

# Y darn Poirot 'na

Reit, cofiwch hyn a gwnewch nodyn ohono – mae'n gwbl amhosib dengid o giwbicl mewn tŷ bach os oes 'na rywun yn disgwyl amdana chi tu allan.

Ia, dwi'n gwybod, yn y ffilmia ma Bruce Willis neu Steven Seagal yn neidio drosodd i'r ciwbicl arall ac yn dŵad allan hefo AK-47 cyn saethu pawb yn ddarnau ond, yn y bywyd di-liw, diflas go iawn yma 'dan ni'n styc hefo, y gwir amdani ydi fod 'na ddim byd fedrwch chi wneud.

Wel, heblaw am fflyshio wrth gwrs.

A cherdded allan fel tasa 'na ddim byd yn rong.

* * * *

"Hei, Kidd," medda fi gan gerdded allan tuag at y sinc a thrio smalio fod 'na ddim byd yn bod, "o'n i ddim yn disgwl dy weld di yma."

"Ti'n teimlo'n iawn, Irfon?" medda'r ditectif. "Ma 'na olwg eitha gwael arna chdi. Welish i chdi'n rhedag allan gyntad nath y deyrnged i Duvka ddechra a o'n i'n poeni falla fod yna… rwbath o'i le."

Dwi'n sbio i fyny o'r sinc ac edrych arno yn y drych o mlaen.

"O'i le?" medda fi gan ysgwyd y dŵr o 'nwylo a chwerthin. "Na, does 'na'm byd o'i le. Pam ddyla rwbath fod o'i le?"

"Dwn i ddim," medda DI Kidd – sy'n edrych yn well nag arfer heno yn ei siwt a'i grys gwyn – "duda di wrtha *i*."

Dwi'n codi ac yn mynd at y sychwr dwylo a'i bwnio'n galad hefo fy mhenelin.

"I ddeud y gwir, Kidd," medda fi gan fwynhau'r pŵer bygythiol oedd yn byrlymu trwy fy nghorff erbyn hyn, "a ti'm yn meindio mod i'n dy alw di'n Kidd, nagw't?"

"Na. Dim problem, Irfon."

"Wel, gwranda, Kidd, i fod yn berffaith onast, dwi'n dechra cael llond bol ohonat ti'n fy nilyn i bob man. Ti'n dallt? Rŵan, dwi'n darllan *Heat* a dwi'n gwbod fod gan bob seleb a pherson enwog gwerth ei halan stalker dyddia yma, ond pan ma'r stalker yn dechra 'nilyn i i'r blydi bogs ma'n croesi'r ffin rwsut!"

"Ia, wel, mae'n ddrwg gen i am hynny, Irfon, ond, ti'n gweld, y peth ydi –"

Dwi'n cydio yn ei goler a'i dynnu ata i.

"Tisho gwbod pam 'nes i redag allan, Kidd? Wel, mi dduda i wrtha ti. Emosiwn. Dyna pam. Ti'n dallt emosiwn? Ta wnaetho nhw ddyrnu hwnna allan ohona ti yn y coleg cops?" Dwi'n ei ollwng a'i wthio nôl yn erbyn y sinc ac ma'r ditectif yn rhwbio'i wddw mewn rhyddhad. "Pan welish i wynab mawr Duvka yn sbio i lawr arna i heno," medda fi gan deimlo'r cwdyn lledr yn fy mhoced a nodi'n bleserus fod gen i ddigon o bowdr ynddo ar gyfer tair lein arall o leiaf cyn diwedd y noson, "dyma fi'n dechra teimlo'r tristwch yn byrlymu tu fewn i mi am be ddigwyddodd iddi hi – ac i Robat wrth gwrs – ac, yn hytrach na gneud ffŵl ohona fy hun o flaen pawb hefo'r camerâu a bob dim dyma fi'n penderfynu mynd allan am bum munud i gael dipyn bach o breifatrwydd fan hyn. Wedyn dyma chdi'n dod o nunlla." Dwi'n sbio'n galed arno fo. "Ti'n benderfynol o sboilio bob dim yn dwyt, Kidd? Ma Michelle yma, ma Mam wedi dŵad lawr yr holl ffordd o'r gogledd –"

"Mewn côt minc newydd sbon hefyd. Ffansi iawn."

"Ma 'nhad yn gwylio ar y teledu yn y gwesty, ma pawb

sy'n rhywun – ac un neu ddau o bobol sydd ddim – yma yn y seremoni ac ma Ioan Gruffudd yn gwbod pwy ydw i! Dwi ar fin ennill ffycin BAFTA – BAFTA Cymru, ia, ond BAFTA er hynny – felly gad lonydd i mi, Kidd, ocê? Am unwaith, jyst... ffyc off!"

Dwi'n cerdded tuag at y drws.

Ond wedyn –

"Ma hi ar ben, Irfon."

Dwi'n troi rownd.

"Sori? Be ddudist ti?"

Falla fod DI Kidd yn edrych fel hogyn ysgol yn ei siwt rad o Moss Bros ond, er hynny, wrth iddo fo bwyso yn ôl yn erbyn un o'r sincs mae o'n syllu arna i mor galed a didostur â ditectif dwy, neu hyd yn oed dair, gwaith ei oed.

"Dwi'n gwbod ma chdi laddodd nhw," medda fo.

Dwi'n trio chwerthin. Fel ma'r dynion euog bob tro yn wneud ar *Columbo*.

"Am... be ti'n sôn?"

Ma Kidd yn dechrau cerdded o'r naill ochor o'r stafell i'r llall.

"Wrth gwrs," medda fo, "damwain o'dd y peth, Irfon, dwi'n dallt hynny. 'Nes ti'm codi y diwrnod hwnnw gan fwriadu lladd Robat Cadnant, ond pan ddoth o amdanat ti felna, yn wyllt fel tarw am rwbath ddigwyddodd flynyddoedd maith yn ôl – rwbath 'nes di fel plentyn i orffen 'i yrfa fo – dyma chdi'n amddiffyn dy hun ac yn ei daro ar ei ben hefo carrag. Damwain. Mor syml â hynny. Dwi'n 'i weld o bob dydd yn y swydd yma ac wedi hen arfer." Mae o'n stopio ac yn edrych arna i unwaith eto. "Yn naturiol, os fasa ti wedi cysylltu hefo'r heddlu yn syth a chyffesu'r gwir fasa bob dim yn iawn a fasa ni wedi medru osgoi'r holl draffarth yma, ond na. Mi 'nes di gamgymeriad mawr, Irfon. 'Nes di roid Robat yn y bŵt."

Dwi'n trio chwerthin eto ac yn troi at y drws.

"Ma hyn yn wirion! Dwi'n mynd yn ôl i –"

Ond ma DI Kidd yn rhuthro drosodd ac mae ei law yn pwyso yn erbyn drws y tŷ bach i fy rhwystro i.

Dwi'n sylweddoli mod i'n styc ac felly dwi'n camu yn ôl.

"Colli dy ben 'nes di'n de, Irfon?" medda Kidd. "Digon teg a digon dealladwy – dyna be fasa'r rhan fwya ohona ni yn neud ar ôl sylweddoli ein bod ni wedi lladd rhywun. Ond ti'n gweld, y gwahaniaeth ydi fasa'r rhan fwya ohona ni ddim yn rhoi cyfeiriad Robat Cadnant yn y TomTom, ei yrru fo adra, rhoi ei gorff mewn berfa, torri mewn i'w gartra a'i osod ar waelod y grisia er mwyn trio twyllo pawb 'i fod o wedi disgyn."

"Ma hyn yn –"

"Wedyn, wrth gwrs, a'th dy blania di'n ffycd go iawn yn do? Dyma Duvka yn troi fyny. Ti'n gweld, Irfon, ma Duvka Llewelyn-Sion wedi bod yn poeni trwy'r pnawn am Robat Cadnant, ac ma hi'n weddol siŵr fod rwbath wedi mynd yn ofnadwy o rong. Ma hi wedi bod yn trio dy ffonio di trwy'r pnawn – ma'i hyd yn oed wedi bod yn ffonio dy wraig Michelle yn y BBC! Rŵan, achos ei bod hi yng Nghaerdydd y noson honno yn ymweld â ffrindia, dyma hi'n troi fyny i weld os ydi Robat yn iawn. Ar ôl gweld corff Robat ar waelod y grisia, mae'n synhwyro yn syth fod rwbath mawr o'i le – tydi hyn ddim yn edrych fel damwain iddi hi – ac felly ma hi'n mynd i fyny grisia. A pwy ma hi'n weld yno, yn cuddiad o dan y gwely? Chdi. A dyma chdi'n colli dy ben eto!" Ma Kidd yn codi ei law i dawelu fy mhrotest cyn i mi gael cyfle i ddweud gair. "Ia, dwi'n gwbod na damwain o'dd hyn hefyd. 'Nes di'm bwriadu am eiliad i ladd Duvka chwaith, ond dyna be 'nes di wrth ymestyn dy fraich a'i gwthio hi lawr y grisia."

Ma DI Kidd yn dechrau cerdded o'r naill ochor o'r stafell i'r llall eto. "Wrth gwrs, fel o'r blaen, os fasa ti wedi galw'r heddlu yn syth ac egluro be ddigwyddodd, falla na fasa petha cweit mor ddu i chdi ond, erbyn hyn, oedda chdi'n meddwl dy fod yn y cach i fyny at dy glustia felly be 'nes di? Rhedag."

"Be ffwc ydi hwn?" medda fi'n smalio bod yn flin, ond yn fwy blin byth achos fod y basdad bach yn iawn. "Y darn Poirot 'na lle ti'n cerdded yn ôl ac ymlaen yn llanc i gyd yn egluro bob dim? Ond fedri di'm profi dim byd. Nath yr heddlu ddeud mai damwain o'dd bob dim."

Ma DI Kidd yn cerdded ata i'n araf.

"Irfon, wyt ti'n gyfarwydd â'r dywediad 'curiosity killed the cat'?"

"Wrth gwrs mod i! Ma gin i radd mewn Saesneg – dosbarth cynta hefyd! Dwi'm yn hollol dwp!"

"'Curiosity', Irfon. Dyna be ffwciodd bob dim i chdi. Chwilfrydedd."

"Chwil- be?"

"Paid â phoeni," medda Kidd hefo gwên sardonig, "o'dd raid i mi edrach yn y geiriadur hefyd. Ond, ta waeth, os fasa ti heb fynd draw a phwyso'r botwm yna o'dd yn fflachio ar y peiriant atab, fasa hi wedi bod yn llawer iawn anoddach i ni brofi dy fod ti wedi bod yn y tŷ rhwng marwolaeth Robat a marwolaeth Duvka. Chwilfrydedd, Irfon. Peth peryg iawn. Mi o'dd raid i ti ffendio allan be o'dd y negas ar y peiriant yn doedd? Felly dyma chdi'n pwyso'r botwm… ac yn gadal hoel dy fys arno fo." Ma Kidd yn cerdded o'r naill ochor o'r stafell i'r llall eto. "Ar ôl hynny, o'dd bob dim yn disgyn i'w le. Ma fforensics wedi bod dros bob dim. Ma hwn yn gês sy'n agor ac yn cau."

"Be?"

"Open and shut. Sori, Irfon, 'dio'm yn cyfieithu yn rhy dda."

Ma drws y tŷ bach yn agor ac ma 'na blisman mewn iwnifform yn dod i mewn.

"Dim eto, sarjant," medda Kidd.

"Be ti'n feddwl 'dim eto'?" medda fi.

"Irfon," medda Kidd gan ddod ata i a rhoi ei fraich rownd fy ysgwydd yn frawdol bron, "gwranda, 'dio'm byd personol, iawn? Dwi'n awyddus i chdi wbod hynny. Dwi'n gwbod fod Robat Cadnant wedi bod yn hen fasdad wrth iddo fo dreisio'r athrawes yna, a reit siŵr 'i fod o'n haeddu bob dim gafodd o. Dwi'n cydymdeimlo, Irfon. Dwi'n siŵr os fasa ni wedi cyfarfod dan amgylchiada eraill fasa ni wedi bod yn ffrindia ac wedi mynd allan i weld Cardiff City'n chwara neu ffilm ddiweddara Tarantino ond y gyfraith ydi'r gyfraith – a'r gyfraith ydi fy musnas i. A dyna pam, heno, dwi'n benderfynol o neud hyn mor hawdd i chdi â sy'n bosib."

Erbyn hyn ma pŵer y powdr gwyn wedi diflannu'n llwyr a dwi'n dechrau teimlo'n paranoid. Fel tasa'r holl fyd yn fy erbyn.

Yr holl ffycin fyd!

"Hawdd?" medda fi, fy llais bron yn sibrwd.

"Ia," medda Kidd, "dwi am adal i chdi fynd yn ôl i dy sêt. Gei di fynd i'r llwyfan i dderbyn dy FAFTA."

Dwi'n edrych i fyw ei lygaid.

"Sut fedri di fod mor saff mod i wedi ennill?"

"Irfon," medda Kidd gan wenu, "dwi'n blisman… dwi'n gwbod bob dim. Llongyfarchiada gyda llaw."

“O reit. Diolch. O leia dyna’r elfen o syspens drosodd.”

“Wedyn,” medda’r ditectif gan droi ei gefn a chamu i ffwrdd tuag at y sincs, “ar ddiwedd y noson – ar ôl i’r camerâu a’r cyfryngis fynd adra – dyna pryd dwi am ddŵad i dy nôl di.” Mae o’n hannar troi. “O, a paid â meddwl am drio dengid, Irfon. Ma’r adeilad yma fatha’r ciwbicl yna heno.”

“Be ti’n feddwl?”

“Does ’na ddim ffordd allan.”

## Y ffordd allan

Wrth fy ngweld yn dychwelyd i'r bwrdd ma pawb o griw *Trwy Lygaid Irfon* – Siân, Hefin Llan, Ceri, Efa, Mair, Edna, Meic, Ash, Steve ac Ifan (y cyfarwyddwr newydd ddoth ar ôl Robat) – yn gwenu arna i'n gyffrous ac yn ddisgwylgar ond mi fedra i synhwyro yn syth fod Michelle yn flin. Ma hi'n gwenu trwy ei dannedd ac yn gostwng ei llais wrth i mi eistedd.

"Lle ffwc ti 'di bod?"

"Tŷ bach. Sori. Bob dim yn iawn?"

"Heblaw am y ffaith bod dy fam yn gyrru fi'n hollol nyts, yndi – ma bob dim yn wych!"

Dwi'n tollti gwydriad hael o win coch ac wrth i mi ei godi at fy ngwefusau ma Michelle yn sylwi fod fy nwylo'n crynu. Wrth nodi hyn ma hi'n toddi fel siocled gan gydio yn fy llaw, tywys y gwydr yn ofalus i lawr i'r bwrdd a gwenu – gwên go iawn y tro yma. Ma 'na hyd yn oed awgrym o ddagrau yn ei llygaid.

"Ti'n acshiyli nyrfys yn dwyt?" medda hi.

Dwi'n gwenu'n wan arni ac yn nodio. Ma'r BAFTA yn y bag. Dyna be ddudodd Kidd. Ond o leiaf fedra i smalio mai teimlo'n nerfus ydw i. Nid yn bryderus. Dwi'n teimlo'r cwdyn lledr ym mhoced fy siaced. Mi faswn i'n ffeirio'r BAFTA am jyst pum munud tawel yn un o'r ciwbicls hefo ochor finiog a chrefftus fy ngherdyn Coutts…

"O, Irfon," medda Mam gan droi rownd o'i sgwrs hefo Arfon Haines Davies a'i llais hi braidd yn llithrig, "ti'n ôl. Da iawn. Deud o'n i wrth Michelle rŵan pa mor braf ydi'ch gweld chi mor hapush, chi'ch dau. Ew, ma petha wedi bod yn galad i chi'n do?"

"Gwatshiwch rhag ofn i chi ollwng y gwin 'na dros bob man, Mam."

Ond ma hi'n fy anwybyddu. Ma hi'n llowcian y Châteauneuf-du-Pape mewn un.

"Irfon bach," medda hi gan ymestyn ei llaw a'i gorffwys (braidd yn drwm) ar fy ysgwydd, "pan dwi'n meddwl yn ôl flwyddyn a dwi'n cofio chdi ar y ffôn yn pledio am bres a clywad Michelle druan yn bloeddio crio yn y cefndir –"

Ma pawb rownd y bwrdd yn clywad a dwi'n teimlo fel stwffio un o'r serviettes papur i'w cheg hi.

"Mam, gwrandwch –"

"A rŵan shbiwch arno chi – Michelle yn ddel fel tywyshogas yn ei ffrog newydd shbon a chdi mewn tycshido fatha Jemsh Bond a pawb yn dy nabod di a–"

"Ia wel, falla 'sai'n syniad i chi slofi lawr dipyn ar y gwin 'na, Mam."

"Mi yda ni mor prowd ohona chdi sti, Irfon – fi a dy dad. Yn enwedig dy dad. 'Dio'm yn shtopio shiarad amdana chdi wrth bawb ysti! Bob tro 'dan ni allan yn dre ar fora Shadwrn ma pawb yn deud pa mor dda w't ti ar y telifishion a dwi'n gallu gweld ar 'i wynab o pa mor falch ydi o –"

"Ia, grêt, Mam…"

Yn ofalus – bron fel taswn i'n diffiwsio bom – dwi'n cymryd y Châteauneuf-du-Pape o'i llaw a'i osod ymhell o'i gafael. Ond, wrth gwrs, tydi hyn ddim yn ei stopio rhag siarad. A siarad…

"A dwi'n gwbod," medda hi, ei llygaid yn hanner cau, "dwi'n gwbod heno fod o yn y gweshty mawr crand yna yn gwatshiad ac mi fydd o wrthi'n ffonio pawb yn y pentra i neud yn siŵr fod nhw'n watshiad hefyd, y criadur. 'Dio'm yn dda sti – ma'r ddau ohona ni'n mynd i oed."

"O sbiwch," medda Michelle hefo elfen o ryddhad, "ma'r gwobra ar fin cychwyn!"

* * * *

Wrth i Rhodri a Lucy Owen gerdded ar lwyfan Canolfan y Mileniwm i gymeradwyaeth daranllyd a siwdo-Hollywoodaidd, ac wrth i'r camerâu niferus agosáu atynt fel creaduriaid arallfydol o *Doctor Who*, dwi'n edrych dros fy ysgwydd a sylwi fod yna blismyn mewn iwnifform yn blocio'r allanfa i'r tai bach. Wrth edrych draw i ochor arall y neuadd dwi'n gweld yr un peth. Plisman wrth bob allanfa.

Ac ma bob un ohonyn nhw'n sbio arna i.

"Ti 'di sylwi arnyn nhw hefyd felly?" medda Michelle yn fy nghlust.

"Sylwi be?"

"Yr holl blismyn 'ma. Sbia, ma nhw'n bob man." Ma hi'n edrych i fyw fy llygaid. "Ti'n meddwl fod 'na derfysgwyr yma neu rwbath?"

"Dwn i ddim."

"Sbia... ma gynno nhw walkie-talkies a bob dim!"

Ma'r chwys yn llithro lawr fy nghefn. Oedd Kidd yn iawn – fel arfar.

Dim ffordd allan.

Does dim byd fedra i wneud, dim ond yfed mwy o win a chnoi fy ngwinedd wrth i'r BAFTAs di-ri rowlio heibio fel trên hir Americanaidd. Un categori ar ôl y llall... y Cyfarwyddwr Gorau... y Ddrama Orau... yr Actores Orau... y Rhaglen Orau i Blant...

Yn ystod araith y dyn blewog ac ansicr sydd wedi ennill Gwaith Camera Gorau – ac sy'n siarad yn arafach hyd yn oed na Gruff Rhys – dwi'n troi rownd a sylwi fod y plismyn wrth yr allanfa wedi diflannu. Dwi'n codi mewn fflach. Ma Michelle yn trio fy stopio.

"Hei! Lle ti'n mynd rŵan?"

"Tŷ bach, fyddai ddim yn hir."

"Ond, Irfon," medda hi gan gydio yn fy mraich a thrio cadw ei phryder dan reolaeth rhag ofn i bawb sylwi, "dy gategori di sydd nesa – y Cyflwynydd Gora. Fedri di'm mynd rŵan!"

"Galwad natur," medda fi. "A man's gotta do..."

Dwi'n codi bawd ar Hefin Llan ochor draw y bwrdd ac mae o'n codi bawd yn ôl, ond mae o'n edrych braidd yn bryderus hefyd.

"Dau funud," dwi'n meimio gan wenu.

Dwi'n camu allan mor sydyn ag y medra i heb redeg ond, gyntad dwi allan yn y coridor, dwi'n wfftio urddas yn llwyr ac yn ei heglu hi tuag at y brif dderbynfa fel Colin Jackson.

Ond wedyn dwi'n clywad sŵn traed yn fy nilyn. A llais yn gweiddi –

"Hei!"

Dwi'n cario mlaen i redeg heb droi rownd. Ma'r llais yn bloeddio eto –

"Hei! Ty'd nôl yma!"

Trwy'r swing-doors a dwi allan yng ngofod enfawr prif dderbynfa y Ganolfan a does neb o gwmpas. Trwy'r wal o ddrysau gwydr dwi'n sylwi fod yna res o dacsis croesawgar yn disgwyl tu allan, y gyrwyr i gyd yn sgwrsio ac yn smocio. Wrth redeg dwi'n chwilio yn fy mhoced am arian ac yn cael hyd i bapur decpunt wedi ei grychu'n belen. Fydd hynny'n ddigon siawns. Digon i gael fy nhraed yn rhydd.

Ond cyn i mi gyrraedd drysau'r Ganolfan ma rhyw sarjant yn fy nal o'r cefn ac, o fewn eiliad, mi rydw i lawr hefo 'nhrwyn yn y carped coch.

Wedyn dwi'n clywad llais cyfarwydd.

"O diar. Twt twt."

Dwi'n gweld pâr o sgidiau Converse ar waelod siwt sâl o Moss Bros ddwy fodfedd i ffwrdd o fy ngwyneb.

"Kidd," medda fi fel tasa fo'n air anweddus.

"Ty'd, Irfon," medda fo gan fy rhyddhau o grafangau'r sarjant a fy nghodi i fyny, "fedri di'm methu dy foment fawr."

Mae o a'r sarjant yn fy nhywys yn ôl i'r neuadd fel carcharor rhwng dau ddienyddiwr didrugaredd.

# Y diwedd

Erbyn hyn ma dros 1,455,993 o bobol wedi gweld y clip ar YouTube ac mae o hefyd wedi bod ar *TV Bloopers* ac ar y DVD *The Very Best of It'll Be Alright On The Night Volume 26*.

Tapiwch 'Irfon Thomas' yn YouTube a be welwch chi ydi hyn – Ioan Gruffudd yn camu allan yn edrych mor berffaith yn ei duxedo gan gydnabod cymeradwyaeth wyllt y gynulleidfa a gan godi ei law fel Barack Obama. Mae ei wallt mor ddu â lwmpyn solat o daffi triog tra bod ei ddannadd o yn sgleinio'n Osmondaidd. Erbyn hyn, wrth gwrs, ma pawb ar eu traed i groesawu'r seren yn ôl i Gymru ac ma Ioan yn meimio ei "Diolch yn fawrs" a'i "Thanciws" ac yn bowio i bob cornel o'r neuadd cyn i'r sŵn dawelu'n raddol. Mae o'n camu at y meicroffon ac yn mwmblan rwbath am ba mor braf ydi hi i fod yn ôl yng Nghymru i gwrdd â rhai o'i hen ffrindiau... yn enwedig y rhai o Gwmderi! Wrth gwrs, ma'r gynulleidfa'n chwerthin ac yn clapio unwaith eto cyn i Ioan eu tawelu hefo arwydd bach syml – ond hynod o bwerus – efo'i law selebaidd.

Hefo'i wyneb 'ond i fod o ddifri' mae o'n troi at yr ôto-ciw ac yn darllen rhyw rwtsh ma rhywun wedi ei sgwennu am ba mor anodd ydi hi i fod yn gyflwynydd ar y teledu ac, felly, pa mor bwysig a gwerthfawr ydi'r unigolion talentog sydd wedi eu henwebu ar gyfer y categori yma – y Cyflwynydd Gorau ar y Teledu. Ma pawb yn clapio'n urddasol ac wedyn ma 'na glips o'r rhai oedd wedi eu henwebu. Ar ddiwedd hyn ma Ioan Gruffudd yn agor yr amlen.

"A'r enillydd ydi… Irfon Thomas!"

Fan hyn, fel arfar, fydda i'n rhoi'r gora i wylio'r clip.

* * * *

"Chdi!" medda Michelle. "Chdi! Ti 'di ennill!"

Mae o fel eistedd yng nghanol daeargryn. Yn dilyn y cyhoeddiad gan Ioan ma'r llawr yn crynu, ma'r gwydrau gwin ar y bwrdd yn rowlio drosodd ac, o fewn ychydig eiliadau, ma hi fel tasa pawb yn y byd wedi tyfu tair troedfedd a mod i rywsut wedi suddo drwy'r llawr achos dwi'n gorfod sbio i fyny fel yr unig blentyn mewn parti swreal sy'n llawn oedolion. Wedyn, wrth gwrs, dwi'n sylweddoli pam – ma pawb wedi codi ar eu traed a fi ydi'r unig un sy'n eistedd lawr!

"Cod ar dy draed," medda Michelle gan blannu cusan ar fy moch a fy helpu i fyny o hedd fy nghadair, "ti 'di ennill!"

Ma'r dagrau fel diamwntau pur ar ei boch.

"Da iawn was," medda Hefin Llan, y golau'n fflachio fel pysgod aur chwareus ar draws ei sbectol. Ma Siân yn gwenu ac ma Mam yn dŵad ata i yn ei chôt minc ac yn lapio'i breichiau o 'nghwmpas mor dynn dwi'n teimlo fel taswn i'n cael fy ngwasgu gan arth.

Wedyn ma pawb yn symud yn ôl ac, wrth i mi edrych lawr y llwybr sy'n arwain at y llwyfan, ma 'nghalon i'n suddo mor sydyn â chi marw yn Llyn Cwellyn achos dwi'n sylweddoli mai dyma, mewn gwirionedd, ydi'r diwedd. Rwla yn yr adeilad ma DI Kidd a'i blismyn yn gwylio bob dim ac yn barod i orffen fy ngyrfa – a fy mywyd – mewn un ergyd. Dyna be dwi'n feddwl wrth i mi gerdded i lawr yn araf ac wrth i bawb fy llongyfarch a tharo fy nghefn.

Dwi fel dyn sy'n cymryd ei gamau olaf tuag at y *guillotine*. Does 'na ddim gobaith rŵan. Does dim modd dengid. Hefo pob cam, wrth i'r miwsig seinio ac i'r camerâu fflachio fel bwledi, dwi'n cofio Capten Cadnant yn plygu drosta i yn yr ysgol hefo Miss Wynne druan yn y cefndir yn crio. Dwi'n cofio'r môr-leidr dieflig yn fy ysgwyd yn flin. "Cau dy geg y basdad bach!" Duvka Llew wedyn a'r edrychiad 'na o sioc wrth iddi syrthio yn ôl oddi wrtha i mewn slo-môshyn y noson honno. Ei breichiau yn chwifio yn araf fel adenydd rhyw albatros anferth.

Albatros sydd, yn anffodus, yn methu hedfan.

Ond hei... be ydi hyn... yn y dorf? Ydi'r fath beth yn bosib?

Ymhlith y môr o wynebau llon sy'n fy amgylchynu dwi'n cael cipolwg sydyn ar Robat Cadnant a Duvka Llew. Ma'r ddau mewn gwyn ac yn cymeradwyo hefyd, er bod eu clapio nhw'n arafach rywsut. Ma'r ddau yn gwenu arna i – gwên o ddialedd.

"Robat?" medda fi, yn ansicr braidd. "Duvka?"

Ond wedyn ma nhw'n diflannu. Ma nhw wedi mynd am byth, wedi eu colli yn y dorf.

Ma rhywun yn fy ngwthio i fyny i'r llwyfan. Ma'r goleuadau fel miloedd o geir ar ffwl bîm ac ma hi'n amhosib gweld dim bron heblaw gwyneb cyfarwydd Ioan Gruffudd wrth y podiwm.

"Llongyfarchiadau," medda fo yn fy nghlust cyn rhoi'r BAFTA drom yn fy llaw a chamu yn ôl gan glapio'n barchus.

"Wel," medda fi i'r meicroffon, "pwy fasa'n meddwl?"

Ma pawb yn chwerthin ond dwi'n gwbod, mewn gwirionedd, ei bod hi ar ben. O gornel fy llygad dwi'n synhwyro rhyw fath o symudiad ac, ar ochor y llwyfan – allan o olwg pawb yn y neuadd – dwi'n gweld DI Kidd yn barod i fy arestio. Ma 'na tua ugain o blismyn mewn iwnifform yna. Wrth edrych i'r chwith dwi'n gweld fod yna griw o blismyn yr ochor honno hefyd.

Dim ffordd allan.

*Dim ffordd allan.*

"Ti'n iawn, Irfon?"

Ma Ioan Gruffudd wedi dŵad ata i ac yn sibrwd yn fy nghlust eto. Mae o hefyd wedi sylwi ar yr holl blismyn. "O's rhywbeth yn bod?"

"Paid â poeni, Ioan," medda fi, "fydd bob dim drosodd mewn munud. Dal hwn."

Dwi'n rhoi'r BAFTA yn ei ddwylo, yn neidio oddi ar y llwyfan a rhedeg fel ffŵl tuag at yr allanfa yng nghefn y neuadd tra bo'r stafell yn llenwi hefo plismyn a'r chwerthin a'r gorfoleddu yn troi'n sydyn yn sgrechian. Faswn i wedi ei gwneud hi hefyd. O'n i o fewn tair llathan i'r allanfa.

Pan ges i 'nhaflu i'r llawr efo tacl gan Jonathan Davies o'r bwrdd chwaraeon.

# Hwre! Rhyddid!

Hei, gwrandwch, ma 'na lawer iawn o betha negyddol yn cael eu sgwennu am jêls. Yn y nofelau a'r ffilmiau dwy a dima ma nhw'n cael eu disgrifio fel llefydd cas ac oeraidd sy'n llawn o gymeriadau anghynnes fel pidoffails a siriyl culyrs. Ac wedyn ma'r adeiladau eu hunain wastad yn cael eu darlunio fel llefydd tywyll a Fictorianaidd, fel rwbath o hunllef Ddickensaidd. Os 'dach chi'n coelio'r *Daily Mail* neu'r *Express* ma carchar yn llawn cyffuriau a does neb yn saff – dim hyd yn oed y gwarchodwyr.

Do, mi ydan ni i gyd wedi clywed y chwedlau – sut ma pob carcharor yn cael ei gloi yn ei gell am 23 awr y dydd, heblaw am un awr fach hapus lle mae o'n cael y 'rhyddid' i gerdded o gwmpas mewn cylch yn ei gadwynau hefo'r carcharorion eraill. Weithia, wrth gwrs (yn ôl y chwedlau yma), os ydach chi'n byhafio'ch hun ac yn cadw allan o drwbl mae'n bosib i chi gael job eithaf cwshi, yn y llyfrgell er enghraifft, lle fedrwch chi dreulio'r pnawn yn mynd â chopis bratiog o nofelau Len Deighton a Jeffrey Archer o gwmpas y wing ar droli. Neu falla cewch chi shifft braf yn y gegin, yn plicio tatws neu'n paratoi lasagne mewn popty sy'n ddigon mawr i ddal torpidos.

Yn y cefndir wedyn, ddydd a nos, heb seibiant na thrugaredd, ma sŵn y drysau mawr haearn yn agor ac yn cau fel giatiau uffern.

Wel, sori i daflu pwced o ddŵr oer ar y ddelwedd echrydus yma, ond dim felna ma pethau yn y byd go iawn.

Ddim yn fan hyn beth bynnag.

Iawn, falla fod pethau braidd yn ddiflas a pheryg yn

Strangeways neu yn Wormwood Scrubs ond, 'dach chi'n gweld, yma yn Wedgefield Open Prison ma pethau'n hollol wahanol. Rydan ni'r carcharorion i gyd ar ein penna'n hunain mewn rhes o gytiau hefo gwely sengl moethus, tŷ bach a chyfleusterau en suite. Ma 'na gadair esmwyth, desg, llyfrau. Teledu hyd yn oed.

Hefo Freeview.

Ia, teledu. Ond, cofiwch chi, anaml iawn fydda i yn ei gwylio hi dyddia yma i ddweud y gwir.

Na, tydi carchar ddim mor ddrwg ag y ma rhai pobol yn awgrymu. Ocê, mi wnes i sgrechian a thantro (a brathu coes y gadair) am dair wythnos solat fel rhan o 'cold turkey' ar ôl i'r gwarchodwyr ddwyn fy nghyflenwad cyfan o fêl Colombia ond, o fewn dipyn, a'th yr ysfa yn gyfan gwbl. I ddweud y gwir, rŵan, heblaw am y clo ar y drws a'r bariau haearn trwchus ar y ffenestri, fasa chi'n taeru 'ych bod chi yn Butlins Pwllheli.

Ond, serch hyn, weithia fydda i'n dal i weld gwynebau Robat Cadnant a Duvka Llew yng nghanol y nos ac mi fydda i'n neidio i fyny yn fy ngwely yn diferu o chwys.

Na, fydda i byth yn rhydd o gadwyn ddur y cof.

⋆ ⋆ ⋆ ⋆

Ma Wedgefield Open Prison yng nghanol y wlad, hanner ffordd rhwng Lerpwl a Manceinion, a dwi'n codi bob bora i sŵn y môr yn y pellter a'r gwylanod yn clecian ac yn sgrechian wrth iddyn nhw gael eu taflu o gwmpas gan y gwynt. Sawl tro dwi wedi symud y gadair at y ffenest a sefyll arni i drio gweld dros y bryniau er mwyn cael cipolwg ar y tonnau mawreddog... ond, hyd yma o leiaf, heb lwc. Ond, un dydd, dwi'n benderfynol o gerdded yn droednoeth i mewn i'r dŵr iasoer a'i deimlo fo'n sisial fel olew o gwmpas bodiau fy nhraed. Ia, un dydd.

Ymhen pymtheg mlynedd.

Dyna ddudodd y barnwr. Dau gownt o ddynladdiad a sawl achos o byrjyri a pyrfyrting ddy cors of jystus. Wrth glywad y dyfarniad mi naeth Mam syrthio i'r llawr yn ei dagrau ac mi ruthrodd Michelle allan yn gwichian crio.

"Sori, Irfon," medda fy nhwrnai wedyn, lawr yn y gell, eiliadau cyn i mi gael fy nhrosglwyddo drwy'r dorf o gamerâu a newyddiadurwyr i'r lori oedd am fy nhywys i'r carchar, "ond sbia arni fel hyn – o leia dwyt ti ddim yn llofrudd. Ddim go iawn."

"Na," medda finna yn llawn coegni. "Ma hynna'n gysur mawr i mi."

* * * *

Pan oedd Michelle yn dod ar ymweliad mi oedd rhaid iddi aros am awr hefo'r perthnasau eraill cyn cael ei harwain i neuadd fawr swnllyd hefo plant a babis yn sgrechian ym mhobman. Dwi ddim yn cofio llawer iawn am ei hymweliad cyntaf. Na'r ail.

Ond wna i byth anghofio'r trydydd. O'n i'n eistedd yno'n barod wrth y bwrdd bach pren.

"Ti'n iawn, Irfon?"

"Yndw," medda fi. "Dim yn ddrwg."

Wrth iddi nodio ei phen a chwythu ei thrwyn wnes i sylwi fod ei llygaid hi'n dywyll ac mi roedd hi'n amlwg fod y masgara wedi rhedeg dipyn bach.

"Sut ma petha erbyn hyn?"

"Iawn," medda fi. "Dwi 'di bod mewn llefydd gwaeth. Dolgella er enghraifft."

Seibiant. Ma Michelle yn edrych o'i chwmpas ac yn trio gwenu. Wedyn ma hi'n rhoi'r tishw yn ei phoced a throi nôl ata i. Gwên ffals arall.

"Be ti 'di bod yn neud?"

"Wel, dwi 'di ailddechra'r nofel."

"O," medda hi gan drio bod yn ysgafn ac yn bositif. "Grêt."

"Ia, ma nhw'n rhoi menthyg laptop i mi am ddwyawr bob dydd. Dwi'm yn cael mynd ar y we, wrth gwrs."

"Na," medda hi. "Wrth gwrs."

Seibiant arall.

"Be amdana ti, Michelle?"

Ma hi'n sbio i fyny ond tydi'r mynegiant o syrpréis ddim yn gredadwy rywsut.

"Fi?" medda hi.

"Ia. Ti'n gneud ffilm newydd neu rwbath. Mam ddudodd yn ei llythyr."

"O ia," medda hi gan nodio'i phen. "Yndw."

"Hefo ryw foi yn... Sweden neu rwla?"

"Klaus. O Denmarc."

"O. Ia. Denmarc."

Ma Michelle yn tynnu'r tishw allan o'i phoced eto a rhwbio ochor ei thrwyn ond dwi'n sylwi ei bod hi'n ffendio hi'n anodd edrych arna i.

"Yndan," medda hi, "'dan ni'n dechra ffilmio wsos nesa. Yn Copenhagen." Ma hi'n troi yn anghyfforddus yn ei chadair. "I ddeud y gwir, dyna pam ddes i yma heddiw. O'n i isho i chdi wbod, wel, fydda i i ffwr am... wel... am tua mis dwi'n meddwl."

"Mis?"

"Falla dau fis."

"Dau fis?"

"Dwi'm yn hollol siŵr eto. Ti'n gwbod sut ma'r petha 'ma'n gallu bod, Irfon."

Seibiant. Ma 'nghalon i'n byrlymu. Ma fy mysedd yn dechrau tapio ochor y bwrdd yn rhwystredig. Wedyn dwi'n edrych i fyw ei llygaid tywyll.

"Be ma pawb yn ddeud?"

"Deud? Be ti'n feddwl?"

"Ti'n gwbod. Yn ôl yng Nghymru fach. Am hyn i gyd. Fi. Y carchar. Bob dim."

"Wel, dim lot."

"O. Dyna siom. O'n i'n meddwl fasa hyn wedi cadw'r *Cymro* a gwefan Golwg 360 i fynd am flynyddoedd."

"Wel, o'dd 'na gwpwl o storis ond..."

Dwi'n pwyso ymlaen ar y bwrdd.

"Ti'n ocê, Michelle?"

"Ocê?" Ma hi'n trio chwerthin. "Yndw... pam?"

"Wel, ti ddim wedi edrach arna i yn iawn ers i chdi gyrradd. Be ffwc sy'n bod? Dwi ddim wedi troi i fod yn... Ian Brady, 'na i'm byd sti! Dwi dal yr un Irfon 'nes di briodi!"

Ma'r swyddog yn clywed fy llais bygythiol ac mae ei ddau lygad yn fain dan ei gap pig. Ma Michelle yn gwenu arno fo'n ymddiheurol cyn troi yn ôl ata i.

"Isht 'nei di, Irfon," medda hi.

Dwi'n ochneidio ac yn eistedd yn ôl. Ar y bwrdd nesa ma 'na ferch ifanc hefo babi yn snogio ei gŵr. Ma ganddi blentyn arall hefyd ac ma hwnnw'n bwyta bar o siocled ar y llawr. Dwi'n troi yn ôl at Michelle.

"Felly be sy'n bod? Be 'di'r broblam?"

Seibiant arall. Wedyn ma Michelle yn rhoi'r gora i smalio.

"O ffycin hel, Irfon," medda hi'n ddiamynedd, "hyn!

Chdi. Dyna ydi'r ffycin broblam. Ista mewn ffycin stafell hefo chdi mewn pyjamas a… cyffion!"

"Pymthag mlynadd, Michelle. Dyna i gyd."

"Pymthag mlynadd?" medda hi gan godi ei llais a denu sylw'r swyddog yn y cap pig at ein bwrdd unwaith eto. "Sgin ti unrhyw ffycin syniad be ti'n ddeud, Irfon? Pymthag mlynadd?!"

"Deuddag os dwi'n byhafio."

Ma hi'n ysgwyd ei phen fel tasa hi wedi dod i ryw benderfyniad.

"Fedrai ddim, Irfon."

Ma hi'n codi ar ei thraed a stwffio'r tishw yn ei phoced.

"Hei," medda fi, "lle ti'n mynd?"

"Sori, Irfon."

A dyna'r tro dwytha i mi ei gweld hi.

Y peth nesa ges i o'dd llythyr gin ei chyfreithiwr wyth mis yn ddiweddarach yn gofyn am ysgariad. Yn ôl bob sôn ma'i rŵan yn byw yn Copenhagen.

Hefo Klaus.

⋆ ⋆ ⋆ ⋆

Ar hyd ein bywydau mi yda ni'n straffaglu i ffendio rhyw elfen o gysur. 'Dan ni'n chwilio am ffordd i osgoi problemau ariannol a dyled ac, er mwyn trio osgoi'r Gorgoniaid yma, 'dan ni'n gwneud bob math o betha. Prynu ticad loteri bob wythnos a chroesi'n bysadd, er enghraifft. Gwahodd y bos a'i wraig i swper gan obeithio y daw rhyw fath o ddyrchafiad yn y gwaith ar ôl tri chwrs a photel o win hanner pris o Waitrose. Buddsoddi mewn ISAs neu eiddo (os 'dan ni'n lwcus). 'Dan ni'n gorfadd yn effro ganol nos yn poeni am y morgais ac wedyn 'dan ni'n gweithio fel ffyliaid a chael trawiad ar y galon cyn i ni gyrraedd pum deg.

Dyma be 'dan ni'n wneud i drio codi ein hunain uwchben cefnfor dwfn a thymhestlog arian. Môr didostur sydd â'r pŵer i'n boddi ni mewn eiliad.

O'n, mi o'n i'n rhan o'r syrcas wirion yma am flynyddoedd – ond rŵan dwi wedi cael hyd i'r ateb. O'r diwedd dwi wedi llwyddo i gyrraedd lefel swynol o hapusrwydd, llonydd, heddwch a bodlonrwydd.

Sut meddach chi? Yoga? Tai Chi? Yr Iesu? Na. Ffyc off. Drwy fod mewn jêl. Meddyliwch am y peth. Ar lefel ymarferol, gynta 'dach chi wedi dygymod â'r cywilydd, y cwrs cynnar o 'dyrci oer' (ac, wrth gwrs, yr euogrwydd a'r breuddwydion cas sy'n ymosod ar fy nghydwybod bob nos)...

... ma jêl yn iawn.

Does 'na'm llythyra cas gin y banc neu gin gwmnïa credyd. Does dim rhaid poeni am y morgais. Does dim rhaid talu treth cyngor, neu drwydded deledu, neu filiau trydan. Yn y jêl 'dach chi'n garcharor, yndach, ond – yn rhyfadd iawn – 'dach chi hefyd yn rhydd achos 'dach chi wedi cael eich rhyddhau o'r holl betha 'na sy'n poeni pawb ar y tu allan.

Yn fy nghell dwi'n gorfadd ar fy ngwely trwy'r pnawn yn gwrando ar Radio 2 a dwi'n hapus mod i ddim yn ofni'r postman yn y bora. Mae'n hawdd teimlo weithia fod y gell yno i amddiffyn y troseddwr rhag rhai o boenau bywyd, nid i amddiffyn y cyhoedd oddi wrth y troseddwr.

Gynta 'dach chi'n derbyn eich methiannau, eich gwendidau moesol, eich euogrwydd a'ch tynged does 'na ddim byd yn medru'ch cyffwrdd na'ch poeni chi.

Wel, bron dim byd.

# Yr aberth

Es i i angladd fy nhad mewn cyffion.

Yn y bws mini o'r carchar i'r gogledd mi oedd Prison Officer Donald Patterson un ochor a Prison Officer Mitch Pope yr ochor arall a wnaeth yr un o'r ddau ddweud gair wrtha i yn ystod y siwrna gyfan. Ond, chwara teg iddyn nhw, ar ôl y gwasanaeth pan oedda ni i gyd allan yn y fynwent tu allan i'r eglwys – a phan gafodd yr arch ei gollwng yn araf i'r ddaear – mi wnaeth y ddau dynnu eu capia pig i ffwrdd fel arwydd o barch a gadael i mi gamu ymlaen i daflu llond llaw o bridd i'r bedd.

Wrth i ni adael y fynwent mi oedd y camerâu yn clician ac mi gerddais heibio gohebydd ifanc o BBC Cymru oedd yn cyflwyno darn i gamera ac yn fy nisgrifio fel y "cyn-gyflwynydd teledu Irfon Thomas sydd bellach yn farfog ac yn gwbl wahanol i'r cymeriad direidus, llawn sbardun ac egni a enillodd BAFTA ac a oedd yn arfer serennu ar *Trwy Lygaid Irfon*."

Aeth Mam ac Anti Mai yn ôl i'r tŷ yn y car ond, yn naturiol, mi oedd rhaid i mi deithio yno rhwng PO Patterson a PO Pope yn y bws mini hefo 'Wedgefield Open Prison' wedi ei baentio ar ei ochor mewn llythrennau mawr duon.

Yn ôl yn y tŷ, allan o olwg y camerâu a'r criwiau teledu, ges i ganiatâd i eistedd i lawr ar y soffa yn y stafell ffrynt am bum munud hefo Mam. PO Patterson wnaeth ddatgloi'r cyffion.

"No bright ideas sonny, eh?"

"No, officer."

"Remember, Thomas, we'll be right outside the door."

Mi oedd y cyffion wedi bod yn reit dynn ac wedi gadael marcia coch rownd fy ngarddyrnau. Ar ôl i PO Patterson adael, o ochor arall y drws mi o'n i'n clywed y murmur o sgyrsiau wrth i bawb fyta'r brechdanau a thrio peidio sôn amdana i.

"Ma hwn wedi stopio eto," medda Mam ar ôl ryw hanner munud annifyr o dawelwch.

"Be?"

"Yr hen gloc 'ma ar y silff ben tân yli. Dy dad brynodd hwn sti. Pan 'ddan ni'n canlyn." Ma hi'n ysgwyd ei phen ac yn gwenu'n drist wrth gymryd y cloc yn ei dwylo a'i weindio. "Criadur, mi o'dd o'n gwbod pa mor hoff o'n i o hen glocia. Ac mi o'dd o mor benderfynol o neud argraff arna i."

"Steddwch, Mam, 'dach chi 'di bod ar 'ych traed trw'r dydd."

"Na, dwi'n iawn yn fan hyn."

Ma hi'n rhoi'r cloc yn ôl ar y silff ben tân ac yn edrych arna i. Wedyn ma hi'n ochneidio ac yn ysgwyd ei phen.

"Sbia golwg arna chdi, Irfon bach."

"Be 'dach chi'n feddwl?"

"Wel, yr hen locsyn mawr blêr 'na... a'r gwallt hir 'na mewn cynffon ceffyl. Ti'n edrach yn union fatha..."

"Fatha be, Mam? Llofrudd?"

"Paid â siarad yn wirion."

Ma hi'n eistedd i lawr gyferbyn â mi, ond reit ar flaen y gadair – fel tasa hi ar fin gadael unrhyw eiliad.

"'Di'r gôt minc 'na dal gynno chi, Mam?"

Ma hi'n ysgwyd ei phen.

"Esh i â hi lawr i Cancer Research yn dre."

"O," medda fi gan rwbio fy ngarddwrn. "Reit."

"Am faint ma'r dynion 'ma am adal i chdi aros?"

Ma hi'n cyfeirio tuag at y drws a dwi'n dychmygu PO Patterson yn sefyll ar yr ochor arall yn ei gap pig, y cyffion yn barod yn ei ddwylo. Y goriad yn ei boced.

"Tua chwartar awr arall dwi'n meddwl."

"O. Tisho panad?"

"Na, dwi'n iawn, Mam. Diolch."

Seibiant.

Ma'r hen gloc yn tician yn swnllyd ar y silff ben tân.

"O, Irfon bach," medda Mam yn sydyn gan estyn hances boced wen o'i bag a sychu ei llygaid, "dwi mor falch nath dy dad 'rioed dy weld ti mewn cyffion, yndw wir."

Dwi'n codi ac yn mynd ati gan roi fy mraich yn ofalus am ei hysgwydd.

"Mam, plis," medda fi'n dawel. "Peidiwch â chrio. Fydd bob dim yn iawn. Chwe blynadd arall a fydda i'n barod am parole."

Mae'n edrych i fyny arna i.

"O'dd dy dad mor prowd ohona chdi sti. O'dd o yna bob nos o flaen y teledu – ac os na o'n i yna am ryw reswm o'dd o'n gweiddi arna i 'Ty'd... ma Irfon mlaen!' O'dd o'n meddwl y byd ohona chdi, Irfon. O'dd o mor falch o weld dy fod ti wedi dilyn dy freuddwyd a wedi llwyddo."

"Ia wel, ella fod o'n difaru fod o heb neud yr un peth."

Ma Mam yn tynnu'n ôl.

"Be ti'n feddwl?"

"Wel, y busnas pêl-droed 'na'n de?" medda fi. "Hefo Everton."

Ond ma Mam yn ysgwyd ei phen.

"Dwi'm yn dallt."

Dwi'n eistedd yn ofalus ar fraich y gadair ac yn ochneidio.

"Y dwrnod 'na pan o'dd o i fod i fynd i ffwr am dreial

yn Lerpwl," medda fi. "Pan nath o wrthod mynd. A'th o i'r Waverly Hotel medda fo, am banad o de a teisan Battenburg a disgwl nes i'r trên adal cyn dŵad yn ôl adra. Dyna be dwi'n feddwl. Falla fod o'n drist am fod o heb ga'l y... gyts i ddilyn ei freuddwyd ei hun."

Ma Mam yn saethu i'w thraed yn flin.

"Gyts?"

"Ia, sori, Mam, ond... wel... mae o'n wir yn dydi? Falla fasa fo wedi chwara i Everton a wedi llwyddo... os fasa fo heb redag i ffwr."

"Ti'n meddwl fod o wedi rhedag i ffwr?"

"Cadwch 'ych llais i lawr, Mam!"

Ma'r drws yn agor ac ma pen cap pig PO Patterson yn edrych i mewn.

"Everything alright in here, Mrs Thomas?"

"Oh," medda Mam gan drio smalio fod bob dim yn iawn a gwenu'n boléit drwy'r dagrau, "yes. Thank you."

"My mother is just a little... emotional," medda fi. "That's all.'

"Okay," medda fo gan edrych arna i'n ddrwgdybus. "Five minutes, eh? Then we've got to hit the road. There's a large crowd of photographers building up out there."

Ma'r drws yn cau.

Ma Mam yn dŵad ata i.

"Gwranda," medda hi yn ddagreuol ond yn gadarn, "mi o'dd gin dy dad fwy o gyts na o'dd gin ti 'rioed. Nath o ddim rhedag i ffwr y dwrnod hwnnw, Irfon. Mi nath o rwbath lot mwy dewr na dilyn ei freuddwydion. Mi nath o benderfynu eu haberthu nhw."

"Aberthu nhw? Ond er mwyn be?"

"Chdi."

"Fi?"

"O'n i'n feichiog, Irfon. Ti'n dallt rŵan? Beichiog hefo chdi. Ac mi o'dd dy dad newydd ffendio allan. Dyna pam ddoth o'n ei ôl y dwrnod hwnnw. Mi nath o aberthu ei freuddwydion er dy fwyn di." Ma hi'n edrych arna i'n drist ac yn ysgwyd ei phen. "A sbia arna chdi heddiw. Gwastraffu breuddwydion go iawn o'dd hynny, yn de?"

# Y Llyfr Mawr Glas

Os 'dach chi am osgoi mynd o'ch co mae'n bwysig cadw eich hun yn brysur. Yn enwedig mewn carchar. Dyna pam, yn ddiweddar, dwi wedi bod yn tyfu planhigion. Erbyn hyn, dair blynedd ar ôl marwolaeth Mam, ma'r ystafell yn llawn o begonias, cyclamen, cactws, gloxinia, yucca a gardenias. Yn yr haf ma'r gwenyn meirch yn taro yn erbyn y ffenestri tu ôl y bariau ac mae'n braf meddwl fod 'na bocedi egnïol o fywyd a phrydferthwch yma yng nghanol diffeithwch llwm Wedgefield.

Weithia, ar ddiwrnodau tawel a braf, mi fydda i'n sefyll ar fy nghadair ac yn syllu trwy'r bariau a gwrando ar y tonnau yn y pellter gan ddychmygu mod i'n rhedeg ar hyd y traeth anweledig hefo'r tywod mân fel dŵr cynnes rhwng fy modiau.

Ond, y rhan fwyaf o'r amsar, fydda i jyst yn gorfadd ar fy ngwely yn darllen, neu'n trin y planhigion.

Ac yn cysgu wrth gwrs.

Mae'n bwysig cael digon o gwsg.

★ ★ ★ ★

"Irfon... wake up, son. Visitor for you."

"For... me?"

"Yes, get off your lazy arse. Jesus Christ, it's like a fucking greenhouse in here!"

Dwi'n codi o'r gwely ac yn rhoi dipyn o ddŵr trwy fy ngwallt a'i glymu yn ôl. Ma'r PO yn fy nhywys i'r neuadd. Ma'r lle yn hollol wag heblaw am un hen ddynas. Dwi'n troi at y PO.

"This has to be some kind of mistake."

"No mistake, son. She asked specifically for you."

⋆ ⋆ ⋆ ⋆

Ocê, felly dwi'n ista lawr o flaen yr hen ddynas ac mae'n gwenu arna i.

"Ti'm yn fy nabod i, Irfon?"

"Nadw."

"Wel, fedra i'm dy feio di. Ma'i wedi bod yn sbel rŵan reit siŵr. A, wedi'r cyfan, ma'r ddau o'na ni wedi newid dybiwn i."

Dwi'n syllu arni hi eto. Yn galad. Ma 'na rwbath amdani hi. Rwbath am y llygaid. Y trwyn…

"Miss…Wynne?"

"Deg allan o ddeg, Irfon Thomas. Ewch i frig y dosbarth! Ew, un siarp oedda chdi 'rioed."

Jyst hi. A fi. Ma bob un bwrdd arall yn wag.

"Ond… pam?" medda fi. O'r diwedd.

Ma hi'n gwenu eto.

"O'n i'n awyddus i ddiolch i ti."

"Diolch? I fi? Ond… am be?"

Ma 'na rwbath reit sicir amdani. Rwbath hyderus. A thawel.

"Wel, ti'n gweld, os fasa ti heb sôn wrth dy fam am be welis di yn yr ysgol y dwrnod hwnnw, falla faswn i byth wedi llwyddo i ddengid o grafangau Robat Cadnant. Nath o ofyn i chdi gadw'n ddistaw, ond wnes di ddim. Oedda ti'n ddewr, Irfon. Oedda chdi'n hogyn bach mor ddewr."

"Ia, wel. O'n i'n meddwl fod o'n mynd i'ch lladd chi yn do'n?"

Ma hi'n twtio ei gwallt ychydig. Gwallt sydd fel ei henw erbyn hyn. Yn wyn.

"Hen fwli hunanol a bygythiol o'dd Robat erioed. Ar ôl yr hyn wnaeth o, ac ar ôl iddo fo golli'r swydd fel cyflwynydd, 'nes i benderfynu gadael Cymru a symud i Fanceinion. Dwi dal yna heddiw. 'Dio'm yn bell o fan yma i ddeud y gwir. Tri chwartar awr ar y drafffordd." Ma hi'n syllu i fyw fy llygaid. "Dwi wedi bod yn dilyn dy yrfa di, Irfon. Y da… a'r… wel…" Ma hi'n gwenu. "A'r… anffodus. Faint sgin ti ar ôl yn y lle 'ma rŵan?"

"Dwy flynadd medda fy nhwrna. Falla dipyn bach llai os dwi'n lwcus."

Ma hi'n astudio'r neuadd wag, anghynnes am ychydig eiliadau cyn setlo yn ôl ar fy ngwyneb.

"A be wedyn, Irfon? Wyt ti am ddychwelyd i'r byd teledu?"

Dwi'n chwerthin. Sori, ond fedra i'm helpu peidio. Dwi'n ista yn ôl yn y gadair anghyfforddus gan adael i fy mreichiau hongian dros yr ochrau.

"Be? Yn edrach fel hyn?" Ma'r locsyn erbyn hyn yn llwyd ac yn dena – jyst fel fy ngwallt (a fy nghorff!). "Na," medda fi gan eistedd ymlaen eto, "ma'r bywyd yna drosodd. O'dd o fatha rhyw gyfnod o… dwn i'm… wallgofrwydd." Dwi'n edrych i fyw ei llygaid. "Mae o'n teimlo fel oes arall rwsut."

"Wel… *beth* felly?"

"Ella 'na'i deithio dipyn. Ffrainc, neu Sbaen. Rwla cynnas."

Ma Miss Wynne yn sbio arna i. Ar fy ngwallt. Fy locsyn. Fy nwylo. Wedyn ma hi'n estyn rwbath trwm o'i bag ac yn ei osod ar y bwrdd o mlaen.

"Anrheg," medda hi.

Dwi'n troi rownd yn syth at y gwarchodwr.

"Miss Wynne, 'dan ni ddim yn cael derbyn…"

Ond ma Miss Wynne yn pwyso ymlaen ac yn cyffwrdd fy llaw.

"Ma bob dim yn iawn, Irfon," medda hi. "Paid â poeni. Dwi wedi checio hefo'r llywodraethwr. Mae o wedi deud fedri di dderbyn hwn."

O fy mlaen ar y bwrdd ma 'na barsal sgwâr wedi ei chwarteru hefo llinyn tena fel cacen Battenburg.

A, hefo hynna, ma hi'n codi o'i chadair.

"Lle 'dach chi'n mynd? Newydd gyrradd ydach chi."

Ma Miss Wynne yn edrych i lawr arna i ac yn gwenu.

"O'n i jyst isho diolch i chdi, Irfon," medda hi. "Ti'n gweld, dwi'n mynd i ffwrdd i Ganada fory. Ma'n chwaer i yna yn byw yn Toronto a ma'i 'di gofyn i mi fynd ati. Sgin i ddim lot i 'nghadw i ym Manceinion bellach – dwi wedi ymddeol a… wel… ma'r glaw yn medru bod braidd yn ddiflas." Ma hi'n gwenu'n wan. "O'n i angen dy weld di cyn mynd. Ddyla mod i wedi dŵad i dy weld di flynyddoedd yn ôl ond… wel… tydi pawb ddim mor ddewr â chdi, Irfon."

Ma hi'n gwenu eto cyn troi. Dwi'n 'i gwylio hi'n cerdded i ffwrdd, ei sgidia sodla uchel yn clip-clopian ar y llawr pren caled.

* * * *

Yng nghanol y nos ma'r breuddwydion yn fy mhlagio i unwaith eto – Robat Cadnant a Duvka Llew yn fyw ac yn chwerthin yn gythreulig wrth i mi losgi o'u blaen yn fflamau y diafol. Ac, fel arfar, dwi'n eistedd i fyny yn fy ngwely yn diferu o chwys, allan o wynt a fy nau lygad fel marblis.

Ar ôl ychydig eiliadau ma'r chwerthin dieflig yn diflannu a dwi'n clywed sŵn y tonnau yn y pellter. Ma nhw'n byrlymu ac yn taranu a fedra i ddychmygu'r dŵr yn taro fy ngwyneb ac yn socian fy nillad i'r croen wrth i mi sefyll ar y traeth yn droednoeth.

Dwi'n codi, yn sefyll ar y gadair ac yn syllu drwy'r ffenest ond, fel arfar, does 'na ddim byd i'w weld. Dim ond y glaw yn sgleinio fel ambr yn erbyn y sbotoleuadau. Dwi'n neidio lawr ac yn estyn parsel Miss Wynne. Heb gyllell na siswrn mae'n rhaid i mi frathu trwy'r llinyn.

Ma'r papur brown yn disgyn i'r llawr ac yna dwi'n ei weld yn fy nwylo – llyfr ysgrifennu mawr glas, yn union fel yr un oedd gan Miss Wynne yn yr ysgol ers talwm. Llyfr i ni ddweud ein hanes. Ein hanturiaethau. Storis am ein cŵn, ein cathod, ein gwyliau.

Bob dim.

Dwi'n gwenu i fi fy hun, a ma raid i mi gyfadda fod 'na ddeigryn, erbyn hyn, wedi ffurfio yng nghornel fy llygad.

Dwi'n eistedd wrth y ddesg. Dwi'n ei chlirio ag un symudiad chwim hefo fy mraich ac ma'r cwpanau plastig a'r cylchgronau a'r peiriant casét yn disgyn i'r llawr mewn rhaeadr swnllyd ac anarchaidd. Yn y drôr dwi'n ffendio beiro ddu. Dwi'n rhoi'r Llyfr Mawr Glas o fy mlaen ar y ddesg. Dwi'n ei agor. Dwi'n pwyso i lawr ar y tudalennau. Meddwl am eiliad.

Wedyn, o dan olau gwan y sbotoleuadau, dwi'n dechrau sgwennu.

*Mae hon yn stori wir…*

£7.95

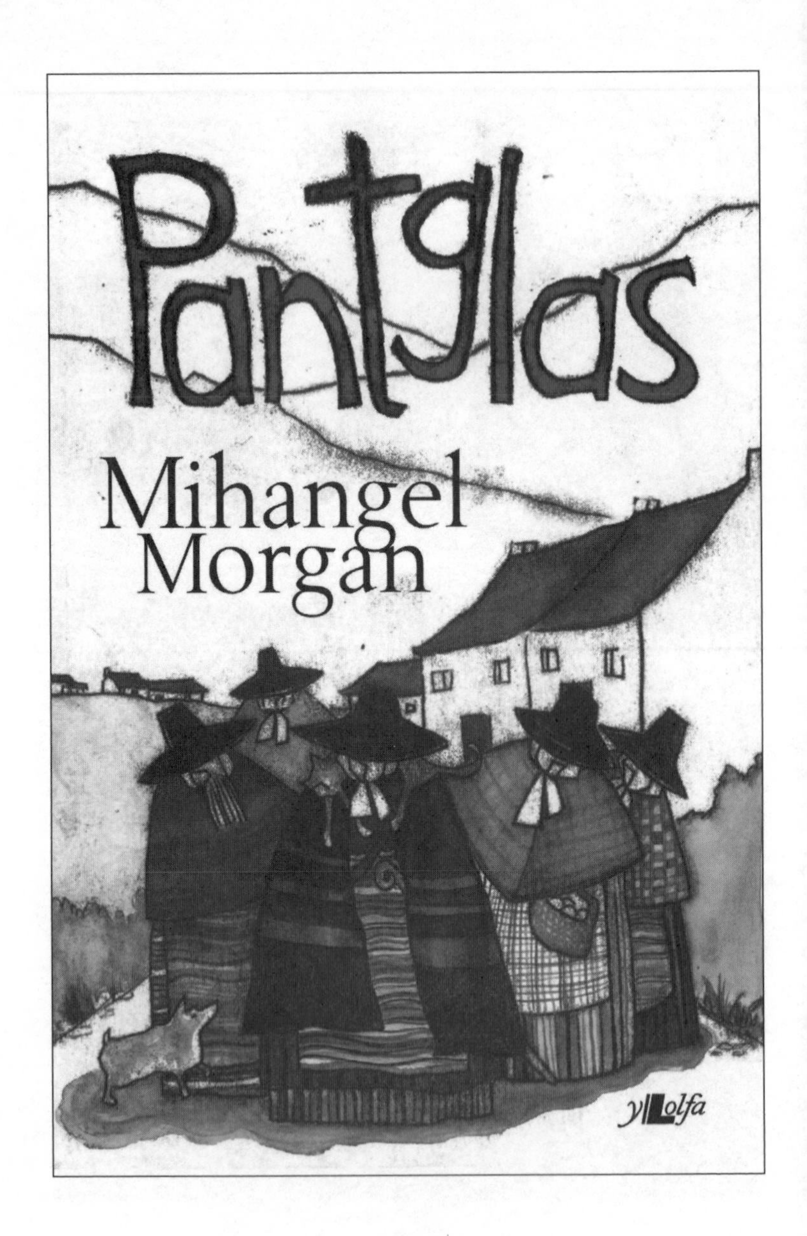


£8.95

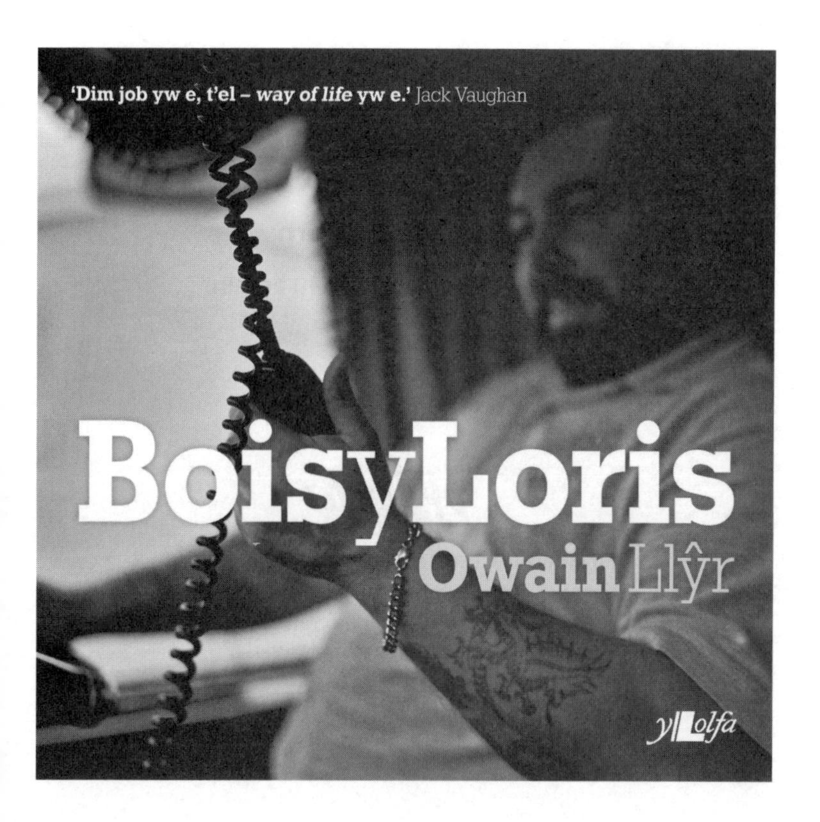
'Dim job yw e, t'el – way of life yw e.' Jack Vaughan
Bois y Loris
Owain Llŷr
y Lolfa

£9.95

Am restr gyflawn o lyfrau'r Lolfa, mynnwch
gopi am ddim o'n catalog
neu hwyliwch i mewn i'n gwefan

**www.ylolfa.com**

lle gallwch archebu llyfrau ar-lein.

TALYBONT CEREDIGION CYMRU SY24 5HE
*ebost* ylolfa@ylolfa.com
*gwefan* www.ylolfa.com
*ffôn* 01970 832 304
*ffacs* 832 782